손균일 孫☐☐

☐☐☐ 수료하고, 충청남도역사박
☐☐☐☐☐ ☐언 사건을 통해 본 사회
☐☐☐☐ ☐문을 썼다.『화암수록』,『상두지』
☐ 공역했다.

왕연 王娟

중국 산동山東 광요현廣饒縣 출생. 한양대 국문과에서 박
사과정을 수료했다.「18~19세기 북경 유리창 오류거 서
점과 조선 지식인」등의 논문을 썼다.

이패선 李珮瑄

중국 천진天津 출생. 한양대 국문과에서 박사과정을 수료
했다. 논문으로「『망촉련집』 연구」가 있다.『상두지』를 공
역했다.

최한영 崔韓煐

한국고전번역원 고전번역교육원 연수과정을 졸업하고, 한
양대 국문과 박사과정에 재학 중이다. 논문으로「조선 후
기 소품문의 유희성 연구」가 있다.『화암수록』,『상두지』를
공역했다.

호저집

縞紵集

1

찬집

篡輯

호저집縞紵集
1 찬집纂輯

엮은이	박장암
옮긴이	정민·강진선·민선홍·손균익·왕연·이패선·최한영
기획총괄	실학박물관
	(12283) 경기도 남양주시 조안면 다산로747번길 16

2022년 11월 14일 초판 1쇄 발행

펴낸이	한철희
펴낸곳	돌베개
등록	1979년 8월 25일 제406-2003-000018호
주소	(10881) 경기도 파주시 회동길 77-20 (문발동)
전화	(031) 955-5020
팩스	(031) 955-5050
홈페이지	www.dolbegae.co.kr
전자우편	book@dolbegae.co.kr
블로그	blog.naver.com/imdol79
트위터	@Dolbegae79
페이스북	/dolbegae

편집	이경아
표지디자인	김민해
본문디자인	이은정·이연경
마케팅	심찬식·고운성·김영수·한광재
제작·관리	윤국중·이수민·한누리
인쇄·제본	영신사

ISBN 979-11-91438-93-2 (94810)
        979-11-91438-92-5 (세트)

호
저
집 縞紵集

박장암 엮음 ═ 정민·강진선·이패선 외 옮김

1

찬집 纂輯

돌베개

책을 펴내며

　『호저집』(縞紵集)은 한중 문화 교류사에서 상징적인 위치를 차지하는 책이다. 박제가(朴齊家, 1750~1805)가 네 차례에 걸친 연행에서 교유한 중국의 지식인들과 주고받은 시문과 필담을, 박제가의 셋째 아들 박장암(朴長馣, 1790~1851 이후)이 시기에 따라 나누고 사람별로 묶어 엮었다. 부친 박제가 사후에 어지럽게 전하던 기록들이 흩어질 것을 염려하여 진행한 편집 작업이었다.

　'호저'(縞紵)란 말은 『좌전』(左傳) 양공(襄公) 29년 조에 나온다. 오나라의 계찰(季札)이 정(鄭)나라에 갔다가 정자산(鄭子産)과 만나 오래 사귄 벗처럼 가까워지자, 자신이 차고 있던 흰 명주 허리띠를 끌러 선물로 주었다. 정자산은 답례로 계찰에게 모시옷을 벗어 건넸다. 이후 이 단어는 벗 사이에 마음을 담아 주고받은 물품을 가리키는 말이 되어, 깊고 두터운 우정을 나타내는 의미로 쓴다.

　박제가는 네 차례 연행을 다녀왔다. 세 번째 연행은 귀국하기가 무섭게 곧바로 이어진 걸음이었다. 전후 체류 기간도 제법 길었다. 1776년 유금(柳琴)이 사행에 참여해 연경에 갔을 때 이조원(李調元), 반정균(潘庭筠) 등의 평어를 받아 온 『한객건연집』(韓客巾衍集)을 통해 북경 지식인 사이에 박제가의 이름이 널리 알려져 있던 상황이었다. 몇 차례 사행이 이어지면서 북경에서의 박제가의 지명도는 대단히 높아졌다.

박제가는 놀라운 시문 창작 능력과 풍부한 학식, 천재적인 순발력으로 필담을 나누며 중국 지식인들을 단번에 매료시켰다. 만남이 만남을 불러 북경 유리창 거리에 이른바 박제가 신드롬이라 할 만한 현상까지 생겨났다. 그와 교유를 트기 위해 경쟁적으로 애를 썼고, 시문을 보내 적극적으로 교유를 청하는 경우도 없지 않았다. 귀국 후에도 청조의 많은 지식인이 인편으로 소식을 전해 왔고, 이렇게 오간 수많은 편지와 시문, 필담의 초고가 박제가 집안에 산더미처럼 쌓여 있었다.

하지만, 만년의 박제가는 슬프고 참담했다. 1801년 4차 연행에서 귀국한 직후 그는 사돈인 윤가기(尹可基)의 옥사에 연루되어 귀양을 갔고, 4년 뒤 귀양지에서 병을 얻은 채 돌아와 시름시름 앓다가 세상을 떴다. 아들 박장암은 아버지 박제가의 그 빛나는 기록들을 그대로 사장시킬 수 없다는 판단에서 박제가가 손만 대고 마무리 짓지 못한 자료의 정리를 시작했다. 그 결과 목차와 범례에 따라 172명에 달하는 청조 사인들과의 교유 기록이 정리되었다.

동아시아 연행사에서 한 개인이 접촉한 인원으로는 단연코 박제가를 넘어설 사람이 없다. 그가 만났던 많은 중국의 지식인들은 대부분 당시 중국 문단에서 쟁쟁한 지명도를 자랑하던 이들이다. 이 중에는 중국 쪽 기록에 전혀 흔적을 남기지 않은 문인들도 적지 않다. 책 속에 수록된 172명과 중간 주석에 소개된 13명 등 총 185명의 인명록은 말 그대로 18세기 중엽에서 19세기 초엽에 이르는 청조 학계와 문단의 거공명가(鉅公名家)를 망라하고 있다.

관련 기록은 해당 문인의 개별 문집에도 풍부하게 남아 있다. 『호저집』의 기록과 맞춰서 살펴보면, 당시 박제가의 교유가 얼마나 국제적이고 엄청난 것이었는지 실감난다. 박제가의 교유 인맥은 다음 세대 추사(秋史) 김정희(金正喜)와 자하(紫霞) 신위(申緯) 등에게 그대로 인계되었다. 이를 통한 자극이 조선의 북학(北學)을 추동했고, 실사구시(實事求是), 이용후생(利用厚生) 학풍 확산의 견인차 역할을 했다.

2010년에 박제가의 시문집인 『정유각집』(貞蕤閣集) 3책을 제자들과 함께 번역해서 돌베개에서 펴냈다. 12년이 지나, 『호저집』 2책을 다시 돌베개에서 간행하게 되었다. 2020년 5월부터 2022년 3월까지 근 2년간 한 주도 쉬지 않고 매주 한 차례 세 시간씩 만나 강독을 했다. 처음엔 얼굴을 맞대고 함께 읽다가 코로나 사태 이후로는 비대면 상태에서 온라인으로 강독을 이어 나갔다. 분량이 많아 이걸 언제 다 읽나 싶어 막막했는데, 차곡차곡 시간이 쌓여 마침내 마칠 수 있었다.

막상 번역 과정이 순탄치만은 않았다. 매주 서로 역할을 나누어 자신에게 할당된 부분의 초역과 주석 작업을 진행했다. 번역문을 함께 윤독하며 새로 강독해서 고치고 주석을 추가했다. 또 관련 문헌을 조사해서 구체적인 내용을 하나하나 보완해 나갔다. 그러고 나서도 여러 차례 원고 전체를 면밀하게 검토·보완하였다. 이 시대의 시문이 보여 주는 일반적인 특성이기도 하지만, 험벽한 고사와 넘쳐나는 전거의 인용으로 해독에 많은 난관이 있었다. 또 남은 시문만으로는 두 사람 사이에 오간 상황 문맥을 알 수 없다 보니, 여전히 석연치 않은 대목들이 적지 않다.

강독의 과정에서 제자들의 한문 문리가 나아지고, 문맥을 찾아가는 눈길이 맵짜지는 성장을 지켜보는 것이 기쁘고 즐거웠다. 공역자로 함께 이름을 올린 사람은 강진선, 손균익, 민선홍, 최한영, 이패선, 왕연 등이다. 이밖에 김영은, 김성현, 고파, 조자성, 최호선 등이 부분적으로 강독에 참여하였다.

올해는 한중 수교 30주년이 되는 해이다. 국경의 장벽이 허물어진 인터넷 세상에서 오히려 국가 간 민족 간 장벽은 자꾸만 높아져 간다. 체제가 다르고 입장이 차이 날 수는 있지만, 이것이 상대에 대한 맹목적인 적개심이나 갈등의 요인이 되어서는 안 된다. 이를 넘어설 수 있는 것은 오로지 문화와 인간의 만남, 사람과 사람 사이에 오간 마음뿐이다. 문화로 접촉하고, 사람끼리 접속해서 소통의 광장을 활짝 열어야 한다. 이것이 우리가 한중 문화 교류의 상징적 인물인 박제가의 『호저집』을 읽어 그의 평생에 걸친 한중 우정의 교유록을 복원하려 한 이유이기도 하다.

이번 이 책이 실학박물관의 지원을 받아 빛을 보게 된 것을 기쁘게 생각한다. 취지에 공감하고 자료의 가치를 알아본 정성희 관장님의 판단에 깊은 감사의 뜻을 표한다. 이번에도 이 책을 돌베개에서 함께 해 주었다. 촉박한 시일에도 흔쾌히 출판을 결정해 주신 한철희 사장님의 용단에 감사드리고, 이경아 팀장의 꼼꼼한 손길에도 큰 고마움을 전한다.

이 『호저집』의 간행이 한중 문화 교류의 필요성을 공감하고, 새 물꼬를 트는 한 계기가 되었으면 좋겠다. 미처 살피지 못한 오류가 적지 않을 것이다. 그것은 현재 우리의 수준을 반영하는 것이어서 더 오래 붙들고 시일을 끈다고 해서 달라질 부분이 아니라는 생각을 했다. 부족한대로 용기를 내어 세상에 묻기로 한 이유다. 대방의 질정을 청한다.

2022년 국화 시절,
행당서실에서 정민 씀.

차 례

권2 경술년(1790), 신해년(1791)

권3 신유년(1801)

일러두기

- 이 책은 하버드대학교 옌칭도서관 소장 필사본 『호저집』(縞紵集)을 완역한 것이다.
- 번역문의 차례는 원문에 따르되, 일부 제목의 오기를 바로잡고 설명을 붙였다.
- 번역문은 문맥을 고려하여 단락을 구분하였다.
- 중국의 인명과 지명은 한국식 한자음으로 표기하였다.
- 원문 중에 부(附)로 표시된 작품이나, 표시가 없더라도 본문과 구분하여 내려쓰기를 한 경우는 번역에도 들여쓰기를 하여 이를 반영하였다.
- 하버드대학교 옌칭도서관 소장 필사본 『호저집』은 앞서 경성제국대학 교수 후지쓰카 지카시(藤塚鄰)가 소장했던 책이다. 도처에 그의 메모가 남아 있는데, 그중 의미 있는 내용은 번역문의 해당 부분에 설명을 붙여 소개하였다.
- 원문의 이체자(異體字)는 따로 표시하지 않고 정자(正字)로 고쳐 입력하였다. 단 인명 등의 고유명사 및 통용하는 글자의 경우 예외로 한다.
- 원문의 오탈자는 『정유각집』(貞蕤閣集)을 비롯한 한국과 중국의 관련 자료를 참조해 바로잡고 각주로 설명을 붙였다.

범례

凡例

하나. 이 책은 2집(輯), 각 3권(卷)¹으로 되어 있다. 각각 연대순으로 부
문을 나누어 편집하여 엮었다. 과거 급제 등수, 이름과 호, 관직과
출신 등의 사실을 살펴 한 책으로 만들고, 첫머리에 찬집(纂輯)이
라 하였다. 찬(纂)이란 들은 것을 차례 지어 묶은 것이다. 시문과
척독, 제평(題評) 몇 수를 합쳐서 한 책으로 삼고, 첫머리에 편집
(編輯)이라고 썼다. 편(編)이라는 것은 그 글을 차례 지어 편집한
것일 뿐이다. 이 때문에 편집과 찬집을 다르게 구별했다.

하나. 무술년(1778)²을 제1권으로 삼았고, 경술년(1790)과 신해년
(1791)³은 제2권이 되며, 신유년(1801)⁴은 제3권으로 삼았다. 무

---

1 2집(輯), 각 3권(卷): 『호저집』 범례의 원문은 "2권 3편"(爲卷二, 爲篇三)이다. 그러나 『호
저집』의 본문은 '찬집'(纂輯)과 '편집'(編輯)의 2집(輯)으로 구분된다. 찬집은 박제가(朴齊家)
가 교유한 인물의 인적 사항을 정리한 내용이고, 편집은 박제가가 중국 인사들과 나눈 글을
모은 것이다. 그리고 각 집은 박제가의 연행 연대순으로 구분하여, 곧 무술년(1778), 경술년
(1790) 및 신해년(1791), 신유년(1801)의 3권(卷)으로 각각 나누었다. 이렇게 총 2집 6권의 구
성이 된다. 체재를 통일하고 혼란을 막기 위해, 해당 범례의 "권"(卷)과 "편"(篇)을 각각 '집'과
'권'으로 옮긴다.
2 무술년(1778): 박제가는 정조 2년(1778)에 1차 연행길에 올랐다. 지난해 동지사(冬至使)
편에 보냈던 주문(奏文)에 불손한 표현이 있다는 트집을 해명하기 위한 사절단으로, 이덕무와
동행하였다. 박제가는 정사(正使) 채제공(蔡齊恭)의 종사관, 이덕무는 서장관(書狀官) 심염조
(沈念祖)의 종사관으로, 3월 17일에 한양에서 출발해 그해 7월 1일에 한양으로 돌아왔다. 이후
3개월 만에 『북학의』(北學議)를 탈고하였다.
3 경술년(1790)과 신해년(1791): 박제가는 정조 14년(1790) 건륭제(乾隆帝)의 팔순을 축하
하기 위한 사절에 정사(正使) 황인점(黃仁點)을 수행하여 연행하였다. 이때 5월 27일에 출발하
여 연경에 40여 일간 머문 뒤, 9월 26일에 한양으로 출발하였다. 그러나 그해 10월 귀국 도중,
압록강에서 원자 탄생에 대한 건륭제의 축하 인사에 답례를 하고 오라는 왕명을 받고는 곧장 발

릇 세 권 안에 모두 172명⁵이 포함되어 있는데, 사적은 중간중간 빠지거나 소략한 것이 많다. 책 속에서 찾아 분명하게 살필 수 있는 것 외에도 간혹 작품의 서명 부분 끝에서 얻거나, 낡은 종이의 알아보기 힘든 나머지에서 따오기도 하였으니, 얻은 바가 겨우 열에 한둘이다. 이 때문에 간혹 성명만 있고 자(字)나 호(號)가 없는 사람도 있고, 혹 성명과 자·호는 갖추었지만 벼슬과 출신에 관한 사실은 전혀 상고할 수 없는 사람도 많다.

하나. 여러 사람이 교유를 맺은 차례는 무술년(1778)과 신유년(1801)의 경우는 모두 근거가 있다. 하지만 경술년(1790)과 신해년(1791)은 앞뒤가 서로 이어져 처음과 끝이 모호하므로 잠시 짐작으로 차례를 매겨 나열하였다.

하나. 여러 사람의 열거한 이름과 사적은 전기(傳記)의 예에 따랐는데, 사제와 교우 관계 그리고 출처의 자취에 대해서는 상세하게 주석과 풀이를 더하여 그 지파와 연원까지 밝혔다. 그 아래에는 선군(先君)⁶께서 쓴 증별시(贈別詩)와 회인시(懷人詩) 그리고 제첩(題

걸음을 돌려 3차 연행길에 올랐다. 이듬해인 정조 15년(1791) 3월에 조선으로 돌아왔다.

4 신유년(1801): 박제가의 4차 연행은 순조 1년(1801)에 있었다. 주자서(朱子書)의 선본(善本) 구입을 목적으로 사은사(謝恩使)를 수행하여 갔다. 삼사신(三使臣)은 정사(正使) 조상진(趙尙鎭), 부사(副使) 신헌조(申獻朝), 서장관(書狀官) 신현(申絢)으로, 2월 12일에 한양을 출발했다. 유득공의 『연대재유록』(燕臺再遊錄)에 따르면 1월 28일에 사은사를 따라 서적 구입 업무를 수행하라는 내각(內閣)의 지시를 받고, 2월 15일에 사신 일행을 뒤따라 출발하였다고 한다.

5 172명: 원문은 "一百〇十〇人"으로, 정확한 숫자를 적지 않고 공란으로 놓았다. 지금 『호저집』에 항목으로 수록된 중국 인사는 모두 172명이다. 여기에 항목을 만들지 않은 인물까지 합치면 185명이다.

6 선군(先君): 『호저집』의 편찬자 박장암이 부친 박제가(朴齊家, 1750~1805)를 이르는 말이다. 조선 후기 실학자로 특히 연암 박지원과 함께 18세기 북학파(北學派)의 거장이다. 본관은 밀양(密陽), 자는 차수(次修)·재선(在先)·수기(修其), 호는 초정(楚亭)·정유(貞蕤)·위항도인

帖) 등을 잇대었다. 이와 함께 필담이 있을 경우 각각 그 아래에 첨부하였다.

하나. 무릇 172인 안에 직접 만나 본 사람을 제외하고, 건너서 듣고 멀리서 떠올려 본 사람이 4인이요, 편지가 오갔지만 만나 보지는 못한 사람이 1인이다. 소문을 듣고 서로 그리워한 사람이 2인이고, 시문(詩文)을 서로 통하였지만 직접 만나 사귀지는 못한 사람이 1인이었다. 건너서 듣고 멀리서 떠올려 본 사람은 소음(篠飮) 육비(陸飛), 운초(雲椒) 심초(沈初), 서림(西林) 오영방(吳穎芳), 간재(簡齋) 원매(袁枚) 등이다. 편지가 오갔지만 만나 보지는 못한 사람은 동산(東山) 곽집환(郭執桓)이다. 소문을 듣고 서로 그리워한 사람은 초휴(椒畦) 왕학호(王學浩)와 증재(澄齋) 유석오(劉錫五)이다. 시문(詩文)을 서로 통하였지만 직접 만나 사귀지는 못한 사람은 유당(有堂) 엄익(嚴翼)이다. 무릇 이 여덟 사람은 각각 차례대로 부록에 실었다.7 그 나머지 우촌(雨邨) 이조원(李調元)과 추루(秋庫) 반정균(潘庭筠), 야정(冶亭) 철보(鐵保) 등 세 사람은 먼저

(葦杭道人)이다. 승지(承旨) 박평(朴坪)의 서자로, 서울에서 태어났다. 1778년 사은사 채제공의 수행원으로 청나라에 다녀와서 『북학의』를 저술했는데, 청나라의 선진 문물을 본받아 생산기술을 향상시키고, 통상무역을 통하여 이용후생(利用厚生)을 실현할 것을 역설하였다. 정조의 서얼허통(庶孼許通) 정책에 따라 이덕무·유득공·서이수 등과 함께 규장각 검서관(檢書官)이 되었다. 기상이 컸고, 성격은 굳고 곧았다. 시문은 첨신(尖新)하며 활달했고, 필세(筆勢)는 날카롭고 굳세었다. 학문은 개혁적이면서도 실용적이었는데, 다산 정약용과 추사 김정희에게 영향을 주었다. 저서에 『정유집』(貞蕤集), 『북학의』 등이 있다.
7 무릇…실었다: 『호저집』 찬집은 "범례"에 이어 "호저집권지수…찬집"(縞紵集卷之首…纂輯)으로 시작하는데, 곽집환을 맨 처음 소개한 후, "부"(附)라 표기한 뒤 육비·오영방·심초·원매를 잇달아 소개하였다. 이 다섯 사람은 박제가가 연행 이전부터 그 이름을 알았으나, 연행 기간 동안 만나 보지는 못한 사람들이다. 다만, 왕학호·유석오는 찬집 및 편집의 권2 말미에, 엄익은 찬집 및 편집의 권3 말미에 부록으로 소개되고 있다. 아마도 이들의 위상을 고려하여 권수로 따로 빼어 맨 앞자리에 놓아둔 것으로 보인다.

시문과 서찰이 오간 뒤에 마침내 대면하였으므로, 모두 부록에 싣지 않고 곧장 원찬(原纂)에 넣었다.

하나. 여러 사람 가운데 자취가 사라져 증거가 없어 도저히 살펴볼 수 없는 사람은 번잡하여 삭제하려 하였으나, 무릇 이목이 미치는 너머에 비록 몇 글자나 짧은 글이라도 그 사귐이 분명히 알게끔 드러나는 것이 많았다. 그래서 감히 멋대로 빼 버리지 못하고, 하나하나 갖추어 기록하여 훗날 상고하기를 기다린다.

하나. 시와 산문을 구분하여 엮으려 하였는데 연대가 뒤섞이고 앞뒤가 뒤바뀌어, 살피는 자가 그 상세한 사정을 알지 못할까 봐 염려하였다. 그래서 시문(詩文)과 서찰(書札), 제평(題評)의 순서대로 편집하고 차례 매겨, 살펴보기 편하게 하였다. 그 가운데 구작(舊作)으로 서로 오간 것은 한 글자를 낮추어서 아래쪽에다 원제목을 뽑아 쓰고, 바른 줄에는 답장한 제목을 크게 써서 내가 한 것임을 표시하여 감히 함부로 내버려 두는 뜻이 없게 하였다. 답장한 제목이 없는 경우는 다만 한 글자를 낮추고 바른 줄에 원제목을 크게 써서 감히 깎아 버리지 않고 예전 그대로 남겨 두었다.

하나. 여러 사람의 시문이 비록 나중에 온 다른 사람이 준 것이더라도 중간에 선군의 말이 있을 경우 전부 보충해 넣어서 부록으로 실었으니, 오래되어도 잊지 않는 뜻을 보였다.

하나. 책 가운데 원래 편지와 답장 및 원운(元韻)과 차운(次韻)은 일체를 다 기록하여 그 전체 작품을 남겨, 나란히 차례로 시를 짓던 멋진 일을 삼가 기록하였다.

하나. 이 책은 『건연집』(巾衍集)[8]에서 시작하여 『정유고략』(貞蕤稿略)[9]에서 마쳤다. 가로로 씨줄을 삼고, 세로로 날줄을 삼아 시화(詩話)라

할 수도 있고, 또한 제금집(題襟集)[10]이라 할 수도 있다. 선군께서 여러 분을 사모한 것과 여러 분이 선군을 사모한 것이 나란히 끝내 사라지게 할 수는 없는지라, 유자후(柳子厚)가 「선우기」(先友記)[11]를 지은 뜻에 견주어 이 책을 만들고 『호저집』이라 이름 지었다.

기사년(1809) 5월에 박장암(朴長馣)[12]은 삼가 쓴다.

8　『건연집』(巾衍集): 『한객건연집』(韓客巾衍集). 18세기 조선의 문인 탄소(彈素) 유금(柳琴, 1741~1788)이 이덕무(李德懋, 1741~1793)·유득공(柳得恭, 1748~1807)·박제가(朴齊家, 1750~1805)·이서구(李書九, 1754~1825)의 시를 각각 100수씩 엮은 시선집이다. 영조 52년 (1776) 유금이 연행길에 가지고 가서 이조원(李調元)과 반정균(潘庭筠)의 서문을 얻어 이듬해 중국에서 간행하였다. 『호저집』 편집에 이조원의 「한객건연집서」(韓客巾衍集序)와 반정균의 「건연집평」(巾衍集評)이 실려 있다.

9　『정유고략』(貞蕤稿略): 박제가가 순조 원년(1801)의 4차 연행 때 지참해 간 시문집. 중국에서 간행되었다. 청나라 문인 오성란(吳省蘭, 1738~1810)이 편집, 진전(陳鱣, 1753~1817)이 교정하고 서문을 써 주었다. 그해 오성란은 당대 163종의 저술을 모아 총서(叢書) 『예해주진』(藝海珠塵)을 목판으로 간행하였는데, 여기에 이 책을 포함시켰다. 『호저집』 편집 권3에 진전의 「정유고략서」(貞蕤稿略序)가 실려 있다.

10　제금집(題襟集): 벗 간에 시문을 창수(唱酬)하여 엮은 책. 당나라 때 문인 온정균(溫庭筠)·단성식(段成式)·여지고(余知古) 등이 서로 주고받은 시를 모아 만든 『한상제금집』(漢上題襟集)에서 유래하였다. 청나라 문인 주문조(朱文藻, 1735~1806)가 한국과 중국의 문인들과 나눈 시와 편지를 편찬하며 『일하제금집』(日下題襟集)이란 제목을 붙이기도 하였다.

11　「선우기」(先友記): 당나라의 문인 유종원(柳宗元, 773~819)이 지은 「선군묘표비음선우기」(先君墓表碑陰先友記)를 이른다. 작고한 부친의 벗 67명에 대한 기록을 담고 있다.

12　박장암(朴長馣): 1790~1851 이후. 18세기 북학파의 거장인 실학자 박제가의 셋째 아들이다. 자가 향숙(香叔), 호는 소유(小蕤)·사묵(師墨)이며, 본관은 밀양(密陽)이다. 1790년(정조 14), 승지(承旨)를 지낸 박평(朴坪)의 서자 박제가와 절도사(節度使)를 지낸 이관상(李觀祥)의 서녀 덕수(德水) 이씨(李氏) 사이에서 태어났다. 부친을 이어 1818년(순조 18) 규장각 검서관(奎章閣檢書官)으로 임용되어 종9품 부사용(副司勇)의 군직에 제수되었으며, 1827년 (순조 27)에는 종6품 부사과(副司果)로 품계를 더하였다. 장흥고주부(長興庫主簿)·통례원인의(通禮院引儀)·사옹원주부(司饔院主簿)·흥양목장감목관(興陽牧場監牧官) 등의 직함을 가졌다. 이후 1833년(순조 33) 함창현감(咸昌縣監)에 임용되었으며, 1836년(헌종 2)에는 진위현령(振威縣令)으로 자리를 옮겼다. 진위현령으로 재임 중이던 1839년(헌종 5) 암행어사 홍영규(洪永圭)에게 장죄(贓罪)가 적발되어 봉고파직(封庫罷職)되고 의금부(義禁府)의 추국을 당하였다. 이로 인해 경기 용인(龍仁) 등지에서 10년 넘게 관직 없이 지냈으며, 1851년(철종 2)

一. 是書爲卷二, 爲篇三. 各以年次部分而編列之. 考科甲名號爵里事實爲一卷, 署曰纂輯. 纂者纂次已聞也. 合詩文尺牘題評若干首爲一卷, 署曰編輯. 編者編次其文而已, 故所以別編纂之異也.

一. 戊戌爲第一篇, 庚戌辛亥爲第二篇, 辛酉爲第三篇. 凡三篇之內, 摠一百○十人, 而事蹟間多闕略. 其搜于簡冊, 斑斑可考之外, 或得於篇章款識之末, 或摘於敗紙糢糊之餘, 所得才十之一二. 故或只有名姓, 而幷無字號者, 或俱名姓字號, 而爵里事實, 寂不可詳者多矣.

一. 諸人結交次第, 戊戌辛酉則皆有所據, 庚戌辛亥則先後相連, 首尾糢糊, 故姑斟酌而序列之.

一. 諸人列名事蹟, 用傳記例爲之, 而於師徒友朋出處之節, 詳加註解, 明其支派淵源. 下係先君贈別擬懷題帖等詩. 幷有筆談者, 各附其下.

一. 凡一百○十人之內, 除親見者外, 望風溯想者四, 折簡往復而未見其人者一, 聞聲相思者二, 詩筆相通而未得證交者一. 望風溯想者, 陸篠飮·沈雲椒·吳西林·袁簡齋是也. 折簡往復而未見其人者, 郭東山是也. 聞聲相思者, 王椒畦·劉澄齋是也. 詩筆相通而未得證交者, 嚴有堂是也. 凡八人者, 則各以次附錄. 其餘李雨邨潘秋庫鐵冶亭三人者, 則先以詩文書札相通, 而後竟面接. 故皆不附錄, 直入原纂.

一. 諸人中泯然無證, 甚不可考者, 欲刪去煩冗, 而凡耳目所及之外, 雖見於隻字單辭, 明知其交者多矣. 故不敢擅拔. 一一備錄, 以俟後考.

一. 欲分編詩文, 而年次混淆, 先後倒錯, 恐考者莫知其詳也. 故聯詩文書

에야 다시 검서관으로 복직되었다. 이후의 행적은 전하지 않는다. 그가 편찬한 『호저집』은 부친 박제가가 네 차례 연행에서 맺은 중국 지식인과의 교유 관련 자료를 집대성한 것이다. 20세 되던 1809년(순조 9)에 초고를 완성했으며, 이후로도 관련 자료를 찾을 때마다 내용을 끊임없이 보완한 것으로 보인다.

札題評而編序之, 而便觀覽. 其舊作相質者, 低一字, 而紬書原題于下方, 大書質題于正行, 以表屬己, 而不敢妄任之意. 無質題者, 但低一字, 而大書原題于正行, 不敢削棄以存其舊.

一. 諸人詩文, 雖爲後來他人所贈者, 間有先君語, 則一切補入而附錄之, 以見其久而不忘之義.

一. 集中原書答書及元韻次韻, 一切俱錄, 存其完篇, 拜記當時聯翩迭唱之勝事.

一. 此書始於巾衍集, 終於貞蕤稿略, 橫之爲緯, 豎之爲經, 可以謂詩話, 亦可以謂題襟. 先君之慕諸人, 與諸人之慕先君, 幷不可得以終泯, 故擬柳子厚先友記之意, 而爲此書, 命之曰縞紵集.

己巳仲夏, 長馣謹識.

권수
卷 首

조선 박장암 향숙 찬집

縞紵集 卷之首
朝鮮 朴長馣 香叔 纂輯

곽집환

郭執桓, 1746~1775

자가 봉규(封圭), 다른 자는 근정(勤庭)이다. 호는 담원(澹園)인데 동산(東山)이라고도 하며 반오(半迂)라는 호도 쓴다. 분양(汾陽) 사람으로, 산서(山西) 평양(平陽) 사람이라고도 한다. 한 마을에 사는 등사민(鄧師閔)[1]을 통해 『회성원집』(繪聲園集) 한 권을 담헌(湛軒) 홍대용(洪大容)에게 부쳐 왔다. 청장관(靑莊館) 이덕무(李德懋)가 서문을 짓고, 영재(冷齋) 유득공(柳得恭)과 선군(先君)께서는 그의 「담원팔영」(澹園八詠)에 차운하여 보냈다. 부친은 곽태봉(郭泰峯)인데, 자가 청령(靑嶺), 호는 금납(錦衲)이며 목암(木菴)이라는 호도 썼다. 시에 능하고 글씨를 잘 썼다.

　동산 곽집환은 노천(蘆泉)과 호부(虎阜)의 사이에다 원정(園亭)을 지었다. 시내와 나무가 밝고도 소슬하며 새와 물고기는 고요하고도 한가로웠다. 항상 그의 하인과 약속하여 이렇게 말했다. "노니는 자로 능히 내 동산의 좋은 곳을 가려서 시를 짓는 자에게는 바로 유람 도구를 제공하되, 그 가운데 가장 경치가 좋은 향수애(響水崖), 반산거(半山居), 편석교(片石橋), 방춘각(放春閣), 탐추루(探秋樓), 귀운동(歸雲洞), 속옥헌(簌玉軒), 언월지(偃月池) 같은 곳은 알려 주지 마라." 모두 팔경(八景)이니, 우승(右丞) 왕유(王維)가 망천장(輞川莊)에서 오언절구로 창화(唱

1　등사민(鄧師閔): 1731~? 호는 문헌(汶軒)이다. 산서(山西) 태원(太原) 출신의 거인(擧人)으로, 삼하(三河)에 거주했다. 1776년 북경에서 조선으로 귀환하던 홍대용과 만나 교유하였다. 귀국 후에도 홍대용과 편지를 주고받으며 연암 그룹의 동인(同人)들과 중국 문인 간의 메신저 역할을 했다.

和)하던 뜻을 본떠,[2] 여러 명사에게서 제영시(題詠詩)를 받고 이를 이름하여 '회성원팔영'(繪聲園八咏)이라고 하였다. 곽집환은 건륭 병인년(1746)에 태어나서 을미년(1775) 8월에 세상을 떴다고 한다.

선군께서 지은 「곽담원이 도산(道山)[3]에 들어갔단 말을 듣고」[4]는 이렇다.

분하(汾河) 땅[5] 신선 사는 백운(白雲)의 고장[6]인데	汾河仙子白雲鄉
어느 곳 청산에서 옛 금낭(錦囊)[7]에 시 담을까?	何處靑山古錦囊
인간 세상 한 방울 지기의 눈물이	一點人間知己淚
흐르는 물을 따라 부상(榑桑)[8]까지 이르렀네.	應隨流水到榑桑

북방의 시구는 말이 외려 높은데	北方詩句語還高
높은 산의 집과 정원 채색 붓에 기대었네.	嶵崒家園倚彩毫
상당(上黨)[9]은 원래부터 천하의 척추거늘	上黨元來天下脊

---

2 우승(右丞)…본떠: 당(唐)나라 시인 왕유(701~761)가 만년에 별장인 망천장에 은거하며 그곳의 아름다운 경관 20곳을 골라 배적(裴迪)과 함께 시를 읊어 『망천집』(輞川集)으로 전한 일을 의미한다. 망천장은 중국 섬서성(陝西省) 남전현(藍田縣) 남쪽 종남산(終南山) 기슭에 있다.

3 도산(道山): 신선이 산다는 산으로, 사람이 죽으면 가는 곳으로 여겨졌다. 곽집환의 죽음을 뜻한다.

4 「곽담원이…듣고」: 총 7수. 박제가의 문집 『정유각집』 시집 권1에 수록되어 있다.

5 분하(汾河) 땅: 곽집환의 고향 분양(汾陽)을 가리킨다.

6 백운(白雲)의 고장: 원문은 "白雲鄉"으로, 선계(仙界)를 이른다.

7 금낭(錦囊): 시초(詩草)를 담는 비단 주머니. '해낭'(奚囊)과 같다. 당나라 시인 이하(李賀, 790~816)가 출타할 때 노복[奚]에게 비단 주머니를 지게 하고 시상이 떠오르면 적어서 그 속에 넣었다고 한다.

8 부상(榑桑): 동쪽 바다에 있다는 전설 속의 나무로, 해가 이 나무 아래에서 솟아나 나무를 스치고 떠오른다고 한다.

| 곽집환은 그 홀로 한때의 호걸이라. | 封圭自是一時豪 |

뜨락 나무 꽃이 피어 달빛 밟고 돌아오니	庭樹花肥踏月歸
문 들자 마치도 도사 옷을 본 듯해라.	入門如見羽人衣
시 속의 그 풍경이 또렷이 생각나서	分明憶得詩中景
이 마음이 인간 세상 벗어난 것 같구나.	似此胸襟煙火非

산서 집안 대대로 문풍을 떨쳤나니	山西家世振文風
양가(楊賈)¹⁰의 시명이 해동까지 퍼졌다네.	楊賈詩名遍海東
연경에서 「선우기」(先友記)를 앞다투어 전하니	日下爭傳先友記
강남서 첫손 꼽는 특출한 사람일세.	江南首數別裁翁

푸른 비단 미불(米芾)¹¹ 글씨 탑본하여 박아 내니	靑綾手搨米元章
깊은 상자 여태도 만리향을 풍긴다네	深篋猶傳萬里香
동파 노인 그 시절엔 무쇠같이 굳셌건만	坡老當年心似鐵
흰머리로 어이해 운당곡(篔簹谷)을 기억했나.¹²	白頭那得記篔簹

---

9 상당(上黨): 산서 동남부에 있던 상당군(上黨郡)을 가리킨다.

10 양가(楊賈): 초당사걸(初唐四傑)의 하나인 양형(楊炯, 650~693 이후)과 중당(中唐)의 시인 가도(賈島, 779?~843)를 합쳐 부른 것으로 보인다.

11 미불(米芾): 1051~1107. 북송(北宋)의 서화가. 자가 원장(元章), 호는 남궁(南宮)·해악(海岳)·녹문거사(鹿門居士) 등이다. 태원(太原) 사람이다. 서예에 있어 왕희지(王羲之)의 서풍을 이었으며, 채양·소식·황정견과 함께 나란히 송사대가(宋四大家)로 불린다. 그림에서는 선 대신 먹의 번짐과 농담(濃淡)만으로 그리는 미법산수(米法山水)를 창시하였다.

12 흰머리로…기억했나: 운당곡은 섬서 양주현(洋洲縣)의 대나무가 많이 나는 골짜기의 이름이다. 곽집환이 푸른 비단에 탑본해서 보내온 글이 소식(蘇軾, 1036~1101)이 문동의 사망 뒤에 쓴 「문여가 그린 운당곡의 언죽 그림을 보고 적다」(文與可畫篔簹谷偃竹記)였던 듯하다.

평생에 삼절(三絶) 중에 두 가지를 얻었으니	三絶平生兩得之
다시금 난초 칠 때 문득문득 생각났지.	翩翩更憶畫蘭時
한가로이 시필로 남은 뜻 미루어서	閑將詩筆推餘意
바람 맞고 이슬 젖은 그 자태 떠올리네.	想見翻風泣露姿

신교(神交)로 그릇되이 속인 놀램 입었더니	神交枉被俗人驚
태어난 인생이면 모두가 형제라네.	落地人生摠弟兄
석양 향해 서편 고개 바라보려 하는 것은	欲向斜陽西峴望
지난날 양허(養虛)가 엄성(嚴誠) 곡한 마음일세.[13]	養虛前日哭嚴誠

字封圭, 又字勤庭. 號澹園, 一號東山, 又號半迂. 汾陽人, 又云山西平陽
人, 因同邑鄧師閔, 寄繪聲園集一卷于洪湛軒. 李靑莊撰序, 柳泠齋與先君
次其澹園八詠以寄. 父泰峯, 字靑嶺, 號錦衲[14], 一號木菴. 能詩工書. 東山
建園亭於蘆泉虎阜之間, 水木明瑟, 禽魚靜閑. 常約其僮曰: "遊者有能摘
吾園佳處題詩者, 卽供遊具, 而勿以告其中最勝者, 如響水崖, 半山居, 片
石橋, 放春閣, 探秋樓, 歸雲洞, 籔玉軒, 偃月池." 凡八景, 擬王右丞輞川
莊五絶唱和之意. 受諸名士題咏, 命曰繪聲園八咏. 東山生於乾隆丙寅, 卒
於乙未八月云. 先君聞澹園郭氏入道山詩曰: "汾河仙子白雲鄕, 何處靑山

---

13 지난날…마음일세: 양허(養虛)는 김재행(金在行, 1718~1789)의 호이다. 김재행은 1765년
(영조 41) 홍대용과 함께 동지사행(冬至使行)에 동행하여 엄성·육비·반정균과 깊은 교유를 나
누었는데, 엄성의 부고를 듣고는 그의 고향을 향해 곡을 했다.
14 衲: 『호저집』 원문에는 "納"으로 되어 있으나, 『열하일기』(熱河日記)와 『청장관전서』(靑莊
館全書)에 따라 "衲"으로 바로잡는다.

古錦囊. 一點人間知己淚, 應隨流水到榑桑. 北方詩句語還高, 嶒崒家園倚彩毫. 上黨元來天下脊, 封圭自是一時豪. 庭樹花肥踏月歸, 入門如見羽人衣. 分明憶得詩中景, 似此胸襟煙火非. 山西家世振文風, 楊賈詩名遍海東. 日下爭傳先友記, 江南首數別裁翁. 靑綾手揚米元章, 深篋猶傳萬里香. 坡老當年心似鐵, 白頭那得記篔簹. 三絶平生兩得之, 翩翩更憶畫蘭時[15]. 閑將詩筆推餘意, 想見翻風泣露姿. 神交枉被俗人驚, 落地人生摠弟兄. 欲向斜陽西峴望, 養虛前日哭嚴誠."

육비[16]
陸飛, 1719~?

자가 기잠(起潛), 호는 소음(篠飮)이니, 전당(錢塘)[17] 사람이다. 건륭(乾隆) 을유년(1765) 해원(解元)[18]이 되었다. 육비는 성품이 높고도 시원스러웠고, 그림을 잘 그리고 시에도 능했다. 장지화(張志

---

15 時:『호저집』원문에는 "詩"로 되어 있으나,『정유각집』에 따라 "時"로 바로잡는다.
16 육비(陸飛): 1719~? 청(淸) 절강(浙江) 인화(仁和) 사람. 자는 기잠(起潛), 호는 소음(篠飮)·자도항(自度航)이다. 건륭 연간의 해원(解元)으로 시와 그림에 뛰어났다. 저서에『소음유고』(篠飮遺稿)가 있다. 담헌(湛軒) 홍대용(洪大容, 1731~1783)이 중국 북경에서 만나 교분을 맺은 항주(杭州) 출신 세 선비 중 한 사람이다. 홍대용은 1765년(영조 41) 숙부인 동지사서장관(冬至使書狀官) 홍억(洪檍)의 자제군관으로 북경에 가서 육비 및 엄성(嚴誠)·반정균(潘庭筠)과 만나 의기투합하였다. 이들의 우정은 박제가를 비롯한 문인들에게 전해져 '천애지기(天涯知己)의' 사귐으로 회자되었다.
17 전당(錢塘): 오늘날 절강성(浙江省) 항주(杭州) 지역이다.
18 해원(解元): 명청(明淸) 시대 과거(科擧) 향시(鄕試)의 수석 합격자를 가리킨다. 본래 당송(唐宋) 시대에 향시를 해시(解試)라 했던 데서 왔다. 회시는 회원(會元), 전시는 장원(狀元)이라 부른다.

和)[19]의 사람됨을 사모하여, 직접 배 한 척을 만들어 처자와 차 끓이는 부뚜막을 그 안에 다 싣고 서호를 마음껏 노닐면서 물로 집을 삼았다.

선군의 「소음을 그리며」[20]는 이렇다.

집 동쪽 대나무는 근래에 어떠한가	齋東竹篠近何如
육기(陸機) 육운(陸雲) 낙양으로 처음 들 때 생각하네.[21]	遠憶機雲入洛初
술 사발과 찻그릇 그 조짐이 좋으니	酒椀茶鎗消息好
바람결에 사인(舍人) 편지 큰절을 올리노라.	臨風頂禮舍人書

字起潛, 號篠飮, 錢塘人. 乾隆乙酉解元. 性高曠, 善畫工詩. 慕張志和之爲人, 自造一舟, 妻孥茶竈, 悉載其中, 遨遊西湖, 以水爲家. 先君懷篠飮詩曰: "齋東竹篠近何如, 遠憶機雲入洛初. 酒椀茶鎗消息好, 臨風頂禮舍人書."

19 장지화(張志和): 당나라의 은자. 벼슬을 버리고 강호에서 연파조수(煙波釣叟)라 일컬으며 어부로 살았다.
20 「소음을 그리며」: 이 시는 『정유각집』 시집 권1의 「장난삼아 왕사정의 세모회인시를 본떠 짓다. 60수」(戲倣王漁洋歲暮懷人六十首[이하 「회인시」懷人詩로 약칭] 중 제49수 「육소음 비」(懷筱飮飛)이다.
21 육기(陸機)…생각하네: 육기(陸機)와 육운(陸雲)은 서진(西晉) 시대의 문장가 형제로, 낙양에 함께 들어가 사공(司空)으로 있던 장화(張華)의 추천을 받으면서 하루아침에 이름을 떨쳤다. 이들처럼 육비 또한 연경에 들어가 문명을 떨쳤음을 빗댄 말로 보인다.

오영방[22]

吳穎芳, 1702~1781

자가 서림(西林)이니, 항주 사람으로, 포의이다. 배움이 넓고 들은 것이 많았다. 일찍이 자신의 시에 직접 서문을 써서 이렇게 말했다.

"옛사람은 책을 읽을 때 오로지 사장(詞章)에만 힘쓰지는 않았다. 어쩌다 마음을 드러내 시를 짓더라도 마음속에 쌓인 것을 열에 한둘 정도만 펴 보였을 뿐이니, 그 가슴속에 쌓인 것은 깊이를 헤아릴 수가 없었다. 시대가 아래로 내려오면서 기울여 쏟아 내는 것이 점차 많아졌다. 원나라와 명나라에 이르러서는 십분의 배움을 가지고 십분의 시를 지어 남아 쌓인 것이 아예 없다. 그만 못한 사람은 혹 그 가진 것보다 넘치게 내놓아서 그가 고심하며 애쓴 곳은 이따금 부족함을 보여 준다. 마치 무거운 기계를 들 때 비록 똑같이 힘을 쓰지만 힘들고 편안함이 각각 다른 것과 같다. 옛사람이 요즘 사람보다 나은 것을 이를 통해 볼 수가 있다."

선군의 「서림을 그리며」[23]는 이렇다.

흰머리로 강남 땅 만 리의 물가에서   頭白江南萬里涯

22 　오영방(吳穎芳): 1702~1781. 청나라의 문인으로 절강(浙江) 인화(仁和) 사람이다. 자가 서림(西林), 호는 임강향인(臨江鄉人)·수허(樹虛)이다. 젊어서 과장(科場)에서 차역(差役)에게 꾸지람을 듣고 이를 계기로 평생 과거를 보지 않았다. 시에 능하고 율려(律呂) 및 금석학을 깊이 연구하였다.

23 　「서림을 그리며」: 『정유각집』 「회인시」 중 제53수 「오서림 영방」(吳西林穎芳)이다.

피리 불며[24] 새 기록이 키만 함[25]을 뽐내누나. 吹豳新錄等身誇
선생이 부처 믿는다 그대여 웃지 마오 先生佞佛君休笑
『주례』(周禮)에도 오히려 효자 집안 있었다네. 周禮猶存孝子家

字西林, 杭州人, 布衣. 博學多聞. 嘗自序其詩曰: "古人讀書, 不專
務詞章. 偶爾流露謳吟, 僅抒所蓄之一二, 其胸中所貯, 淵乎其莫測
也. 遞降而下, 傾瀉漸多. 逮至元明, 以十分之學, 作十分之詩, 無餘
蘊矣. 次焉者, 或溢其量以出, 故其經營之處, 時露不足. 如擧重械,
雖同一運用, 而勞逸之態各殊[26]. 古人勝於近代, 可準是以觀." 先君
懷西林詩曰: "頭白江南萬里涯, 吹豳新錄等身誇. 先生佞佛君休笑,
周禮猶存孝子家."

심초
沈初, 1729~1799

자가 운초(雲椒)[27]이니, 절강(浙江) 평호(平湖)[28] 사람이다. 대사농

---

24 피리 불며: 원문은 "吹豳"으로, 빈아(豳雅) 곧 『시경』 빈풍(豳風) 「칠월」(七月)을 연주함
을 일컫는다. 농가(農歌)를 부른다는 뜻으로, 여기서는 오영방이 벼슬하지 않고 전원(田園)에
있음을 가리킨다.
25 새 기록이 키만 함: 새로 지은 저서가 사람 키만 한 높이로 쌓일 만큼 많다는 뜻이다.
26 殊: 『호저집』 원문에는 "列"로 되어 있으나, 원매(袁枚)의 『수원시화』(隨園詩話)에 따라
"殊"로 바로잡는다.
27 운초(雲椒): 『호저집』 원문에서는 "자가 운초"(字雲椒)라 하였으나, 청나라 왕창(王昶,

(大司農)[29]을 지냈다. 일찍이 대궐에 들어가 숙직할 때 이금(泥金)으로 불경을 잘 베껴 썼는데,[30] 세상에 전하는 것이 그의 솜씨에서 나왔다.

선군의 「운초를 그리며」[31]는 이렇다.

이부(吏部)[32] 향한 그리움 여행 중에 새로운데	吏部相思客裏新
오산(吳山)으로 배 떠나니 풍진을 사이했네.	吳山一棹隔風塵
어이 알리 역참 벽에 글 써 붙인 나그네가	那知驛壁懸書客
다름 아닌 산동 땅 돌 새기던 사람임을.	便是山東篆石人

字雲椒, 浙江平湖人. 官大司農. 嘗入直內庭, 繕寫泥金佛經, 世所傳出其手也. 先君懷雲椒詩曰: "吏部相思客裏新, 吳山一棹隔風塵. 那知驛壁懸書客, 便是山東篆石人."

1724~1806)의 『호해시전』(湖海詩傳)이나 주여진(朱汝珍, 1870~1942)의 『사림집략』(詞林輯略) 등에서는 "자는 경초, 호는 운초"(字景初, 號雲椒)라 하였다.

28 절강(浙江) 평호(平湖): 오늘날 중국 절강성 가흥(嘉興) 지역이다.

29 대사농(大司農): 호부상서(戶部尙書)의 별칭. 심초는 1797년(가경 2)에 호부상서에 제수되었다.

30 이금(泥金)으로…썼는데: 이금은 금을 잘게 부수어 아교풀에 갠 것으로, 서화(書畫)의 재료로 쓴다. 심초는 뛰어난 서예 실력으로 관력 초년부터 건륭 연간의 불경 편찬 사업에서 활약하였다. 특히 1767년(건륭 32) 궐내 무근전(懋勤殿)에 배속되어 황태후를 위한 금자사경(金字寫經) 사업에 참여하였다. 현재 북경의 고궁박물원에 『불설보문품경』(佛說普門品經)·『보살영락경』(菩薩瓔珞經) 등 그가 참여한 이금사본(泥金寫本)이 소장되어 있다.

31 「운초를 그리며」: 『정유각집』 「회인시」 중 제54수 「심운초 초」(沈雲椒初)이다.

32 이부(吏部): 심초를 가리킨다.

원매

袁枚, 1716~1797

자는 자재(子才), 호는 간재(簡齋)이니, 전당(錢塘) 사람이다. 건륭
원년 병진년(1736) 박학홍사과(博學鴻詞科)에 천거되었다.[33] 비록
합격하지는 못했으나, 명성이 공경(公卿)의 사이에서 더욱 일어났
다. 이에 천하 사람들이 원자재가 있음을 모르는 사람이 없었다.

　원매가 스스로 이렇게 말했다. "이해 9월 보화전(保和殿) 소시
(召試)[34]에, 나라 안에서 추천 받은 180명 가운데 나이가 가장 어린
자가 바로 나였다. 병진년(1736)으로부터 병신년(1776)에 이르기
까지가 40년인데, 이제 남은 사람은 오직 전재(錢載)[35] 전재는 자가 곤
일(坤一)이니, 수수(秀水)[36] 사람이다. 명나라 때 공생(貢生)으로 위충현(魏忠賢)[37]의
10가지 큰 죄를 탄핵했던 전가징(錢嘉徵)[38]의 후손이다.[39] 건륭 17년(1752) 임신년에

33　건륭…천거되었다: 박학홍사과는 청나라 건국 초 명나라의 유신(遺臣)들과 청의 지배에 반
발하는 한족(漢族) 지식인들을 회유하기 위해 시행한 특별 관리 등용 시험으로, 합격자들은 대개
한림관(翰林官)에 임명되었다. 1679년(강희 18)·1736년(건륭 원년) 두 번에 걸쳐 시행되었는
데, 이름난 한족 대유(大儒)로서 각 성(省)에서 추천을 받아야만 시험에 응시할 수 있었다. 원매
는 1736년 광서순무(廣西巡撫) 김홍(金鉷)의 추천을 받아 시험에 응시하였으나 낙방하였다.

34　소시(召試): 임금 앞으로 불러 치르는 시험. 보화전은 자금성(紫禁城)의 전각 이름이다.

35　전재(錢載): 1708~1793. 『호저집』 원문에는 "錢石載"라 되어 있으나, 이 글에서 설명하
는 인물은 청나라 문인 전재다. 전재의 호가 탁석(籜石), 그의 문집명이 『탁석재시문집』(籜石齋
詩文集)인 까닭에 저술 과정에서 이름에 '석'(石) 자가 들어간다고 착각한 듯하다. 이에 바로잡
아 번역한다.

36　수수(秀水): 오늘날 절강성 가흥(嘉興) 지역이다.

37　위충현(魏忠賢): 명말(明末)의 환관(宦官). 희종(熹宗)의 총애를 받아 동림당(東林黨)을
숙청하는 등 정치를 농단하고 각종 전횡을 저질렀다. 원문에는 "魏璫"으로 지칭했는데, '당'(璫)
은 환관을 뜻한다.

38　전가징(錢嘉徵): 1589~1647. 명말(明末)의 정치인. 자가 부우(孚于)이며, 절강 해염(海
鹽) 사람이다. 명나라 천개(天啟) 연간에 국자감의 공생으로 환관 위충현의 전권(專權)을 비판

2갑 중 1등으로 진사가 되었고, 이어 서길사(庶吉士)[40]가 되었다. 나이 60세가 되자 사람들이 전 노상공(錢老相公)이라 불렀다. 산관(散館)하여 편수(編修)에 임명되었다.[41] 시에 능하고, 사생에 뛰어났다. 특별히 묵란(墨蘭)을 잘 그렸으므로, 사대부들이 이를 귀중하게 여겨 그의 난초 그림을 지니지 않은 집이 없었다. 성품이 국화를 좋아하고 황색 노새를 아꼈는데, 하고 다니는 모양새가 초라하여 웃을 만했다. 옛일을 널리 알았으나 팔고문(八股文)은 잘하지 못했다. 벼슬이 내각학사(內閣學士) 겸 예부시랑(禮部侍郞)에 이르러 죽었다. 그리고 나 두 사람뿐이다. 전재는 나이 팔십에 또 풍을 맞고 말았다. 하늘이 나만 사랑하는 듯하니, 능히 스스로 사랑하지 않겠는가."

　　건륭 4년 기미년(1739)에 이갑(二甲) 중 3등으로 진사시에 급제하여 서길사에 뽑혔다. 처음 조고(朝考)[42]를 칠 때 제목이 '바람 인해 옥돌 소리 떠오르누나'(因風想玉珂)[43]였다. 원매가 '상'(想) 자를 표현하려다가, "소리는 금원(禁院)에서 오는가 싶고, 사람은 은

하는 상소를 올려, 위충현이 실각하는 데 결정적인 계기를 마련하였다.

39　전재는…후손이다: 이 문구는 청나라 중기의 문인인 장경(張庚)의 『국조화징록』(國朝畫徵錄)에서 그대로 인용한 것이다.

40　서길사(庶吉士): 한림원 소속의 관직명으로, 서상(庶常)이라고도 한다. 진사(進士) 중에 문학과 서법(書法)에 뛰어난 자로 뽑았다. 명초(明初)에는 본래 각 관서마다 두었으나 영락제(永樂帝) 때 모두 한림원에 소속시켰다. 청대에는 한림원에 서상관(庶常館)을 설치하여 3년에 한 번씩 선발했다.

41　산관(散館)하여 편수(編修)에 임명되었다: 산관은 서길사로 임명된 자가 3년간 수학한 뒤 고시(考試)를 치러 각 부(部)의 급사중(給事中)·주사(主事) 등에 임명되거나 외직으로 나가는 일이다. 이때 성적이 우수한 사람은 한림원에 남아 편수·검토(檢討) 등 벼슬을 받는다.

42　조고(朝考): 청대(淸代)의 과거제도로, 황제가 진사 급제자를 인견(引見)하기에 앞서 한 차례 시험을 보는 일을 말한다. 이때 우수한 성적을 거둔 자를 서길사로 임명한다.

43　바람…떠오르누나(因風想玉珂): 두보(杜甫)의 시 「봄에 좌성에서 숙직하며」(春宿左省) 중 "잠 못 들고 궁궐 문소리 들으니, 바람결에 옥돌 소리 떠올린다네"(不寢聽金鑰, 因風想玉珂.)에서 따온 구절이다. 옥돌, 곧 옥가(玉珂)는 5품 이상 관원이 말에 다는 옥 장식으로, 임금의 은혜를 생각한다는 뜻이다.

하수 저편 있는 듯"이라는 구절이 있었다. 여러 총재(總裁)[44]들이 말을 편 것이 점잖지 않다고 여겨 장차 꼴찌[45]에 두려고 하였다.

그러자 대사구(大司寇)[46]인 문단(文端) 윤계선(尹繼善, 1695~1771)이 윤계선은 호가 망산(望山)이니, 만주 양황기(鑲黃旗)[47] 사람이다. 한림에서 시작하여 여러 벼슬을 거쳐 양강총독(兩江總督)·태학사(大學士)에 이르렀는데, 백성들이 사랑하여 추대하였다. 입각한 뒤에 집을 하사하니, 집 안에 만향원(晩香園)을 짓고 밤낮으로 그 안에서 독서하였다. 힘껏 다투어 말했다. "이 사람은 마음속 생각을 즐겨 쓰니 틀림없이 나이가 젊고 재주가 있는 자일 것이다. 아직 응제체(應製體)[48]를 잘 알지 못했을 뿐이다. 이것은 서길사를 반드시 가르쳐야 하는 이유이다. 만약 답안을 올릴 적에 황제께서 논박하여 물으신다면 내가 마땅히 홀로 아뢰겠다."

여러 의론이 그제야 그쳐, 원매가 관선(館選)[49]에 들 수 있었다. 윤공의 알아줌을 입음이 이로부터 비롯되었다. 얼마 안 되어 궐내에서 망산에게 명하여 서길사를 가르치게 하였다. 산관(散館) 된 뒤에는 국서(國書)의 양식에 익숙지 않았으므로 목양(沐陽)의 현령으로 내려보냈다. 풍골이 시원스러워 권세에 아부하지 않았고,

---

44 총재(總裁): 청대에 회시(會試)를 관장했던 관리를 말한다.
45 꼴찌: 원문은 "孫山"이다. 손산은 송나라 때의 익살맞은 인물로, 과거 시험에 말석(末席)으로 합격하였다.
46 대사구(大司寇): 형부상서(刑部尙書)의 별칭. 본래 고대 중국 주(周)나라에서 추관(秋官)의 장관이다.
47 양황기(鑲黃旗): 만주족의 군사·행정 조직인 팔기군(八旗軍)의 하나. 팔기의 으뜸으로 정황기(正黃旗)·정백기(正白旗)와 함께 황제 직속이다.
48 응제체(應製體): 임금의 명에 따라 짓는 시문인 응제(應製)의 문체. 제왕의 공덕을 칭송하거나 관습적인 말을 늘어놓는 특징이 있다.
49 관선(館選): 여기서는 서길사에 선발됨을 일컫는다.

경전을 인용하여 옥사를 판결하니 유리(儒吏)의 풍모가 있었다.

　이에 앞서 원매는 거우 다섯 날 만에 태어났었다. 이때에 이르러 백성 중에 아내를 얻은 자가 있었는데 또한 다섯 달 만에 아들 하나를 낳았으므로 고을 사람들이 이를 비웃었다. 그 남편이 부끄러움을 못 견뎌, 아내가 먼저 임신을 하고 그 뒤에 시집을 왔다며 그 장인을 고소하였다. 관아의 뜨락에 모아 놓고 신문하니, 구경하는 자가 담장을 두른 듯 에워쌌다. 원매가 복장을 성대히 갖추어 입고 나와 손을 들어 축하하였다. 그 남편이 부끄러운 낯빛으로 엎드리자, 원매가 말했다.

　"너희 고을이 어리석으니 복을 얻고도 알지 못하는 자들이라고 말할 만하다."

　이어서 그 장인에게 물었다.

　"너는 책을 읽어 문자를 아느냐?"

　대답하였다.

　"아닙니다."

　원매가 웃으며 말했다. "오늘의 송사(訟事)는 바로 두 집안이 책을 읽지 않았기 때문이다. 예로부터 흰 사슴의 환생이라거나, 귀방(鬼方)[50]의 족속이 옆구리로 아이를 낳는다거나 하는 것은 신선의 일과 같이 허무맹랑하여 진실로 말할 만한 것이 못 된다. 그러나 양영(梁嬴)이 임신한 것은 기일을 넘겼고,[51] 효목황후(孝穆皇后)

50　귀방(鬼方): 상고시대에 중국 서쪽 변경 지방에 살던 이민족의 이름.
51　양영(梁嬴)이…넘겼고: 중국 춘추시대(春秋時代) 진(晉) 혜공(惠公)이 위(魏)나라에 있을 때 양백(梁伯)의 딸 양영이 혜공의 아이를 임신했으나 기일이 지나도 출산하지 못하던 일을 말한다. 위나라에서 이를 이상하게 여겨 점을 치자 남녀 쌍둥이를 얻어 아들은 남의 신하가 되

는 아이를 일찍 출산하였으니[52] 빠르고 더딤이 있었던 것이 역사책에 실려 있다. 총괄해 보면 기일을 넘겨 나온 자는 기운에 감응함이 두터워서이니 태어나면 오래 살고, 일찍 나온 자는 기운에 감응함이 맑아서이니 태어나면 귀하게 된다. 오래 산 사람으로는 요임금과 순임금 같은 분들임을 네가 또한 들어 잘 알 것이다. 귀하게 된 사람은 굳이 멀리서 찾을 것 없이 바로 본관 같은 경우가 또한 다섯 달 만에 태어났다. 비록 재주는 없으나 또한 한림(翰林)으로 뽑혔고, 나와서는 수령의 직임을 맡았다. 내 말을 못 믿겠거든 네 아내를 시켜 들어가 내 어머님께 물어봐도 좋다."

바로 사람을 시켜 부인에게 명하여 아이를 안고 관청으로 들어가게 하였다. 잠시 후 아이가 방울을 묶고 목걸이를 걸고서 꽃무늬 붉은 수를 놓은 포대기에 싸여 나왔다. 부인이 땅에 엎디어 말했다.

"태부인께서 상을 넉넉히 주시고 명령(螟蛉)[53]을 허락하셔서 손주로 삼아 주셨습니다."

그러자 원매가 정색을 하며 말했다.

"이 아이는 바로 나의 자식이다. 잘 보살펴 훗날 공명이 나보다 못하지 않도록 하라."

고 딸은 남의 첩이 되리라는 점괘를 얻었다. 『춘추』 노(魯) 희공(僖公) 17년 조에 보인다.
52   효목황후(孝穆皇后)는…출산하였으니: 명나라 효종(孝宗) 홍치제(弘治帝, 1470~1505)의 생모 효목황후 기씨(紀氏)를 가리키는 듯하다. 효목황후는 음독(飮毒)을 당한 상태에서 홍치제를 낳고 아들의 안전을 위해 몰래 궁 밖으로 내보내 기르게 했다고 전한다.
53   명령(螟蛉): 명령은 뽕나무 벌레의 유충으로, 양자(養子)를 뜻한다. 옛사람들은 나나니벌[蜾蠃]이 명령을 길러 자기 후손으로 바꾸어 놓는다고 여겼다. 『시경』 「소완」(小宛)에 "명령의 새끼를 나나니벌이 업어 간다. 네 자식을 잘 가르쳐 너를 닮게 하라"(螟蛉有子, 蜾蠃負之. 敎誨爾子, 式穀似之.)는 구절이 있다.

뭇사람이 일제히 소리 내어 화답하였다. 이에 두 집안의 부끄러움이 모두 풀렸다. 뒤에 아이가 향학(鄕學)에서 책을 읽고 밥을 먹으며, 원매의 장생록위(長生祿位)[54]를 받들어 아침저녁으로 공양하니 집안이 쇠하지 않았다.

뒤에 강녕현령으로 뽑혔다가 사직하고는 마침내 금릉(金陵)[55]에 은둔하여 하나의 도구(菟裘)[56]를 세우고 이름하여 '수원'(隨園)이라 하였다. 예전 강희(康熙) 연간에 직조(織造)[57] 벼슬을 하던 수공(隋公)이 만든 동산이었으므로, 그 성을 따오되 '수'(隋) 자를 고쳐 '수'(隨)로 하니 "때를 따르는 뜻이 크도다"[58]라는 뜻을 취하였다. 사방에 단이 없어 봄가을로 좋은 날에는 사녀(士女)들이 마음대로 왕래하며 구경하는 것을 금하지 않았다. 그 가운데에 23칸짜리 녹정헌(綠淨軒)이 있었는데, 아는 사람이 아니면 갈 수가 없었다.

스스로 당나라 사람의 시구를 집구(集句)하여 대련(對聯)을 만들어 말했다.

학을 풀어 보내서 삼신산(三神山) 객 찾았고   放鶴去尋三島客

---

54 장생록위(長生祿位): 장생을 축원하는 패를 말한다.
55 금릉(金陵): 지금의 중국 강소성(江蘇省) 남경시(南京市). 중국 삼국시대(三國時代) 동오(東吳), 동진(東晉), 남조 때 송(宋)·제(齊)·양(梁)·진(陳)의 육조(六朝)가 도읍했던 고도(古都)이다.
56 도구(菟裘): 노년에 치사하고 물러나 사는 곳을 이른다. 본래 춘추시대 노(魯) 은공(隱公)이 은거했던 곳으로, 중국 산동성(山東省) 사수현(泗水縣)에 있는 지명이다.
57 직조(織造): '직조감독'(織造監督)의 약칭. 청대의 관명으로, 강남 소재 직조국(織造局)의 우두머리이다.
58 때를…크도다: 『주역』(周易)「수괘」(隨卦)의 말이다.

사람들 멋대로 사시화(四時花)를 와서 보네.[59]　　任人來看四時花

또 학봉(鶴峯) 이인배(李因培, 1717~1767)가 한 연구(聯句)를
주었는데, 그 글은 이렇다.

이곳에는 높은 산과 가파른 고개, 우거진 숲에 키 큰 대나무가
있고,[60]　　　　　　　　　　此地有崇山峻嶺茂林修竹
이 사람은 능히 『삼분』(三墳)·『오전』(五典)·『팔색』(八索)·『구
구』(九邱)를 읽어 낸다네.[61]　　　是能讀三墳五典八索九邱

사람들이 많이 전하여 외웠다.
　정원에는 24경이 있는데, '창산운사'(倉山雲舍), '서창'(書倉),
'금석장'(金石藏), '소면재'(小眠齋), '녹효각'(綠曉閣), '유곡'(柳
谷), '군옥산두'(群玉山頭), '죽청객'(竹請客), '인수위옥'(因樹爲
屋), '쌍호'(雙湖), '백정'(栢亭), '기강석'(奇礓石), '회파갑'(回
波閘), '징벽천'(澄碧泉), '소서하'(小棲霞), '남대'(南臺), '수정
역'(水精域), '도작교'(渡鵲橋), '범항'(泛杭), '향계'(香界), '반지

59　학을…보네: 당나라 두순학(杜荀鶴)의 시 「형양 은사의 산거에 제하다」(題衡陽隱士山居)
의 3·4구이다.
60　이곳에는…있고: 왕희지(王羲之)의 「난정서」(蘭亭序)에서 가져온 구절이다.
61　이 사람은…읽어 낸다네: 고서(古書)를 줄줄 읽는다는 뜻이다. 『춘추』노(魯) 소공(昭公)
12년 조에 "저 사람은 훌륭한 사관이니, 그대는 잘 봐 두어라. 그는 『삼분』·『오전』·『팔색』·『구
구』를 능히 읽을 수 있다"(是良史也, 子善視之. 是能讀三墳五典八索九丘.)라고 한 데서 가져
온 구절이다. 『삼분』은 삼황(三皇)의 책, 『오전』은 오제(五帝)의 책, 『팔색』은 팔괘(八卦)에 대
한 설, 『구구』는 구주(九州) 전토(全土)에 대한 일을 기록한 책이다.

중'(盤之中), '겸산홍설'(嵰山紅雪), '울람천'(蔚藍天), '양실'(涼室) 등이 그것이다. 여러 승경에는 모두 제영(題詠)이 있었다. 1만 권의 책을 끼고서 날마다 동남(東南) 지역의 명사와 더불어 그 가운데에서 술 마시고 시를 읊으며 산을 나설 생각을 하지 않았다. 사람들이 이를 올려다보면 표표한 모습이 마치 신선 가운데 있는 사람과 같았다. 건륭 17년 임신년(1752)에 다시 서울에 이르러 관검(官檢)으로 보임되어 섬서(陝西)로 떠났다.

원매는 젊어서부터 재주와 이름을 자부하여, 붓을 떨구면 천 마디 말을 지었으며 경사와 제자백가의 책에 대해 고루 통하여 꿰지 않음이 없었다. 과거에 응시하여 지은 제의(制義)[62]가 사람들의 입에 오르내렸다. 과거에 급제한 뒤 나이가 겨우 스무 살이었는데, 마침내 시에 힘을 쏟아 한결같이 성정(性情)을 주장하여 장사전(蔣士銓, 1725~1785), 장사전은 자가 심여(心餘)이고, 호는 초생(苕生) 또는 신여(辛畬)이니, 연산(鉛山) 사람이다. 건륭 22년 정축년(1757)에 이갑(二甲)[63]으로 진사에 뽑혀 편수(編修)를 지냈다. 뒤에 어머니를 모시고 부가범택(浮家泛宅)[64]으로 천태산(天台山)과 안탕산(雁宕山)의 사이를 노닐었다. 산음(山陰) 땅에서 장교(掌敎) 벼슬을 하였고, 인하여 금릉(金陵)에다 집을 사서 가족을 이끌고 가서 살았다. 이에 앞서 강서(江

---

62 제의(制義): 명청 시대 응제과(應制科)의 문체인 팔고문을 가리킨다.
63 이갑(二甲): 청대의 과거에서 전시(殿試)에 합격한 진사들은 등수에 따라 각각 일갑(一甲)·이갑·삼갑(三甲)의 군으로 구분된다. 이갑은 일갑인 장원(壯元)·방안(榜眼)·탐화(探花) 3인의 다음이다.
64 부가범택(浮家泛宅): 물 위에 뜬 집이라는 뜻으로, 자유롭게 떠도는 삶을 비유하는 말이다. 장지화(張志和)가 안진경(顏眞卿)에게 "물 위에 뜨는 집을 지어 초계(苕溪)와 삽계(霅溪) 사이를 오가고 싶다"(願爲浮家泛宅, 往來苕霅間.)라고 한 고사에서 나왔다. 『신당서』(新唐書) 은일전(隱逸傳) 「장지화」(張志和)에 보인다.

西) 땅에는 양재자(兩才子)의 명목이 있었는데, 한 사람은 남창(南昌)의 운미(芸楣) 팽
원서(彭元瑞)였다. 두 사람의 이름이 황제에게까지 들렸다. 팽원서가 총재(冢宰)[65]가
되었을 때, 건륭황제가 여러 번 장사전에 대해 질문이 미쳤는데 문득 오랫동안 탄식하
였다. 어제시(御製詩)가 있으니 그 구절이 이렇다. "강서 땅에 두 재자 있다 하지만, 오
직 경만 벼슬이 구경(九卿)이구려." 팽원서가 여러 번 편지를 보내 산에서 나올 것을 권
하였다. 장사전은 이때 이미 돌아가 어머니를 봉양한 것이 10년째였다. 다시 사관(詞
館)에 들어오게 될 경우 녹봉이 이미 후배의 뒤에 있었으므로, 이에 어사(御史)로 발탁
하여 보냈다. 이미 천자가 그의 이름을 기억함을 입었으므로, 선발하여 불러 만나 볼 때
에 건륭황제가 그에 대해서는 아무것도 물어보지 않았다. 얼마 못 가 풍병에 걸렸다. 일
찍이 시선(詩仙)의 일컬음이 있었는데, 원매를 두고는 시불(詩佛)이라 하였다. 시는 신
운(神韻)을 위주로 하였고, 특별히 전사(塡詞)에 능했다. 저술에 『충아당집』(忠雅堂集)
이 있다. **조운송(趙雲松, 1729~1814)** 조운송은 이름이 익(翼)이니, 양호(陽
湖) 사람이다. 건륭 26년 신사년(1761)에 제일갑(第一甲) 제삼명(第三名)[66]으로 진사
에 급제했다. 내각중서(內閣中書)[67]를 거쳐 편수(編修)에 임명되었다. 나이 열여섯 살
때 친척 장 아무개가 정신이 쇠약한 병을 앓았는데, 여자 귀신에게 붙들려 육체와 정신
이 뻣뻣해져 얼마 못 가 죽을 듯하였다. 그 어미가 여러 신에게 두루 기도하였지만 마침
내 효험이 없었다. 오직 조익이 그의 침상에 앉기만 하면 귀신이 감히 이르지 못했다.
조익이 떠나가자 귀신이 웃으며 말했다. "네가 능히 조탐화(趙探花)로 하여금 여기에
계속 앉아 있게 할 수 있겠는가?" 그 어미가 조공에게 괴롭게 간청하니 조익이 하는 수

---

65 총재(冢宰): 이부상서(吏部尙書)를 달리 이르는 말이다.
66 제일갑(第一甲) 제삼명(第三名): 전시(殿試)의 제일갑 3인 중 3위인 탐화(探花)로 급제하
였음을 말한다. 본서 43면 각주 63번 참조.
67 내각중서(內閣中書): 청대의 관직명. 찬술(撰述)·기재(記載)·번역(翻譯)·선사(繕寫) 등
을 관장하였다. 구품십팔급(九品十八級)에서 종7품 문직경관 중 하나이다.

없이 가서 등불을 잡고 같이 있었다. 셋째 날 밤이 되어 피곤함을 이기지 못해 잠깐 눈을 감지 병자는 정신이 이미 떠나 버려 며칠 뒤에 죽고 말았다. 그 뒤에 과연 제일갑 제삼명에 급제하여 벼슬이 광서강우도(廣西江右道)에 이르렀는데, 어머니가 연로하여 고향으로 돌아갔다. 저서에 『구북집』(甌北集)이 있다. 과 이름이 나란하였다. 원매가 스스로 말하였다. "나는 평생 집구시(集句詩)나 차운시(次韻詩)는 짓지 않았고, 첩운시(疊韻詩)도 짓지 않았다."[68] 억지로 하는 것에 구애되어 천뢰(天籟)[69]를 손상시키는 지경에 이름을 말한 것이었다. 특별히 장사전과 사이가 좋아 서로를 추대하여 허락하였다. 일찍이 그와 함께 시를 논하여 이렇게 말하였다. "나는 황산곡(黃山谷)[70]을 좋아하지 않고 양성재(楊誠齋)[71]를 좋아한다. 하지만 그대는 양성재를 좋아하지 않고 황산곡을 좋아하니, 화이부동(和而不同)[72]이라 할 만하다."[73]

책 읽기와 꽃 심기를 제외하고는 한 가지도 즐기는 것이 없었다. 금릉에 살았는데 육조(六朝)의 땅이었다. 시단의 맹주가 되니 사방에서 사람들이 구름처럼 몰려들었다. 꽃에 앉아 달빛에 취해 술동

---

68 나는…않았다: 이 대목은 『수원시화』 권6에서 발췌·편집한 것이다. 원문은 이렇다. "阮亭尚書自言, 一生不次韻, 不集句, 不聯句, 不疊韻, 不和古人之韻. 此五戒, 與余天性若有暗合."
69 천뢰(天籟): '뢰'(籟)는 고대 관악기의 한 종류로, 구멍이 세 개인 퉁소이다. 『장자』 「제물론」(齊物論)에 인뢰(人籟)·지뢰(地籟)·천뢰를 설명한 대목이 나온다. 인뢰는 사람이 울리는 소리로 악기의 소리이고, 지뢰는 대지가 일으키는 소리로 바람 소리이고, 천뢰는 인뢰와 지뢰의 근본이 되는 대자연의 소리이다. 여기서는 인공의 태가 없는 자연스러운 시를 의미한다.
70 황산곡(黃山谷): 황정견(黃庭堅, 1045~1105). 산곡은 그의 호이다. 북송사대가로 꼽힌다.
71 양성재(楊誠齋): 양만리(楊萬里, 1127~1206). 성재는 그의 호이다. 남송사대가로 꼽힌다.
72 화이부동(和而不同): 『논어』(論語) 「자로」(子路)에 나오는 말로, 타인과 조화롭게 어울리면서도 부화뇌동하지 않고 자신의 소신을 지키는 군자(君子)의 태도를 이른다.
73 나는…할 만하다: 이 대목은 『수원시화』 권8에서 발췌·편집한 것이다. 원문은 이렇다. "蔣苕生與余互相推許, 惟論詩不合者. 余不喜黃山谷, 而喜楊誠齋. 蔣不喜楊, 而喜黃. 可謂和而不同."

이와 안주 그릇이 비어 있는 날이 거의 없었다. 하루는 동각을 크게 열자 손님이 500명이나 왔다. 만년에 서호(西湖)[74]에서 여제자를 거두니 몹시 많았는데 다들 시에 능하였다.[75] 원매는 날마다 단에 올라 시를 강의하였는데, 여러 여제자들이 둘러서서 모셨다. 그 가운데 말귀를 잘 알아듣는 사람은 원매가 어루만지면서 애석해하였는데, 여러 여제자들이 영광으로 생각하였다. 다들 관리 집안의 훌륭한 자식들이었다. 나이 여든셋 때인 정사년(1797) 11월 17일에 세상을 떴다. 저서에 『소창산방전집』(小倉山房全集)이 있다.

선군의 「원매를 그리며」[76]는 이렇다.

하늘가의 소식이 수레 실려 돌아오니	消息天涯返輴軒
두곡(杜曲)[77]의 봄 풍경에 애가 온통 녹는구나.	鶯花杜曲一消魂
그 누가 사훈(司勳)의 묘 올라갈 줄 알았으리	何人解上司勳墓
강동 땅 영사시(詠史詩) 지은 원매가 있었을 뿐.[78]	只有江東詠史袁

---

74 서호(西湖): 절강성 항주에 위치한 호수로, 승경(勝景)으로 유명하다. 소동파(蘇東坡)가 중국의 절세미인 서시(西施)의 미모에 빗대었던 까닭에 서자호(西子湖)라고도 한다.
75 만년에…능하였다: 원매의 여제자 28명의 시를 모아 편찬한 『수원여제자시선』(隨園女弟子詩選) 6권이 전한다. 1796년 원매가 서문을 썼으며, 「석패란」(席佩蘭)·「낙가란」(駱綺蘭) 등의 시가 있다.
76 「원매를 그리며」: 『정유각집』「회인시」 중 제55수 「원서상 매」(袁庶常枚)이다.
77 두곡(杜曲): 섬서성 장안(長安) 동남쪽에 있는 마을로, 당나라 때 대성(大姓)인 두씨(杜氏)가 세거(世居)하던 곳이다. 보통 당나라의 시인 두보와 두목(杜牧, 803~852)의 고장을 이르는 말로 쓰인다.
78 그 누가…있었을 뿐: 원매가 그의 회고시(懷古詩) 「두목묘」(杜牧墓)에서 "소랑이 백마 타고 멀리 종군하였더니, 지는 해에 번천에서 자운을 조문했네. 나그넷길 꾀꼬리와 꽃을 두곡에서 만나 보고, 당나라 봄 사훈에게 속함이 안타깝다"(蕭郞白馬遠從軍, 落日樊川弔紫雲, 客裏鶯花逢杜曲, 唐朝春恨屬司勳.)라고 한 것을 가리킨다. 사훈(司勳)은 두목을 이른다. 그가 사훈원외랑(司勳員外郞)을 지낸 까닭에 붙여진 이름이다.

字子才, 號簡齋, 錢塘人. 乾隆元年丙辰, 薦擧博學鴻詞, 雖報罷而
名聲益起公卿間. 于是天下無人不知有袁子才. 枚自言: "是歲九月
召試保和殿, 海內薦者一百八十人中, 年最少者爲枚. 自丙辰至丙申
四十年, 今存者惟錢載[79] 錢載字坤一, 秀水人. 皇明貢生劾魏璫十大罪錢嘉徵之裔
孫也. 乾隆十七年壬申二甲一名進士, 改庶吉士. 年六十矣, 人稱錢老相公. 散館授編修.
工詩, 善寫生. 尤工墨蘭, 士大夫重之, 無不家有其蘭, 性嗜菊愛黃驃, 擧止歷落可笑. 博古
而不善時文. 官至內閣學士禮部侍郎卒. 及余二人. 錢八十又中風. 似是天憐,
能無自憐乎?"四年己未, 二甲三名進士, 選庶吉士. 初朝考題爲'因
風想玉珂.'枚欲刻劃想字, 有'聲疑來禁院, 人似隔天河'之句. 諸總
裁以語設不莊, 將置孫山. 大司寇尹文端繼善, 尹繼善號[80]望山, 鑲黃旗人.
由翰林歷官, 至兩江總督大學士, 士民愛戴. 入閣後賜第, 內築晚香園, 日夕讀書其中. 力
爭曰: "此人肯用心思, 必年少有才者. 尙未解應製體裁耳. 此庶吉之
所以必需教習也. 倘進呈時, 上有駁問, 我當獨奏."群議始息, 枚之
得與館選. 受尹公知從此始. 未幾內命望山教習庶吉士. 散館後, 以
不嫻國書, 改沐陽令. 風骨錚然, 不阿權勢, 引經折獄, 有儒吏風. 先
是, 枚甫五月而生. 至是民有娶婦者, 亦五月而生一子, 鄉黨笑之. 其
夫不堪其羞, 以先孕後嫁, 訟其婦翁. 集訊于庭, 觀者如堵. 枚盛服而
出, 擧手賀. 其夫色愧俯伏, 枚曰: "汝鄉愚, 可謂得福而不知者矣."
繼問其婦翁: "汝讀書識字否?"對曰: "未也."枚笑曰: "今日之訟,
正坐兩家不讀書. 自古白鹿投胎, 鬼方穿脅, 神仙荒誕, 固不必言. 而

79　錢載:『호저집』원문에는 "錢石載"로 되어 있으나, 저술 과정에서 발생한 오기로 보아 "錢
載"로 바로잡는다. 이하 동일.
80　號:『호저집』원문에는 "字"로 되어 있으나, "號"로 바로잡는다.

梁嬴之孕逾期, 孝穆之胎早降, 有速有遲, 載于史冊. 總之, 逾期者, 感氣之厚, 生而主壽, 早降者, 感氣之淸, 生而主貴. 主[81]壽者若堯與舜, 諒爾亦聞, 主貴者, 不必遠徵, 卽如本縣亦五月而生. 雖不才, 亦入選詞垣, 出司民牧. 謂予不信, 令汝婦入問太夫人可也." 卽令人命婦抱兒入署. 有頃兒繫鈴懸鎖, 花紅繡葆而出, 婦伏地曰: "蒙太夫人優賞, 許螟蛉作孫兒矣." 枚正色謂曰: "若兒卽我兒, 善視之, 他日功名, 勿使出我下也." 衆齊聲附和. 於是兩家之羞盡釋. 後兒讀書食餼于庠, 奉枚長生祿位, 朝夕供養焉,[82] 家不衰. 後調江寧解組, 遂買山金陵, 築一菟裘, 名曰隨園. 舊爲康熙間, 織造隋公之園, 故仍其姓, 易隋爲隨, 取隨之時義大矣哉之意. 四面無壇, 春秋佳日, 任士女往來遊觀不禁. 中有綠[83]淨軒二十三間, 非相識不能到. 自集唐人句, 作對聯云: "放鶴去尋三島客, 任人來看四時花." 又李鶴峯因培贈一聯云: "此地有崇山峻嶺茂林修竹, 是能讀三墳五典八索九邱." 人多傳誦. 園有二十四景, 倉山雲舍, 書倉,[84] 金石藏, 小眠齋, 綠曉閣, 柳谷, 群玉山頭, 竹請[85]客, 因樹爲屋, 雙湖, 柏亭, 奇礓[86]石, 回波閘,[87] 澄碧泉, 小棲霞, 南臺, 水精域, 渡鵲橋, 泛杭, 香界, 盤之中,

---

81 主: 『호저집』 원문에는 해당 글자가 없으나, 심기봉(沈起鳳, 1741~1802)의 『해탁』(諧鐸)에 따라 추가하였다.
82 朝夕供養焉: 『호저집』 원문에는 "供養" 두 글자만 있으나, 문맥을 보아 『해탁』에 따라 "朝夕供養焉"으로 바로잡는다.
83 綠: 『호저집』 원문에는 "錄"으로 되어 있으나, 『수원시화』에 따라 "綠"으로 바로잡는다.
84 書倉: 해당 2자는 원문에 있지 않으나, 원매의 『소창산방시집』(小倉山房詩集) 권15 「수원이십사영」(隨園二十四咏)에 따라 바로잡는다.
85 請: 『호저집』 원문에는 "淸"으로 되어 있으나, 『소창산방시집』에 따라 "請"으로 바로잡는다.
86 礓: 『호저집』 원문에는 "殭"으로 되어 있으나, 문맥에 따라 "礓"으로 바로잡는다.
87 閘: 『호저집』 원문에는 "間"으로 되어 있으나, 『소창산방시집』에 따라 "閘"으로 바로잡는다.

崿山紅雪, 蔚藍天, 涼室. 諸勝皆有題咏. 擁書萬卷, 日與東南名士觴咏其中, 不作出山想, 人望之, 飄飄若神仙中人. 十七年[88]壬申, 重至京, 補官檢, 發陝西. 枚少負才名, 落筆千言, 于經史諸子百家之書, 無不融貫. 應擧制義, 膾炙人口. 登第後, 年才弱冠, 遂肆力于詩, 一主性情, 與蔣士銓 蔣士銓字[89]心餘, 號苕生, 或稱辛畬, 鉛山人. 乾隆二十二年丁丑二甲進士, 官編修. 後奉母浮家泛宅, 遊於天台雁宕之間. 掌敎山陰, 因買宅金陵, 携家住之. 先是江西有兩才子之目, 一南昌彭芸楣元瑞, 二人名達宸聰. 芸楣爲家宰時, 乾隆屢詢及, 輒歎[90]息久[91]之. 有御製句云: "江西兩才子, 惟卿官九卿." 芸楣屢以書勸出山. 苕生時已歸養十年, 及再入詞館, 則資俸已在後輩之後, 乃保送御史. 已蒙天子記名, 而考差引見時, 乾隆俱未問及. 未幾病風. 嘗有稱詩仙, 而謂袁子才爲詩佛. 詩主神韻, 尤工塡詞. 著有忠雅堂集. 趙雲松 雲松名翼, 陽湖人. 乾隆二十六年辛巳第一甲第三名進士及第. 由內閣中書授編修. 年十六時, 戚人張某患神弱病, 有女鬼相纏, 形神鵠立, 奄奄欲斃. 其母徧禱諸神, 卒無效驗. 惟趙坐其榻, 鬼不敢至. 趙去, 鬼笑曰: "汝[92]能使趙探花常坐此乎?" 其母苦求趙公, 趙不得已往, 秉燭相伴. 第三夜, 不勝其倦, 略閉目, 病者精已遺矣, 越數日卒. 後果中第一甲第三, 官至廣西江右道, 以母老歸. 著有甌北集. 齊名. 枚自言: "平生不集句次韻, 不疊韻." 謂拘於牽率, 致傷天籟也. 與蔣尤好, 互相推許. 嘗與論詩曰: "余不喜黃山谷而喜楊誠齋, 子不喜楊而喜黃, 可謂和而不同." 除讀書種花外, 一無所嗜. 住金陵六朝之地,

---

88 十七年:『호저집』 원문에는 "二十七年"으로 되어 있으나 임신년은 건륭 17년이므로, 바로 잡는다.
89 字:『호저집』 원문에는 "名"으로 되어 있으나, 바로잡는다.
90 歎:『호저집』 원문에는 "難"으로 되어 있으나, 문맥에 따라 바로잡는다.
91 久:『호저집』 원문에는 "欠"으로 되어 있으나, 문맥에 따라 바로잡는다.
92 汝:『호저집』에는 "法"으로 되어 있으나, 원매의 『자불어』(子不語)에 따라 "汝"로 바로잡는다.

爲詩壇主, 四方雲集. 坐花醉月, 尊俎殆無虛日. 一日大開東閣, 客至五百人. 晚於西湖收女弟子甚衆, 皆能詩. 子才日登壇講詩, 諸女圍侍. 其善解悟者, 子才乃撫摸而噢咻之, 衆女以爲榮, 悉官家良子也. 年八十三, 丁巳十一月十七日卒. 著小倉山房全集. 先君懷子才詩曰: "消息天涯返轜軒, 鶯花杜曲一消魂. 何人解上司勳墓, 只有江東詠史袁."

권 1

무술년(1778)

김과예

金科豫, ?~?

자가 선립(先立), 호가 입암(笠菴)이니, 금주(錦州)[1] 사람이다. 아버지가 호남(湖南) 회안부(淮安府)를 맡았었다. 선군께서 심양을 지나가실 때 벽 위에 걸린 그림을 보고 손가락으로 가리키며 말했다.

"훌륭한 작품입니다."

김과예가 말했다.

"좋은 그림은 그림으로 갚으셔야지요."

선군께서 대답하셨다.

"한유와 유종원을 읽는 사람이 모두 다 한유, 유종원과 같은 것은 아니지요."

모두 다 크게 웃으니, "묘한 말입니다"(妙語)라고 글씨를 썼다.

선군의 「과예의 시에 차운하다」[2]는 이렇다.

수레는 대륙을 뚫고 가는데	軒車穿大陸
성곽은 온 요동을 내리누르네.	城郭壓全遼
만 리 길에 만나 나눈 정다운 대화	萬理逢佳話
하룻밤이 천금과 맞먹는구나.	千金抵一宵

1 금주(錦州): 지금의 요녕성(遼寧省) 금주시(錦州市). 요동만(遼東灣)에 접해 있다.
2 「과예의 시에 차운하다」: 『정유각집』 시집 권1의 「김과예의 시에 차운하다」(次金科豫)이다.

字先立, 號笠菴, 錦州人. 父任湖南淮安府. 先君過瀋時, 見壁上畫指云：
"高品." 科豫云："好畫當畫." 先君答云："讀韓柳者, 未必盡如韓柳." 皆
大笑, 書云："妙語." 先君次科豫詩曰："軒車穿大陸, 城郭壓全遼. 萬理逢
佳話, 千金抵一宵."

김과정

金科正, ?~?

호가 죽파(竹波)이다.

號竹波.

김정

金淳, ?~?

자가 정천(靜泉), 호가 응천(凝川)으로, 금주 사람이다.

字靜泉, 號凝川, 錦州人.

이점

李點, ?~?

호가 죽재(竹齋), 자가 지재(知裁)로, 성경(盛京)[3] 사람이다.

號竹齋, 字知裁, 盛京人.

위곤

魏錕, ?~?

자가 공구(貢九), 호가 목당(牧堂)이니, 승덕(承德)에 산다. 자기가 지은
「광관정부」(曠觀亭賦)를 보여 주는데, 글에서 정자가 의무려산(醫巫閭
山)[4] 안에 있다고 해 놓고 "원숭이와 새가 조잘댄다"(猿鳥啁啾)라는 말
이 들어 있었다. 선군께서 말씀하셨다.

3 성경(盛京): 심양(瀋陽)의 다른 이름으로, 지금의 요녕성 심양시(瀋陽市). 청조 초기의 수
도였다. 조선 인조(仁祖) 때 소현세자(昭顯世子)와 봉림대군(鳳林大君)이 이곳에 볼모로 있었
으며, 연행(燕行)의 노정에 포함되어 조선 사신들이 거치는 곳이었다.
4 의무려산(醫巫閭山): 요녕성 북진현(北鎭縣) 서쪽, 대릉하(大凌河) 동쪽에 있는 산으로 중
국 사람들이 생각하는 사방을 진압하는 네 개의 큰 산 가운데 하나였다. '의무려'(醫無閭) 혹은
'어미려'(於微閭)라고 쓰거나, 줄여서 '의려'(醫閭)라고도 했다. 만주에서 중국 본토로 들어가는
길목에 있으며 상서로운 산으로 여겨졌기 때문에 과거 조선 사신들의 경유지 중 하나였다.

"북방에는 원숭이가 없으니, '원'(猿)이란 글자가 흠결이 되지 않을까요?"

그러자 곁에 있던 한 사람을 가리키며 말했다.

"이 사람이 일찍이 의무려산에서 원숭이를 보았답니다."

字貢九, 號牧堂, 住承德. 示所作曠觀亭賦, 云亭在醫巫閭山中, 有猿鳥啁啾之語. 先君云: "北方無猿, 猿字得無欠歟?" 指旁一人云: "此人曾見猿於巫閭."

곽유한
郭維翰, ?~?

자가 소정(邵楨), 호가 종재(宗齋)로, 철령(鐵嶺)[5] 사람이다.

字邵楨, 號宗齋, 鐵嶺人.

---

5 철령(鐵嶺): 지금의 요녕성 철령현(鐵嶺縣)이다.

박명

博明, 1718~1788

만주 사람이다. 벼슬이 병부원외랑(兵部員外郞)인데, 교서(校書)의 일로 심양에 와서 머물고 있었다. 선군께서 입암 김과예에게 말씀하셨다.

"일찍이 들으니 그가 박학하고 총명하며 글씨를 잘 쓴다고 하더군요. 연을 대어 만나 볼 수 있을는지요? 지금은 천하가 하나로 통일되어 혐의하는 바가 없습니다. 내가 그를 찾아가고 싶지만, 다만 그가 벼슬에 있는 사람인데다 내가 말도 다르고 복장도 다른지라 남의 눈을 번거롭게 할까 염려스러워서입니다."

얼마 후 박명이 수레를 타고 왔다. 선군께서 말씀하셨다.

"일찍이 유금(柳琴)[6]을 통해 우레와 같은 명성을 들었습니다. 제가 이전에 왕사정(王士禎)의 「세모회인시」(歲暮懷人詩)를 본떠 7언 절구를 지었는데, 공께 드려 이것을 선비가 서로 만나 보는 예로 삼아도 괜찮을지요?"

박명이 말했다.

"좋습니다. 가져와 보시지요."

선군께서 써서 보여 주자, 박명이 말했다.

---

6 유금(柳琴): 1741~1788. 자가 탄소(彈素), 호는 기하실(幾何室)·장진로(張津老)·착암(窄菴)이다. 유득공의 숙부이다. 원래 이름은 유련(柳璉)이었으나, 1776년(영조 52) 진하겸사은사(進賀兼謝恩使) 부사(副使) 서호수(徐浩修, 1736~1799)를 수행하여 연행을 다녀온 뒤에 금(琴)으로 고쳤다. 유금은 이 연행에 이덕무·유득공·박제가·이서구(李書九) 사가(四家)의 시선집(詩選集)인 『한객건연집』(韓客巾衍集)을 지니고 가서 이조원(李調元)과 반정균(潘庭筠)의 서(序)와 평비(評批)를 얻어 왔다.

"28자가 자못 청신(淸新)한 운치가 있습니다."

이때 일행들이 둘러서 있었으므로 세세한 이야기는 나눌 수가 없었다. 그 외모는 뚱뚱하고 얼굴이 희었는데 성품은 차분하여 조용하였으므로 문인임을 알 수 있었다. 선군의 시[7]는 이렇다.

중강(中江)의 각사(榷使)[8]가 저서에 재주 있어	中江榷使著書才
명산의 석실들을 두루 보고 돌아왔네.	石室名山泛覽迴
또 마침 고려 사람 나 석사(羅碩士)[9]를 만나서	又被高麗羅碩士
아침 내내 공비(碩妃)[10] 일을 묻고 대답하였다네.	終朝問答碩妃來

滿州人. 官兵部員外郎, 以校書來住瀋陽. 先君謂金笠菴科豫曰:"曾聞他是博學聰明善書云, 可得夤緣相見否? 今天下一統, 無有所嫌. 我欲尋他, 但他是官人, 殊音異服, 恐煩人眼." 已而博明乘車來到, 先君云:"曾因柳琴如雷聽聞. 我曾倣漁洋歲暮懷人作七絶, 呈公, 可因此爲士相見禮耶?"

7　선군의 시:『정유각집』「회인시」중 제52수「박명」(博明)이다.
8　중강(中江)의 각사(榷使): 중강각사(中江榷使)를 지낸 박명을 가리킨다. '각'(榷)은 전매(專賣)의 뜻으로, 중강각사는 중강개시(中江開市)의 과세(課稅)를 관리하는 직임이다. 관련 기록으로 그의『봉성쇄록』(鳳城瑣錄)이 전한다.
9　나 석사(羅碩士): 나걸(羅杰)을 가리킨다. 석사(碩士)는 선비의 경칭이다. 나걸은 조선 후기의 서예가로, 형 나열(羅烈)과 더불어 형제가 모두 글씨를 잘 써 이름이 났다. 1776년 동지사(冬至使) 서장관(書狀官) 신사운(申思運)을 따라 연경(燕京)에 다녀왔다.
10　공비(碩妃): 공씨 성을 가진 명나라의 후궁으로, 고려 출신 공녀(貢女)이다. 이는 앞서 나걸이 연경에서 박명을 만나서 그에게 공비의 사연을 물었던 일을 말한다. 본래 공비는 조선에서 명나라 태조 주원장의 후궁으로 알려져 있었는데, 박명은『태상시지』(太常寺志)를 근거로 공비가 원(元)나라의 원비(元妃)라 대답하였다. 이 일은 이덕무의『앙엽기』(盎葉記) 권7「공비」조에 기록되어 있다.

博云："好. 可取來." 先君書示之, 博云："二十八字, 頗有清新之致." 是時一行圍立, 不能細話. 其貌肥晳, 性沈靜, 可知文人也. 詩曰："中江權使著書才, 石室名山泛覽迴. 又被高麗羅碩士, 終朝問答碩妃來."

곽문환

郭文煥, ?~?

자는 욱재(郁哉), 호는 등소(騰霄)이다. 대북관(大北關)에 산다.

字郁哉, 號騰霄, 居大北關.

왕여

王如, ?~?

자가 우첨(右瞻), 호는 죽정(竹亭)이다.

字右瞻, 號竹亭.

왕이열

王爾烈, ?~?

한림을 지냈다.

官翰林.

선총

宣聰, ?~?

호가 난계(蘭溪)이다. 진사 출신이다.

號蘭溪, 進士.

하녕

何寧, ?~?

거인(擧人)이다.

擧人.

서소분

徐紹芬, ?~?

무녕(撫寧) 사람이다. 부친은 서학년(徐鶴年)으로, 진사이다. 집이 영평부(永平府) 고려성(古驪城)에 있다.

　선군의 기록은 이렇다.

　"그 집이 몹시 크고 아름답다. 별원(別園)이 있는데, 장서가 1만여 권이다. 백하(白下) 윤순(尹淳, 1680~1741) 이래로 해마다 들러 방문하는 것이 상례가 되었다.[11] 그의 동생은 소신(紹薪)인데, 무술년(1778)의

11　백하(白下)…되었다: 윤순은 조선의 문인으로, 자가 중화(仲和), 호는 백하(白下)이다. 서예의 대가로 이광사(李匡師)의 스승이다. 1723년 사은사(謝恩使)의 서장관(書狀官)으로 청나라에 다녀왔는데, 이때 서학년의 집을 찾아 교분을 나누고 글씨를 써 주었다. 이후 조선 사신이 서학년의 집을 들르는 일이 상례가 되었다.

거인이다. 성품이 퍽 영리하고 민첩하며 시에 능하였다.”

　선군께서 지은 「연경잡절」(燕京雜絶)¹²에서 이렇게 말했다.

무녕 땅에 있는 서 진사의 집　　　　　　　　　撫寧徐進士

해동 사람 어쩌다 한 번 들렀지.　　　　　　　東人偶一過

여태도 옛 글씨와 그림이 남아　　　　　　　　猶存舊書畫

해마다 그 집에서 맞고 보내네.　　　　　　　迎送世其家

撫寧人. 父鶴年¹³, 進士. 家在永平府古驪城. 先君記曰: “其庄甚宏麗. 有
別園, 藏書萬餘卷. 自尹白下淳, 每年歷訪爲常. 其弟紹薪, 戊戌擧人. 性
頗伶俐翩翩, 能詩.” 先君燕京雜絶云: “撫寧徐進士, 東人偶一過. 猶存舊
書畫, 迎送世其家.”

12 「연경잡절」(燕京雜絶): 이하 시는 『정유각집』 시집 권4에 수록된 「연경잡절. 임 은수 자형
과 작별하며 주다. 기억을 더듬어 붓을 달려 모두 140수를 얻다」(燕京雜絶. 贈別任恩叟姊兄.
追憶信筆, 凡得一百四十首[이하 「연경잡절」燕京雜絶로 약칭]) 중 제15수이다.
13 年: 『호저집』 원문에는 “寧”으로 되어 있으나, 바로잡는다.

임고

林皐, ?~?

초(楚) 땅 사람이다. 선군과 길에서 만나 대략 한 차례 안면을 텄다. 뒤에 연암 박지원(朴趾源, 1737~1805)을 보았을 때 그가 물었다.

"이형암과 박초정은 잘 지내는지요?"

대답하였다.

"모두 평안합니다."

임고가 칭찬했다.

"박제가와 이덕무는 참으로 맑고 시원스러우며 고상하고 아름다운 선비입니다."

楚人. 與先君路逢, 略敍一面. 後見朴燕巖趾源, 問: "李炯菴朴楚亭安好." 答云: "皆安." 皐稱: "朴李眞淸曠高妙之士."

호형항

胡逈恒, ?~?

절강(浙江) 사람이다. 집이 풍윤(豐潤)에 있었는데, 임고와 사이가 좋았다.

浙江人. 家在豐潤, 與皐友善.

이정원
李鼎元, 1749~1812

자가 화숙(和叔), 호는 묵장(墨莊) 또는 사죽재(師竹齋)라고도 하는데, 향산 백거이(白居易)[14]의 "대나무는 허심(虛心) 아니 나의 스승이로다"[15]라는 뜻에서 취하였다. 면주(綿州)[16] 사람이다. 건륭 기사년(1749) 2월 16일 인시(寅時)에 태어났다. 건륭 무술년(1778)에 삼갑(三甲) 일명(一名)으로 진사에 뽑혔다. 이어 서길사가 되었다가 검토(檢討)에 제수되었다. 지금은 병부주사(兵部主事)를 맡고 있다. 저서에 『가유집』(假遊集)이 있다. 이조원의 사촌 동생이다.

선군의 기록은 이렇다.

"이에 앞서 묵장이 춘수호동(春樹衚衕)[17]에 있을 때 일이다. 이때 쪽

14 백거이(白居易): 772~846. 당나라의 시인. 자는 낙천(樂天), 호는 향산거사(香山居士)·취음선생(醉吟先生)이다. 부패한 사회상을 풍자·비판하고, 일상적인 언어를 사용하여 문학의 폭을 확대했다. 「비파행」(琵琶行)·「장한가」(長恨歌)·「유오진사시」(遊悟眞寺詩) 등 걸작을 다수 남겼다.
15 대나무는…스승이로다: 백거이의 시 「못가 대나무 아래서 짓다」(池上竹下作)의 "물은 성품 담박하니 나의 벗이요, 대나무는 허심 아니 나의 스승이로다"(水能性澹爲吾友, 竹解心虛卽我師)라는 구절에서 따왔다.
16 면주(綿州): 지금의 사천성(四川省) 창명현(彰明縣).
17 춘수호동(春樹衚衕): 북경의 골목 이름. 부성문(阜城門) 밖에 있었다. '호동'(衚衕)은 골

빛 도포[18]를 입은 한 사람을 보았는데, 어떤 사람이 그를 가리키며 '이분이 바로 이(李) 선생입니다'라고 하였다. 내가 곧바로 불러, '우촌(雨邨) 선생의 아우 되시는 묵장이 그대가 아닌지요?'라고 하자, 그 사람이 놀라 기뻐하며 말했다. '그렇습니다.' 마침내 손을 잡고 마구 흔드는 것이었다. 대개 풍속이 그러하였다." 여기까지다.

아들이 셋인데, 조개(朝塏), 조상(朝堘), 조각(朝墧)이다. 조개는 자가 상인(爽人)이다. 8월에 태어난 까닭에 유명(乳名)을 섬아(蟾兒)라 하였다. 약관임에도 글에 자못 기특한 기운이 있었다.

묵장이 을묘년(1795)에 대산(岱山)[19]을 유람하였는데, 〈등대도〉(登岱圖)[20]가 있다. 사마(司馬) 황역(黃易)[21]이 황역의 호는 소송(小松)이다. 그린 것이다. 경신년(1800)에 유구부사(琉球副使)[22]에 뽑혔는데, 〈봉사유구도〉(奉使琉球圖), 『사유구기』(使琉球記) 1권, 『유구역』(琉球譯) 1권이 있다. 또 『도덕경정의』(道德經正義) 1권, 『사죽재시집』(師竹齋詩集) 약간

목길을 의미한다. 『입연기』(入燕記) 하(下)에 따르면, 이정원은 1778년 당시 춘수호동의 사천 서회관(四川西會館)에 우거하고 있었다.

18 쪽빛 도포: 원문은 "藍袍"로 하급 관원이 입던 복장이다. 이정원은 당시 서길사로 있었다.

19 대산(岱山): 태산(泰山)의 다른 이름. 중국 오악(五嶽)의 하나로, 지금의 산동성(山東省) 태안시(泰安市) 북쪽에 있다.

20 〈등대도〉(登岱圖): 이정원이 유구(琉球)에 사신으로 갔을 때 대산(岱山)에 오른 모습을 그린 소조(小照)다. 유득공은 이 그림에 다음과 같은 제시(題詩)를 남겼다. "나강의 시화 속에 성명이 남았으니, 서쪽으로 노닌 지도 올해 다시 몇 해인가. 연경(燕京)의 청등 불빛 〈등대도〉 화첩에, 꿈속의 사람이 그림 속에 노니누나."(羅江詩話姓名留. 西笑如今又幾秋. 燕邸青燈東岱帖, 夢中人作畫中游) 『연대재유록』에 보인다.

21 황역(黃易): 1744~1802. 청나라 절강 인화(仁和) 사람. 서화가이자 전각가(篆刻家)로 서령팔가(西泠八家) 중 하나로 꼽힌다. 비판(碑版) 감별 및 고증에 뛰어났다.

22 유구부사(琉球副使): 이정원은 유구국 사신단의 부사로 임명되어 정사 조문해(趙文楷, 1761~1808)와 함께 유구를 방문하였다. 사신단은 3월 30일 북경을 출발, 5월 12일 유구에 도착하였다. 이후 11월 3일 북경으로 귀환하였다.

권을 저술하였다.

선군께서 지은 「묵장을 그리며」[23]는 다음과 같다.

묵장이 나와는 한동갑이니[24] 墨莊吾同庚

나이 이제 마흔[25]을 막 넘겼다네. 纔過强仕年

혼자서 세간의 일 얘기하다가 自云世間事

전만 같지 못함을 깨닫는다네. 漸覺不如前

교만하지 않지만 아첨도 않아 不驕亦不媚

나고 듦에 자연을 따른다 하네. 行藏隨自然

또 「연경잡절」[26]에서는 이렇게 말했다.

근년 들어 우리나라 여러 선비가 年來東國士

이 묵장의 이름을 자주 말하네. 稍說墨莊名

옛사람의 도리로 말 부치노라 寄語古人道

붉은색 관복 입은 위위경(衛尉卿)에게.[27] 緋衣衛尉卿

---

23 「묵장을 그리며」: 이 시는 『정유각집』 시집 권3의 「회인시. 장심여의 시를 본떠 짓다」(懷人詩, 仿蔣心餘) 중 제12수 「이묵장 정원」(李墨莊鼎元)이다.
24 묵장이 나와는 한동갑이니: 이정원은 1749년생으로 1750년에 태어난 것으로 알려진 박제가보다 한 살 많다. 또 『호저집』 편집 권1에 수록된 이정원이 박장암에게 보낸 편지 「소유에게 답하다」(答小蕤)를 보면, 자신은 기사년(1749)생으로 박제가와 동갑이라고 하였다.
25 마흔: 원문은 "강사(强仕)의 나이"(强仕年)로, 40세를 의미한다. 『예기』(禮記) 「곡례」(曲禮) 상(上)의 "나이 사십을 강(强)이라고 하니, 이때에 벼슬길에 나선다"(四十曰强而仕)라는 말에서 유래한 표현이다.
26 「연경잡절」: 아래는 『정유각집』 「연경잡절」(燕京雜絶) 중 제32수이다.
27 붉은색…위위경(衛尉卿)에게: 위위경은 당나라 때 벼슬 이름으로, 궁금(宮禁)의 수위(守衛)를 맡은 위위(衛尉)의 책임자이다. 여기서는 이정원의 관직인 병부주사(兵部主事)를 예스

또 「이정원의 〈유구도〉(琉球圖) 그림에 제(題)한 시」[28]에서는 이렇게 말했다.

제주(齊州) 고을[29] 두루 본 흥 아직 식지 않았는데	橫覽齊州未了煙
표연히 사신 되어 다락배에 올랐구려.	飄然玉節上樓船
노래는 백제(白帝) 황아(皇娥) 너머에서 이뤄지고[30]	歌成白帝皇娥外
사는 집은 푸른 하늘 촉도(蜀道)의 옆이로다.[31]	家住靑天蜀道邊
귀족에게 물어보아 중원 성씨 알아내고	偶問簪縷知漢姓
한가로이 관지(款識) 찾아 왜국 연호 판독했네.[32]	閑尋款識辨倭年
평생에 우뚝한 가슴속 쌓인 기운	平生兀硉胸中氣
중산주(中山酒)[33] 힘을 빌려 한차례 재웠도다.	好借中山酒一眠

필담을 아래에 붙인다.

럽게 이른 듯하다.

28 「이정원의…제(題)한 시」: 『정유각집』 시집 권4의 「내각중서 이묵장의 〈유구봉사도〉에 제하다」(題李墨莊中翰琉球奉使圖)이다.

29 제주(齊州) 고을: 태산이 있는 산동성을 말한다.

30 노래는…이뤄지고: 백제자(白帝子)와 황아(皇娥)가 궁상(窮桑)에서 교합하여 소호씨(少昊氏)를 낳았으므로, 중화 문명의 범위 안에 있는 지역을 말한다. 여기서 백제 황아의 너머를 말한 것은 중화의 범위를 벗어난 남방 지역을 가리키는 의미이다.

31 푸른…옆이로다: 원문의 "靑天蜀道"는 본래 촉도(蜀道), 곧 사천성(泗川城)으로 가는 길의 험난함을 일컫는 표현이다. 당나라 시인 이백(李白)의 「촉도난」(蜀道難)에 "촉도의 험난함은 푸른 하늘 오르기보다 어려워라"(蜀道之難, 難於上靑天)라고 한 데서 왔다. 여기서는 이정원이 파촉(巴蜀) 출신으로 멀리 남방까지 사신 온 것을 말한 것이다.

32 한가로이…판독했네: 관지(款識)는 금석에 새긴 글자로, 음각을 관(款), 양각을 지(識)라고 한다. 원문의 "倭年"은 일본의 독자적 연호를 가리키는 듯하다. 이정원이 유구국을 다니며 비석에 새겨진 일본 연호를 판독했다는 말이다.

33 중산주(中山酒): 중국 중산(中山) 땅의 명주(名酒). 한 잔 마시면 천 일 동안 취할 수 있다 하여 천일주(千日酒)라고도 한다. 유구국의 별칭도 중산이므로 끌어다 말한 것이다.

이정원 그대의 대책문(對策文)을 읽어 보니, 대답한 것이 이미 상세하고 판단 또한 노련합니다. 중간의 전주(轉注)에 대한 주장 같은 것은 수천 수백 년이 동원(東原)의 한마디 말로 깨졌으니, 그대로 이 '고로'(考老)의 '노'(老) 자에서 그대의 독서를 살펴볼 수 있겠습니다.[34] 그리고 마음 씀이 세밀하면서도 고심한 것을 알겠더군요.

선군 우리나라 사람들은 책을 읽지 않습니다. 저 같은 사람도 거칠게 읽었을 뿐이지요. 게다가 대책은 금중(禁中)에 입직해 있을 때 쓴 것으로, 당시 제공들이 또 모두 대단한 상대들이었지요. 이서구, 유득공, 이덕무 외에도 청성(靑城) 성대중(成大中) 같은 이가 있었는데, 하루 안에 이를 지었지만 부족해서 한밤중이 되어서야 겨우 베껴 쓰기를 마쳤습니다. 은혜로운 상을 입음이 몹시 많았을 뿐입니다.

이정원 시험장에서 시간도 부족한 가운데[35] 이렇듯 드넓고 시원스러우며 근거가 딱딱 맞는 글을 얻었으니, 어찌 기특한 재주라고 감탄하지 않을 수 있겠습니까?

선군 우촌이 말했던 지금에서는 얻지 못하고 옛날에서 얻는다고 한 것은, 졸작을 크게 위해 주신 것입니다. 우리나라 사람들은 이

---

34 중간의…있겠습니다: 앞서 박제가는 이정원에게 자신이 지은 「육서책」(六書策)을 보여 주었던 듯하다. 이정원은 박제가의 「육서책」 안에 나오는 전주(轉注)의 논의와 고로(考老)에 관한 내용이 청나라 학자 대진(戴震, 1724~1777)의 『육서론』(六書論)을 인용한 것임을 알아보고 박제가의 폭넓은 독서에 감탄했다. 대진은 경학과 문자학에 능통하였다. 동원(東原)은 그의 자다.
35 시험장에서…가운데: 원문은 "風簷寸晷中"으로, 과거 시험장에서 날씨는 춥고 시간은 부족하다는 뜻이다.

를 낮게 보는데 공 등은 칭찬해 주시니, 혹 취향에 절로 다른 기운이 있어서일까요?

이정원 만약 이 같은 글을 낮게 여긴다면 또 어떤 글을 높게 친답니까? 틀림없이 연지와 분을 칠한 것을 가지고 높게 치는 게지요. 분을 바르는 것 또한 중랑(中郞)은 될 수 있지만, 다만 색칠한 약왕(藥王)[36]의 소상(塑像)을 아끼는 일일 뿐입니다.

선군 위인(偉人) 왕 중당(王中堂)[37] 같은 분은 예전 경술년(1790)에 굳이 우리나라 사신에게 와서 사가(四家)의 시를 찾았었지요.[38] 제가 그때 곁에 있었는데 감히 모수(毛遂)처럼 바로 나라고 말하지 못했으니,[39] 섭공(葉公)이 용을 아낀 것일까[40] 걱정해서였습니다. 이제 또 그의 지위가 신하로 가장 높아졌으니 그 문에는 가 볼 수가 없겠군요.

---

36 약왕(藥王): 중생(衆生)에게 좋은 약을 주어 심신의 병고를 덜어 주고 고쳐 준다는 보살을 말한다.

37 왕 중당(王中堂): 청나라 왕걸(王杰, 1725~1805)을 말한다. 위인(偉人)은 그의 자이고, 중당(中堂)은 대학사(大學士)를 뜻한다. 왕걸이 동각대학사(東閣大學士) 벼슬을 지냈으므로 이렇게 칭한 것이다.

38 경술년(1790)에…찾았었지요: 이 필담은 1790년에 있었던 왕걸과의 일화를 언급한 것으로 보아 1801년 연행 당시의 필담으로 보인다. 유득공의 『난양록』(灤陽錄)에 왕걸이 조선의 시문과 서적을 요구한 일이 보인다.

39 모수(毛遂)처럼…못했으니: 원문은 "毛遂自薦"이다. 모수는 중국 전국시대(戰國時代) 조(趙)나라 평원군(平原君)의 식객이다. 평원군이 초(楚)나라로 원병(援兵)을 청하러 갈 적에 자기 문하의 식객을 데려가려 하자, 모수가 나서서 스스로를 천거하였다. 『사기』(史記) 권76 「평원군우경열전」(平原君虞卿列傳)에 보인다.

40 섭공이…것일까: '섭공호룡'(葉公好龍)의 고사. 겉으로 좋아하는 듯하면서 실제로는 그렇지 않은 것을 말한다. 춘추시대 초(楚)나라의 섭공자고(葉公子高)가 용을 좋아해 주변의 온갖 기물(器物)에 용을 그려 놓았는데, 막상 용이 나타나자 놀라 달아났다는 고사가 있다. 『신서』(新書) 「잡사」(雜事)에 보인다.

이정원 이분은 당대에 가장 으뜸가는 분이시지요.

선균 대 시랑(戴侍郞)[41]께서는 현재 중요한 일을 맡고 계신데, 그래도 한번 찾아뵐 수 있을까요?

이정원 그 사람이야 안 될 게 없지요. 다만 한가할 때가 없답니다.

이정원 우리 집에 오는 사람 중에도 이름난 선비가 적지 않습니다. 집이 좁아 다 들이지 못하는 것이 유감이지요. 만약 한 군데 넓은 곳에서 한꺼번에 모일 수만 있다면 또 한때의 멋진 얘깃거리가 될 겁니다. 후손으로 하여금 장차까지도 잘 지내게 하십시다.

선균 올겨울에 형편을 보아 집의 자식에게 연경으로 들어오게 하겠습니다. 또한 군관(軍官)으로 파견하여 중국에 들어가게 하려는 뜻일 뿐입니다.

금석문은 정삼옹 옹방강이요	金石正三翁
그림으로 뛰어나긴 나양봉일세.	丹靑羅兩峯
맑은 행실 비부의 손성연이요	淸修比部衍
웅장하고 아름답긴 홍양길이라.	鉅麗北江洪

이것은 제가 지은 회인시(懷人詩)[42]입니다. 절반은 흙으로 돌

---

41 대 시랑(戴侍郞): 대균원(戴均元, 1746~1840). 강서(江西) 대유(大庾) 사람이다. 1778년 (건륭 43) 진사가 되어 한림원편수(翰林院編修), 내각학사겸예부시랑(內閣學士兼禮部侍郞)을 역임했다.

42 회인시(懷人詩): 위 시는 『정유각집』「연경잡절」중 제22수로, 『정유각집』에는 시 아래에 다음 주석이 달려 있다. "시랑 옹방강은 자가 정삼이다. 나양봉(羅兩峯)은 이름이 빙(聘)이다. 손비부(孫比部)는 이름이 성연이요 자는 연여(淵如)이다. 한림 홍양길(洪亮吉)은 학식이 넓고 변려문에 뛰어났다."(翁侍郞方綱字正三, 羅兩峯名聘, 孫比部名星衍字淵如, 洪翰林亮吉博學

아갔으니 능히 황공(黃公)의 주막집을 지나는 감회[43]가 없겠

습니까.

이정원 다들 살아 있고 나양봉만 죽었을 뿐입니다.

선군 손성연(孫星衍)[44]은 지금 고을살이를 하고 있는지요?

이정원 상(喪)을 만나 돌아왔다는데 어찌 지내는지는 모르겠군요.

이정원 보통 사람이 할 일 없이 지은 것은 대부분 수달이 물고기 제사

지내듯[45] 하는 말입니다. 세상에서 해박하다고 하는 자로는 제

가 딱 한 사람을 보았으니, 팽혜지(彭蕙支)[46]라고 하지요. 새

로 효렴(孝廉)[47]에 뽑혔는데 그 사람은 글에 있어 그런대로 입

에 올릴 만합니다.

工駢儷之文.)

43 황공(黃公)의…감회: 원문은 "黃壚之感"으로, 죽은 이를 그리워한다는 뜻이다. 진(晉)나라 때 죽림칠현(竹林七賢)의 한 사람인 왕융(王戎)이 일찍이 황공의 주막[黃壚]을 지나다가 이미 세상을 떠난 혜강(嵇康)·완적(阮籍)과 함께 술을 마시며 즐기던 기억을 떠올리며 슬퍼했다는 고사에서 왔다. 『진서』(晉書) 권43에 보인다.

44 손성연(孫星衍): 1753~1818. 청나라의 학자. 자가 연여(淵如), 호는 방무산인(芳茂山人)이다. 건륭(乾隆) 52년(1787) 진사가 되어 한림원편수에 올랐으며, 형부주사(刑部主事)·산동독량도(山東督糧道)·포정사(布政使) 등을 지냈다. 시서(詩書)에 능하였으며 경술(經術)을 깊이 연구하였다. 홍양길(洪亮吉)·조회옥(趙懷玉)·황경인(黃景仁)·양륜(楊倫)·여성원(呂星垣)·서서수(徐書受)와 더불어 '비릉칠자'(毗陵七子)로 일컬어졌다. 저서에 『상서금고문주소』(尙書今古文注疏)·『주역집해』(周易集解)·『하소전교정』(夏小傳校正) 등이 있다.

45 수달이…지내듯: 원문은 "獺祭"로, '달제어'(獺祭魚)를 말한다. 수달이 물고기를 많이 잡고선 먹지 않고 늘어놓는 습성이 있는데, 이 모습이 마치 제사를 드리는 것과 같다는 데에서 나온 말이다. 『예기』「월령」(月令)에, "1월에는 수달이 물고기로 제사 지내고, 9월에는 승냥이가 짐승으로 제사 지낸다"(孟春之月獺祭魚 季秋之月豺祭獸.)라고 하였다. 여기서는 시문(詩文)을 지을 때 주석을 주렁주렁 어지럽게 달아 놓은 것을 말한다.

46 팽혜지(彭蕙支): 호는 전교(田橋)이다. 사천 미주(眉州) 사람으로, 1801년 연행 당시 효렴(孝廉)으로 연경에 머무르고 있었다. 이때 그가 이정원 및 왕제(王霽)와 동행하여 유리창(琉璃廠)의 오류거(五柳居) 서점으로 유득공 등을 찾아온 일이 『연대재유록』에 보인다.

47 효렴(孝廉): 명청 시대 향시에 급제한 거인을 이르던 말.

선군 서로 만나 보면 정말 좋겠습니다.

이정원 우촌이 『함해』(函海)[48]란 책 한 부(部)를 출판했는데 『한위총
서』(漢魏叢書) 같은 종류입니다. 20투(套) 185종 가운데 양승
암(楊升菴)의 글 40종[49]과 우촌의 저작 40종이 있지요. 위로
한당(漢唐)에까지 미칩니다. 이제 막 인쇄에 들어갔는데 일 때
문에 그만두고 떠나게 되어 곤란하고 두려운 일이 많습니다.
그래서 감히 남에게는 드리지 못합니다. 서판(書板)은 이미 사
천(泗川) 땅으로 들어가서 이곳에서는 찾을 곳이 없습니다. 생
각해 보니 40종 중에는 시화(詩話)도 3권이 있었던 것 같군요.

선군 이덕무의 『청비록』(清脾錄)과 유득공의 『이십일도회고시』
(二十一都懷古詩)는 마땅히 들어갈 수 있지 않나요?

이정원 들어갔는지 살펴보지요. 예를 들어 "작별한 지 며칠 만에 오
하(吳下)가 아닌데,[50] 아는 사람 없으니 바로 이 영중(郢中)일

---

48 『함해』(函海): 이조원(李調元)이 편집·간행한 총서(叢書)로 전 30집, 40함(函), 852권이
며, 총 158종의 책을 수록했다. 1784년 간행되었다. 1함부터 10함까지는 진(晉) 육조(六朝) 및
당·송·원·명 시기 문인의 미간행 저서, 11함부터 16함까지는 양신(楊愼, 1488~1559)의 미
간행 저서 40종, 17함부터 24함까지는 각종 희귀서, 25함부터 40함까지는 이조원 자신의 저서
40종을 실었다. 이후 1795년경 『속함해』(續函海)를 간행하고, 1801년에 중간(重刊)하였다.
『속함해』는 총 6함으로 이루어졌는데, 그중 3함에 이덕무의 시화 『청비록』이 수록되었다.
49 양승암(楊升菴)의 글 40종: 이조원의 『함해』에 들어간 명나라 학자 양신(楊愼, 1488~
1559)의 저작 및 관련 문적을 가리킨다. 승암(升菴)은 그의 호다. 자는 용수(用修)이다. 한림
학사(翰林學士)를 지냈다. 경연강관(經筵講官)으로 있으면서 1524년 계악(桂萼) 등이 등용될
때 동지 36명과 함께 반대하다가 가정제(嘉靖帝)의 미움을 사, 곤장을 맞고 운남(雲南) 영창위
(永昌衛)로 유배되어 그곳에서 죽었다. 유배지에서 30여 년간 학문에 전념하여 방대한 저술을
남겼다. 저서에 『단연총록』(丹鉛總錄)·『승암집』(升菴集) 등이 있다. 『함해』에는 『승암경설』(升
菴經說) 14권, 『승암저서총목』(升菴著書總目), 『승암시화』(升菴詩話) 12권 및 『보유』(補遺)
2권, 『승암선생연보』(升菴先生年譜) 등이 포함되었다.
50 오하(吳下)가 아닌데: 급작스레 성장한 학식을 칭찬하는 말이다. 오하는 소주(蘇州) 일대
를 가리킨다. 삼국시대 오(吳)나라의 대도독(大都督) 노숙(魯肅)이 여몽(呂蒙)을 두고 이전 오

세"51(別來幾日非吳下, 和者無人又郢中.)와 같은 아름다운 구절은 모두 뽑혀서 들어가 있습니다.

선군　지당 선생(芷塘先生)52은 어떻습니까?

이정원　전에 어사(御史)가 되었다가 지금은 고향에 돌아갔는데, 바로 이번 달 26일이었습니다. 배를 사서 남쪽으로 천 리를 내려갔으니, 친구들이 얼굴 보기가 어려워졌습니다. 헤어진 뒤에 서로를 그리워하는 정이 참으로 슬퍼할 만합니다. 하지만 편지를 주고받는 것은 중간에 문제가 생겨서 혹 남의 손에 떨어질까 봐 염려가 되니, 불편한 점이 많습니다.

字和叔, 號墨莊, 又號師竹齋, 取白香山'竹解心虛53是我師'之義. 綿州人. 乾隆己巳二月十六日寅時生. 乾隆戊戌擢三甲一名進士, 改庶吉士, 授檢討. 現任兵部主事. 著有假遊集. 調元從弟也. 先君記曰："初墨莊在春樹衚衕. 時見藍袍一人, 有人指云：'此便是李先生.' 余直呼云：'雨邨先生之

하 시절의 여몽과 다르다며 그의 몰라보게 달라진 학식에 감탄한 데서 나왔다. 『오지』(吳志) 「여몽전」(呂蒙傳)에 보인다.

51　아는…영중(郢中)일세: 일반 사람들은 고상하고 격조 높은 것에 대해서는 잘 모른다는 말이다. '영'(郢)은 초(楚)나라의 수도이다. 영에서 한 나그네가 「하리」(下里)·「파인」(巴人) 같은 속요(俗謠)를 부르자 따라 부르는 자가 수천 명이나 되었는데, 「양춘」(陽春)·「백설」(白雪) 같은 고상한 곡조를 부르자 따라 부르는 자가 몇 명에 불과했다는 고사가 있다. 『문선』(文選) 「대초왕문」(對楚王問)에 보인다. 이 시는 이덕무가 『청비록』(淸脾錄) 권4 「영재」(泠齋) 조에 소개한 유득공 시의 가구(佳句) 중 하나이다.

52　지당 선생(芷塘先生): 축덕린(祝德麟, 1742~1798)을 가리킨다. 본서 106면 '축덕린' 항목 참조.

53　心虛: 『호저집』 원문에는 "虛心"으로 되어 있으나, 백거이의 문집에 따라 "心虛"로 바로잡는다.

弟墨莊, 非子耶?' 其人驚喜曰:'諾.' 遂握手作顫顫焉, 蓋風俗然也." 止此.
子三, 朝塸·朝壎·朝塙. 塸字爽人, 以八月生, 故取乳名蟾兒. 弱冠文有奇
氣. 墨莊乙卯遊岱山, 有登岱圖, 黃司馬易 _{黃易號小松.} 所作也. 庚申充琉球
副使, 有奉使琉球圖, 使琉球記一卷, 琉球譯一卷. 又著道德經正義一卷,
師竹齋詩集若干卷. 先君懷墨莊詩曰:"墨莊吾同庚, 纔過强仕年. 自云世
間事, 漸覺不如前. 不驕亦不媚, 行藏隨自然." 又燕京雜絶云:"年來東國
士, 稍說墨莊名. 寄語古人道, 緋衣衛尉卿." 又題其琉球圖詩曰:"橫覽齊
州未了煙, 飄然玉節上樓船. 歌成白帝皇娥外, 家住靑天蜀道邊. 偶問簪纓
知漢姓, 閑尋款識辨倭年. 平生兀硉胸中氣, 好借中山酒一眠." _{筆談附下.}

李	讀尊策, 修對旣詳, 斷制亦老. 中如轉注之說, 數千百年, 被東原 一語道破, 依然是考老老字, 可見足下讀書矣, 而用心細且苦矣.
先君	東人不讀書, 如弟亦鹵莽耳. 且對策, 在入直禁中時, 諸公又皆 勁敵, 如薑山惠風靑莊外, 有成靑城名大中者, 一日之中, 撰之 不足, 至夜方寫完蒙, 恩賞甚多耳.
李	風簷寸晷中, 如得洋洋灑灑, 原原本本之文, 安得不嘆爲奇才?
先君	雨邨所云不獲于今而獲于古, 拙作大爲. 東人卑之, 而公等嘆 賞, 抑有脾自殊氣耶?
李	如以此文爲卑, 又以何文爲高? 必塗脂粉以爲之乎? 塗粉亦可 爲中郎, 直愛藥王像耳.
先君	如王偉人中堂, 向在庚戌, 苦向東使覓四家詩. 我實在傍, 不敢 如毛遂自薦, 恐是葉公愛龍. 今又位極人臣, 不可到門.
李	此公當代第一人也.
先君	戴侍郎現任機務, 尙可一造否?

李	其人無所不可, 但無閑刻耳.
李	入吾門者, 名士不少, 恨舍窄不能容. 如得一寬處一聚, 又一時佳話. 爲令嗣將來同氣矣.
先君	今冬有妥便, 便敎豚兒入都, 亦猶遣勇入覯中國之意耳. "金石正三翁, 丹靑羅兩峯. 淸修比部衍, 鉅麗北江洪." 此余懷人作耳. 半歸黃土, 能無黃壚之感歟.
李	都在, 惟兩峯死耳.
先君	孫星衍現居知州否?
李	以憂歸, 未起居觀察.
李	凡人無爲而作, 半是獺祭. 世之言博者, 吾見一人焉, 曰彭蕙支, 新孝廉, 其人於書略能上口.
先君	相見甚妙.
李	雨村刻函海一部, 如漢魏叢書之類. 廿套一百八十五種中, 有升菴四十種, 幷雨邨著作四十種. 上及漢唐甫刻就, 而以事罷去, 多難畏事. 故不敢送人. 板已入川, 此處便無覓處. 四十種裏, 想有詩話三卷耳.
先君	如李君淸脾錄, 柳君廿一都懷古詩, 當可收入否?
李	檢點收入, 如'別來幾日非吳下, 和者無人又郢中'諸佳句, 皆選入矣.
先君	芷塘先生?
李	舊爲御史, 今告歸, 卽于本月廿六日. 買舟南下千里, 故人見面難. 別後相思情眞可憫. 然書札往來, 恐中途有浮沈, 或落外人手, 便多不妙.

이기원

李驥元, 1755~1799

호는 부당(鳧塘)이다. 건륭 갑진년(1784)에 진사로 뽑혀 편수에 제수되
었다. 상서 기효람(紀曉嵐)[54]의 문하에서 나왔다. 용모가 꾸밈이 없고,
마음에 품은 뜻이 호탕하였다. 묵장 이정원의 동생이다. 술암(述菴) 왕
창(王昶, 1724~1806)이 왕창은 호가 술암으로 청포(靑浦) 사람이다. 건륭 19년 갑술
년(1754)에 진사가 되었고, 이부랑(吏部郎)을 거쳐 여러 벼슬을 지내고 소사구(少司寇)에 이
르렀다. 대장군 아계(阿桂)를 따라 금천(金川)을 정벌하는 데 공이 있었으므로 섬서안찰사(陝
西按察使)가 되었다. 성품이 금석문(金石文)을 좋아하였다. 부당의 시를 평하여 이렇
게 말했다.

"맑고 푸르고 기걸(奇傑)스러움은 근원이 두보에 바탕을 두었고, 이
치를 살피고 정을 헤아림은 또 백거이만 못지않다. 깊은 데 다다르고 험
한 곳을 헤쳐 나가[55] 필력이 굳세고 힘이 있으니, 일종의 강건하고 노련
한 기운이 종이와 먹에 넘쳐 난다. 서천(西川)의 문인으로 앞서는 비차
도(費此度)[56]가 있었고 근래에는 팽낙재(彭樂齋)[57]를 꼽는데, 모두 그에

---

54 기효람(紀曉嵐): 기윤(紀昀, 1724~1805). 본서 124면 '기윤' 항목 참조.
55 깊은…헤쳐 나가: 원문은 "緝幽鑿險"으로, 본래 원매의 『수원시화』권6에 보이는 표현이
다. 그 글은 이렇다. "詩貴溫柔, 而公性情刻酷. 故鑿險緝幽, 自墮魔障."
56 비차도(費此度): 명말청초의 문인 비밀(費密, 1625~1701). 차도(此度)는 그의 자이다.
사천성 신번(新繁) 사람으로 여잠(呂潛), 당견(唐甄)과 함께 촉 땅의 삼걸(三傑)로 일컬어졌다.
57 팽낙재(彭樂齋): 청나라의 문인 팽단숙(彭端淑, 1699~1779). 낙재(樂齋)는 그의 호이
다. 사천 단릉(丹稜) 사람이다. 옹정(雍正) 연간의 진사로 이부낭중(吏部郎中)을 지냈다. 시문
에 뛰어나 이조원(李調元, 1734~1803), 장문도(張問陶, 1764~1814)와 함께 사천삼재자(四
川三才子)로 불린다. 저서에 『백학당시고』(白鶴堂詩稿)·『설야시화』(雪夜詩話) 등이 있다.

게는 멀리 미치지 못하니 마땅히 촉(蜀) 땅의 일대 명가가 된다. 필담을 아래에 붙인다.

선군 11세에 아버님께서 세상을 떠나시고, 지금은 노모만 집에 계시는데 연세가 58세입니다. 이후로는 점점 먼 곳을 다니기가 어려울 듯합니다.

이기원 그대의 효제(孝悌)가 타고난 것임을 알겠군요.

號鳬塘. 乾隆甲辰進士, 授編修. 出紀尙書曉嵐之門. 容貌坦白, 襟懷浩蕩. 墨莊弟也. 王述菴昶, 王昶號述菴, 靑浦人. 乾隆十九年甲戌進士, 由吏部郞, 歷官至少司寇. 從大將軍阿桂, 征金川有功, 爲陝西按察使. 性耽金石. 評鳬塘詩曰: "淸蒼奇傑, 源本杜少陵. 酌理準情, 又不減白太傅. 縋幽鑿險, 筆力排奡, 而一種蒼老之氣, 溢于紙墨. 西川文人, 前爲費此度, 近爲彭樂齋, 皆遠不逮也, 當爲蜀中一大名家." 筆談附下.

先君 十一歲而先大夫棄世, 今有老母在堂, 年五十八. 此後漸難遠遊也.

李 知君孝友本天生.

이조원[58]

李調元, 1734~1803

자가 갱당(羹堂)인데 환기(煥其)라고도 하고 혹 갱당(杭塘)이라고도 일컫는다. 호는 우촌(雨村)이니 면주(綿州) 나강(羅江) 사람이다. 갑인년(1734) 12월 초5일에 태어났다. 건륭 28년 계미년(1763)에 진사에 급제하여 한림원에 들어갔다. 정위(廷尉) 주입애(周立崖)[59]의 문생 출신으로, 내각중서사인(內閣中書舍人)·국자감학정(國子監學正)·이부고공사원외랑(吏部考功司員外郎) 겸 험봉사사(驗封司事)를 역임하였다. 갑오년(1774)에 광동(廣東)의 시험관으로 나갔다.

이에 앞서 전시(殿試)를 볼 적에는 축덕린(祝德麟)과 함께 지냈는데, 당시 사람들이 "풍류가 질탕한 축 소저에다, 드날려 발호하는 이 장군이라"라는 농담을 했다. 그 사촌 아우 이기원은 상서 기윤의 문하에서 나왔는데, 매번 상서를 찾아뵈면 반드시 "장군은 잘 계신가?"라고 하였다.

갑진년(1784)에 유배되어 수자리를 살다가 청각공(淸恪公) 원(袁) 아무개[60]가 그를 위해 아뢰니 속죄되어 면함을 얻어 원래의 직임으로 돌아

---

58 이조원(李調元): 1734~1803. 유금(柳琴)이 1776년 연행에서 처음 만났으며, 이후 이조원의 거처를 자주 왕래하며 교분을 쌓았다. 박제가와는 1777년『한객건연집』의 전달과 이후 박제가가 인사차 중국으로 직접 보낸 편지를 통해 서로 이름을 아는 상태였다. 1778년 박제가가 처음 연행했을 때 이조원은 광동학정(廣東學政)이 되어 지방에 나가 있었으므로 만나지 못하였다.

59 주입애(周立崖): 청나라의 문인 주어례(周於禮, 1720~1779). 입애(立崖)는 그의 호이다. 자는 수원(綏遠), 다른 호는 역원(亦園)이다. 1751년(건륭 16) 진사가 되어 한림원편수·대리시소경(大理寺少卿)·강남도감찰어사(江南道監察禦史)를 역임했다. 저서에『돈이당집』(敦彝堂集)·『청우루시초』(聽雨樓詩草)가 있다.

왔다.

우촌이 일찍이 스스로 이렇게 말했다. "그 시학은 해녕(海寧) 사오강 (査梧岡)[61]에게서 받은 것이고, 과거는 실제로 전당(錢塘) 학천(學川) 진운(陳澐)[62]에게서 힘을 얻었다."

우촌의 부친은 화남(化楠)으로 자가 정절(廷節), 호는 석정(石亭)이다. 건륭 7년(1742)에 진사에 뽑혀 평호시정(平湖時政) 벼슬을 지내니, 명성이 절강(浙江)에 으뜸이었다. 백성들 사이에 "구름안개 7년에 두 달간의 맑은 하늘"이라는 민요가 있었다. 남회(南滙) 사람 오성흠(吳省 欽)[63]이 석정의 전(傳)[64]을 지었는데, 그중에 "예전의 어진 관리에 부끄 럽지 않다"라고 하였다.

이에 앞서 정절은 거처를 운룡산(雲龍山)[65]의 서쪽 봉우리에 열어, 손 수 꽃과 과일나무 수백 그루를 심었다. 봉우리 남쪽에 집을 짓고 성원(醒 園)[66]이라 이름하였으니, 대개 두보가 양서(瀼西) 땅의 새로 지은 초가집 에 제한 시의 제3장[67]에 나오는 뜻을 취한 것이다. 우촌은 경인년(1770)

60　원(袁) 아무개: 원수통(袁守侗, 1723~1783). 청각(清恪)은 본래 '청각'(清愨)으로 그의 시호이다. 산동 장산(長山) 사람으로 자는 집충(執沖), 호는 우곡(愚谷)이다. 호부상서(戶部尚 書)·직례총독(直隸總督) 등을 지냈다.

61　사오강(査梧岡): 사우창(査虞昌). 오강(梧岡)은 그의 호이다. 자는 봉개(鳳喈)이다. 절강 성 해녕(海寧) 사람으로, 1754년(건륭 19)에 진사가 되어 호부주사(戶部主事)·지주지부(池州 知府) 등을 역임하였다. 『사서려작』(四書蠡酌)·『오강시초』(梧岡詩鈔)·『불방원잡조』(不芳園雜 俎)를 저술하였고, 『당송시초』(唐宋詩鈔)·『사씨시초』(査氏詩鈔)를 편집하였다.

62　진운(陳澐): 미상.

63　오성흠(吳省欽): 1729~1803. 본서 145면 '오성흠' 항목 참조.

64　석정의 전(傳): 오성흠이 지은 「이화남전」(李化楠傳)을 말한다.

65　운룡산(雲龍山): 사천 덕양(德陽) 나강현(羅江縣)에 있는 명산이다.

66　성원(醒園): 『호저집』 원문에는 "억성원"(憶醒園)이라 하였는데, '성원'(醒園)이 맞다. 이 조원의 시 가운데 「억성원」이라는 시가 있어 혼동한 듯하다. 이덕무의 『청비록』(清脾錄) 「이우 촌」(李雨村) 조에 운룡산의 성원에 관한 설명이 보인다.

정월에 고향으로 돌아와 그 위에다 각각 정자를 세웠다. 가장 높은 것이 망강정(望江亭)이고, 그 아래는 만송령(萬松嶺)이다. 매번 바람이 매섭게 일어나면 흡사 물결이 일렁이는 소리 같았다. 서산의 북쪽에는 방학정(放鶴亭)을 지으니, 운룡산의 여러 멧부리를 한눈에 바라볼 수가 있었다. 그 아래 한 층에 배 모양의 방[船房] 두 개가 있었으니, 왼쪽은 저풍(貯風), 오른쪽은 연월(延月)이라 불렀다. 첩첩의 푸른 기운과 겹겹의 이내가 가장 그윽하였다. 그 가운데가 대관대(大觀臺)가 되니 온 원림의 경관이 모두 그곳에 모여 있다.

봉래문(蓬萊門)을 나서서 북쪽으로 가면 목향정(木香亭)이다. 이곳은 도미(酴醾),[68] 즉 장미꽃 시렁과 마주하고 있는데, 매번 꽃 시절에는 짙은 향기가 사람에게 엄습한다. 내려가면 바로 어지(魚池)로, 두 개의 정자가 있다. 남쪽은 납량정(納涼亭)이라 하고, 북쪽은 비어정(非魚亭)이라 한다. 매년 5월과 6월의 사이에는 초록색 버들이 바람을 머금어, 온종일 앉거나 누워 더위를 잊을 수 있다. 조금 더 내려가면 또 청계초당(靑溪草堂)이다. 봄철에는 새가 울고, 집 둘레에는 복사꽃 두세 가지가 사람의 마음을 빼앗는다. 그 남쪽은 세묵지(洗墨池)이니, 못 위에는 석정(石亭)이 있다. 그 북쪽이 우촌서옥(雨邨書屋)이다. 1만 그루의 대나무가 마을 사이에 무성하니, 여기가 가장 북쪽이다. 또 임강각(臨江閣)·수근

---

67 두보가…제3장:「늦봄에 양서에서 새로 빌린 초가에 짓다」(暮春題瀼西新賃草屋)를 말한다. 총 5수 중 본문에서 말한 제3수의 전문은 이렇다. "彩雲陰複白, 錦樹曉來靑. 身世雙蓬鬢, 乾坤一草亭. 哀歌時自短, 醉舞爲誰醒. 細雨荷鋤立, 江猿吟翠屛." 양서(瀼西)는 사천 기주(夔州)에 있는 양수(瀼水)의 서쪽 지역을 말한다. 두보는 양서의 자연을 좋아하여 이곳에서 동서로 세 번이나 거처를 옮기며 살았다.
68 도미(酴醾): 장미과에 속하는 덩굴식물로 산장미(山薔薇)라고도 한다. 초여름에 흰 꽃이 피는데 그 빛깔이 동명(同名)의 술과 비슷한 데서 이름을 땄다.

정(樹根亭)·녹음산방(綠陰山房)·의운루(倚雲樓)·청앵헌(聽鶯軒)이 있는데, 무릇 난간과 돌계단 등이 지극히 오밀조밀하다. 남쪽 마을의 뒤편은 그 산거(山居)와는 조금 떨어져 있다. 문 앞에 시내가 가로막혔고 따로 별업(別業)을 지었는데, 바로 어렸을 때의 글방이다. 밭 스무 묘를 파서 호수를 만들었다. 호수 가운데로부터 동쪽에는 함해루(函海樓)를 짓고, 서편에는 애련정(愛蓮亭)을 세웠다. 두 호수를 경계 지은 것을 창랑방(滄浪舫)이라 하고, 앞쪽은 관란각(觀瀾閣), 뒤편은 청천정(聽泉亭)이라 하였다. 앞의 왼편은 운림관(雲林舘)이라 하고, 오른편은 수월헌(水月軒)이라 하였다. 가운데에 기림초당(橖林草堂)이 자리를 잡고 있다. 북쪽은 홍매서옥(紅梅書屋)이라 하였다. 이로부터 유람하는 자가 이어져서 다시는 성원(醒園)에 대해 묻지 않았다.

우촌은 박물학과 고고학에 뛰어났다. 저서에 『함해』(函海) 40여 종이 있는데, 그중 『정와잡기』(井蛙雜記)[69] 10권은 특별히 두드러진 것이다. 또 양승암의 글 40종[70]이 있다. 벼슬을 그만두고는 판목을 싣고 사천 땅으로 들어갔다. 풍류가 절로 호방하여 사람들이 그를 양용수(楊用修)에게 견주었다. 그의 아들은 조초(朝礎)이다.

선군께서 우촌의 편지에 이렇게 답장하였다.

"제가(齊家)는 드립니다. 7월 이래로 귀를 기울이고 머리만 긁적이며 오직 북경에서의 새 소식만 기다렸으니, 용문(龍門)의 한 글자가 못난 저에게 이르기만을 바란 것이지요. 뜻하지 않게 역졸(驛卒)이 중간에 길

69　『정와잡기』(井蛙雜記): 이조원의 저작으로, 『함해』 중간본(重刊本) 160책 중 제33함(函)으로 수록되었다.
70　양승암(楊升菴)의 글 40종: 본서 72면 각주 49번 참조.

이 막히는 통에 한 달이 되고 열흘이 지나고 보니, 이때쯤 해서 우리 몇 사람은 정리(情理)가 쪼개지고 염려조차 끊겨 기대를 버린 채 미쳐 버릴 것만 같아, 돌아보매 기쁘지가 않았습니다. 이제부터는 절대로 이 같은 일을 만들어 한갓 인정(人情)을 어지럽히지 말자고 서로 경계하였지요. 그래서 절사(節使)의 행차가 임박해도 편지 한 통 쓰지 않았습니다. 우연히 기하실(幾何室)⁷¹에 갔더니, 한마디 말도 채 나누기 전에 단지 '왔네!'라고만 하더군요. 온 사람은 계동(桂소)⁷²이었습니다. 죽었다가 다시 살아난 듯 어찌할 바를 몰랐지요. 더구나 훌륭한 말씀을 많이 받들고 좋은 벗의 우의(友誼)를 거듭 보여 주시니, 방 가득히 옥 소리요, 손 닿는 곳마다 향기가 나는 듯했습니다. 적막함을 향하던 것이 바뀌어 크게 쾌활하게 되었습니다. 인정이 쉬 변하기가 이와 같더군요.

아! 재주 없는 제가 과연 어떤 사람이기에, 좁은 곳에서 답답하게 산 지가 27년이건만 하루아침에 대군자(大君子)께서 입김을 불어 좋은 자리로 이끌어 주어⁷³ 이르지 않은 곳이 없게 되었으니, 찬 골짝에 봄이 돌아오고 고목에 꽃이 피어난 격입니다. 비록 쇠처럼 굳고 단단한 마음일지라도 어찌 감격하여 울지 않을 수 있겠습니까?

부족한 저는 오활한 선비로 이 시대와는 맞지 않았고, 천성 또한 슬픔이 많았습니다. 매번 가을과 겨울 사이에는 온갖 생각이 몰려들어, 비록 집안사람이나 친구라 해도 능히 서로 풀지 못하였습니다. 어릴 적에

---

71 기하실(幾何室): 유금(柳琴)의 서재 이름이다. 유금의 호이기도 하다.
72 계동(桂소): 이조원과 박제가 사이에 편지를 전달하던 하인의 이름인 듯하다. 『청장관전서』 권19 「이우촌 조원」(李雨邨調元)에도 이름이 보인다.
73 입김을…이끌어 주어: 원문의 "吹噓"는 입김을 부는 것으로, 남을 추켜세워 높이 끌어올린다는 뜻이다. "剪拂"은 말의 털을 다듬고 먼지를 씻는다는 의미로, 또한 인재를 다듬어 이끎을 말한다.

는 호를 초정(楚亭)이라 하였는데, 초정이라 한 것은 초나라 사람 굴원(屈原)의 『이소』(離騷)를 읽는다는 것입니다. 문장에 이르러서는 더욱이 깊은 조예가 없고 보니, 진실로 감히 예원(藝苑)의 제공들과 장점을 다투고 단점을 견주지 못하였습니다. 또한 전해지고 전해지지 않고는 마음에 두지 않았었지요. 때때로 붓을 들어 그 뜻을 대략 보이기나 하였습니다. 스스로 생각하기를, 시는 억지로 짓지 않고 문장에는 경제의 뜻을 붙여서, 개연히 정어중(鄭漁仲)[74]과 고영인(顧寧人)[75]의 학문을 사모하였습니다. 민생이 날로 곤핍해짐을 슬퍼하고 동지들이 너무도 곤궁한 것을 안타깝게 여겨, 중국의 제도를 배워 흙집을 짓고 수차(水車)를 만들어 비용을 줄이고 혜택을 두터이 해서 온 마을에 풍속을 바꾸어, 벗들에게 어긋남이 없고자 하는 것이 바로 밤낮으로 고심한 것입니다. 비록 그러나 보잘것없는 몸으로 크게 품은 뜻만 있었지, 밤새워 하는 근심은 없이 백 년의 은혜만을 바란 격이라 하겠습니다. 어렵도다! 이런 말을 하는 까닭은 천애의 지기로 하여금 그 사람을 떠올리며 그 망령됨을 용서해 주기를 바라는 것일 뿐입니다.

보내온 서문에 '스스로 분발하는 자는 힘이 없고, 끝내 알아주는 자는 몹시 드물다'고 하였으니, 슬프도다, 그 말이여! 어찌 멀리서 헤아리겠느냐마는, 만 리의 신교(神交)가 나도 모르게 뜨거운 눈물을 흘리게 합니다. 서문(序文)은 아마득하고 곡진하면서도 아름다우니, 장소(莊騷)[76]의

---

74 정어중(鄭漁仲): 남송(南宋)의 학자 정초(鄭樵, 1104~1162). 어중은 그의 자이고, 호는 협제(夾漈)·계서일민(溪西逸民)이다. 평생 과거에 응시하지 않고 학문에 매진하여 『통지』(通志)·『이아주』(爾雅注)·『시변망』(詩辨妄) 등 저서를 남겼다.
75 고영인(顧寧人): 명말청초(明末淸初)의 학자 고염무(顧炎武, 1613~1682). 영인은 그의 자이고, 호는 정림(亭林)이다. 경세치용(經世致用)에 뜻을 두었으며 실증적인 학문을 추구하였다. 저서에 『일지록』(日知錄)·『천하군국이병서』(天下郡國利病書) 등이 있다.

재주를 가지고 삼례(三禮)77의 학문을 행하여 빼어난 기운으로 펼치고 참된 마음으로 거두었습니다. 글이 이와 같음에 이르렀다면 더할 나위가 없다 하겠습니다.78 스스로를 돌아보건대 아무 실상이 없거늘, 무슨 수로 이러한 칭찬을 받겠습니까? 스스로 복력(福力)이 몹시 두터움을 다행으로 여길 뿐입니다. 글 가운데에 충신과 효자는 기운을 가지고 글을 짓는다고 한 말이 있어서 더욱 감격하였습니다. 그 말로 인하여 그 같은 경지에 이르기를 구한다면, 선생께서 주신 것이 적지 않다 하겠습니다.

　아! 누군들 벗이 없으리오마는, 오늘날 선생에게 있어서와 같은 경우는 거의 없을 것입니다. 혜풍(惠風) 유득공이 지난날 시를 지었는데, "한 마을에 10년을 살아도 모르는 이 많은데, 내 손에는 천촉(川蜀) 땅 벗의 편지 들려 있네"(同里十年多未識, 手中川蜀故人書.)79라 하였으니, 미리 저의 오늘을 위해서 지은 것이라 하겠습니다. 시에 말하기를, "대장부는 사해에 뜻을 두나니, 만 리도 이웃과 다름없다네"(丈夫志四海, 萬里猶比隣.)80라 하였고, 또 말하기를 "넘실넘실 은하수를 사이에 두고, 맥맥이 말을 잇지 못하는구나"(盈盈一水間, 脈脈不得語.)81라고 하였으니, 제가

76　장소(莊騷): 『장자(莊子)』와 굴원(屈原)의 「이소(離騷)」를 가리킨다.
77　삼례(三禮): 『주례』(周禮)・『의례』(儀禮)・『예기』(禮記)이다.
78　더할…하겠습니다: 원문은 "能事畢矣"로, 『주역』「계사전」(繫辭傳) 상(上)에 "이를 인신하여 유사한 데 적용해 나간다면, 천하의 할 일을 다할 수 있다"(引而伸之, 觸類而長之 天下之能事畢矣.)라고 한 데서 가져왔다.
79　한 마을에…있네: 유득공의 『영재집』(泠齋集) 권2에 수록된 「건연외집을 엮고 청장의 운에 차운하다」(編巾衍外集, 次青莊韻)의 일부 구절이다. 전문은 이렇다. "滿城叫賣杏洲魚, 梅子輕黃釀雨初. 同里十年多未識, 手中川蜀故人書."
80　대장부는…다름없다네: 삼국시대 위나라 조식(曹植)이 지은 「증백마왕표」(贈白馬王彪)의 한 구절이다.
81　넘실넘실…못하는구나: 한나라 때 작자 미상의 악부시(樂府詩) 「초초견우성」(迢迢牽牛星)의 한 구절이다.

이제 다만 이것을 써서 받들어 올립니다. 철야정(鐵冶亭)[82] 선생이 붓글씨의 법도가 정밀하고 아름다우니, 바라건대 그에게 보여서 가르침을 청하고자 합니다. 제가 평소에 글씨를 배우지 않았고 이곳에서 사우(師友)의 가르침도 없는지라 미친 사람처럼 혼자 써 보았습니다. 잘 모르는 자들은 시원스레 빨리 쓴 것을 보고 좋다고들 하는데, 선생께서도 헛된 명성이란 없다며 칭찬하시니, 땅속으로 들어갈 수 있다면 들어가야겠습니다. 어떻게 감히 남의 얼굴을 본단 말입니까.[83]

이번에 야정 선생께서 사용한 사인(私印)을 보니 몹시 고졸하더군요. 바라건대 이 사람에게 맡겨서 제 성명과 호를 새겨서 부쳐 주십시오. 꼭 네모난 도장일 필요는 없고, 다만 조심해서 너무 크지 않아야 합니다. 너무 크면 우아하지가 않고 또 운치를 갖추기가 어렵습니다. 선생의 저술은 너무 많아 끝도 없지만 그중 「금석궐문고」(金石闕文考) 한 단락을 특별히 실어서 제게 부치셨군요. 서찰 가운데 함께 교정해 달라는 말씀은 비록 감히 감당하지 못하겠으나, 마음이 오간 것이 깊다 하겠습니다. 훌륭한 작품은 천 번 만 번 받들어 읽고, 보배로이 여겨 차운하였습니다. 이미 고시(古詩)가 아니고 보니, 감히 요즘 출몰하는 것이 있음을 꺼리

---

82 철야정(鐵冶亭): 철보(鐵保, 1752~1824). 자가 야정이다. 시에 능하고 특히 글씨를 잘 써 유용(劉墉)·옹방강(翁方剛)과 나란히 이름이 높았다. 저서에『유청재전집』(惟淸齋全集)·『백산시개』(白山詩介)·『회상제금집』(淮上題襟集)·『유청재첩』(惟淸齋帖)·『예림소중』(藝林所重) 등이 전한다.
83 땅속으로…말입니까: 춘추시대 공자의 제자 복자천(宓子賤)이 선보(單父)의 수령이 되었다. 그가 전쟁 중에 들의 보리를 수확하는 일을 거부하여 보리가 적의 손에 떨어지자, 화가 난 계손(季孫)이 복자천을 꾸짖었다. 이에 복자천은 약간의 보리를 뺏겼다고 큰 해가 되지 않으며, 아무 백성이 요행으로 다른 사람의 농작물을 얻는 일이 길게 보아 더욱 바람직하지 않다고 답하였다. 그러자 계손이 부끄러워하며 "땅 밑으로 들어갈 수 있다면 그래야겠구나. 내 어찌 차마 복자의 얼굴을 볼 수 있겠느냐(地若可入, 吾豈忍見宓子哉.)라고 하였다.『공자가어』(孔子家語)에 보인다.

겠습니까? 야정 철보의 서법(書法)은 또한 구해 보내 주셔서 강산(薑山)[84]으로 하여금 저를 종신토록 질투함을 면하게 해 주시기 바랍니다. 어떠하신지요?

저의 시집은 올해 한 권을 지었는데, 싸서 보내오니 고쳐 주시기를 청합니다. 한 부는 베껴서 돌려주십시오. 수고를 끼쳐 드려 송구한 마음이 없지 않습니다. 7언 율시 한 수는 강산의 시운에 따라 부쳐 올립니다. 허(許) 충민공(忠愍公) 사당의 시비(詩碑)[85]는 언제나 얻어 볼 수 있을는지요? 이번에 또 주신 글을 보니, 마땅히 『영보사시』(永寶四詩)의 소발(小跋)을 지어야겠군요. 아울러 난공(蘭公)의 짧은 서문은 가까이에 있으면서도 먼 형세가 있으니, 이른바 겨자씨 안에 수미산을 들인다는 것이 아니겠습니까. 감사하고 감사합니다. 밤에 몹시 바빠서 여러 벗들이 보내온 책자를 아직 두루 살펴보지 못했습니다. 감히 내려 주신 말씀에 우러러 답장하지 못하니, 몹시 답답하고 답답합니다. 가슴속에 자욱하게 일어나는 만 마디의 말을 다 적지 못합니다. 다만 헤아려 주시기를 바랍니다. 추루(秋庚)에게 부치는 편지는 전해 주시면 고맙겠습니다."

---

84 강산(薑山): 이서구(李書九, 1754~1825)의 호. 자는 낙서(洛瑞), 호는 척재(惕齋)·강산·소완정(素玩亭)·석모산인(席帽山人)이다. 조선 후기 문인으로 이덕무·유득공·박제가와 더불어 한시사가(漢詩四家)로 불린다. 평안도관찰사·형조판서·판중추부사 등을 지냈다. 시서(詩書)에 능하였으며 문자학과 전고(典故)에도 조예가 깊었다. 문집으로 『척재집』(惕齋集)이 전한다.
85 허(許) 충민공(忠愍公) 사당의 시비(詩碑): 명나라 때의 충신 허직(許直, 1601~1644)을 가리킨다. 양주(揚州) 여고(如皐) 사람으로 숭정(崇禎) 계유과(癸酉科) 거인, 갑술과(甲戌科) 진사가 되어 의오(義烏)와 혜래(惠來)의 현령, 이부검봉사주사(吏部檢封司主事)·이부고공원외랑(吏部考功員外郞) 등을 역임하였다. 청빈함으로 이름 높았으며, 이자성이 경사에 들어오자 자진했다. 후에 충절(忠節)을 시호로 받았다. 청대에는 충민공으로 봉해졌다. 박제가가 언급한 허 충민공 사당의 시비는 이조원의 『동산시집』(童山詩集) 권17에 수록된 「알허충민공사병서」(謁許忠愍公祠幷序)이다.

또 시 「우촌에게 보냄」은 이렇다.

갑작스레 편지 와서 허공에서 떨어지니　　　　　書來忽地墜虛空
말이 전해지기 전에 뜻이 이미 통했다네.　　　　說未傳時意已通
까닭 없이 서쪽 향해 웃으며 옛 벗[86]을 그리다가　西笑無端懷舊雨
동쪽 땅 어딘가에서 긴 바람을 사모하네.　　　　東臨何處慕長風
하늘가의 우도(友道)는 새장 신세 슬퍼하고　　　天涯友道悲籠鳥
바다 밖 시의 명성 눈 속 기러기[87]에 부치누나.　海外詩名付雪鴻
용문(龍門)에서 살아 다시 못 만남 한치 말자　　弗恨龍門生未遇
마음 기약 그림에 살펴서 알았다오.　　　　　　襟期省識畫圖中

또 시 「우촌을 그리며」[88]는 이렇다.

작은 초상 동쪽에 와 열수당(洌水堂)에 이르니　小照東來洌水堂
솔바람 솔솔솔 책상 위로 불어온다.　　　　　　松風謖謖讀書床
하늘가의 사백(詞伯)을 아무도 알지 못해　　　天涯詞伯無人識
홀로 향을 사르니 그림 맛이 유장해라.　　　　獨爇名香畫味長

86　옛 벗: 원문의 "舊雨"는 오랜 벗을 뜻한다. 두보의 시 「추술」(秋述)의 소서(小序)에 "평소 나를 찾아오던 사람들이 옛날에는 비가 와도 오더니, 지금은 비가 오면 오지 않는다"(常時車馬之客, 舊雨來, 今雨不來.)고 한 데서 왔다.

87　눈 속 기러기: 원문의 "雪鴻"은 '설니홍조'(雪泥鴻爪)의 준말로, 눈 녹은 진창에 남아 있는 기러기 발자국이라는 뜻이다. 얼마 안 가 그 자국이 지워지고, 또 기러기가 날아간 방향을 알 수 없다는 데서 모호하거나 덧없다는 의미로 사용된다. 여기서는 전서(傳書)의 의미로 썼다.

88　「우촌을 그리며」: 『정유각집』「회인시」 중 제48수 「이우촌 조원」(李雨邨調元)이다.

또 시 「병중에 우촌을 그리며」[89]는 이렇다.

무성한 동산 나무 매미 소리 아득한데	沈沈園樹一蟬遙
원추리 풀, 원추리 꽃 빗방울이 떨어진다.	萱草萱花雨未消
만 리에 이름 앎은 오히려 딴 일이요	萬里知名猶外事
한 몸에 병은 많아 또 오늘 아침일세.	一身多病又今朝
사는 곳 넉넉하게 그네 달빛 보내오고	僑居恰送秋千月
나그네 길 번번이 제오교(第五橋)[90]를 지나리라.	客路頻從第五橋
다만 홀로 이 사람을 차마 잊지 못하거니	獨有伊人忘不得
부성문(阜城門)[91] 밖에는 기러기만 아득하다.	阜城門外雁迢迢

또 시 「우촌에게 부치다」[92]는 이렇다.

이제껏 간운루(看雲樓)[93]를 만나 보지 못했는데	生來不見看雲樓
만 리 밖의 그 사람은 뇌락주(磊落州)로 돌아갔네.[94]	萬里人歸磊落州

89 「병중에 우촌을 그리며」: 『정유각집』 시집 권1의 「병중에 우촌 선생을 그리며」(病中有懷雨村先生)이다.

90 제오교(第五橋): 중국 섬서(陝西) 장안현(長安縣) 남쪽 위곡(韋曲)에 있던 명승이다. 두보의 시에 "제5교 동쪽 물에 한을 흘려보내고, 황자파 북쪽 정자 시름이 서렸어라"(第五橋東流恨水, 皇陂岸北結愁亭.)라는 구절이 있다. 여기서는 이조원의 거처 가까이에 있던 다리의 이름으로 보인다.

91 부성문(阜城門): 북경 자금성 서쪽에 있는 성문이다.

92 「우촌에게 부치다」: 『정유각집』 시집 권3의 「이우촌에게 부침」(寄李雨邨)이다.

93 간운루(看雲樓): 이조원을 가리킨다. 이덕무의 『청비록』(淸脾錄) 권4 「이우촌」(李雨村)조에 이조원의 문집 『간운루집』(看雲樓集)이 언급되었다.

94 만 리…돌아갔네: 이조원의 『동산시집』 권42 「면주월왕대고루」(綿州越王臺故壘) 중 "뇌락인으로 살다가 뇌락주로 돌아가네"(生爲磊落人, 復遊磊落州.)라는 구절을 따온 것이다. 박제가의 시 외에 유득공의 「기이우촌면주한거」(寄李雨邨綿州閑居) 3수 중 제3수에서도 "잇닿은

촉도(蜀道)의 푸른 하늘 먼 이별을 탄식하고 　　　蜀道靑天嗟遠別

진풍(秦風)의 백로시(白露詩)[95]에 다시 가을 깊었다오.

　　　　　　　　　　　　　　　　　　　　　　　秦風白露又深秋

들건대 벼슬 행적 왕사정(王士禎)[96]을 좇았는데 　纔聞宦迹追貽上

게다가 문장은 양용수와 짝한다네. 　　　　　　　還把文章配用修

십 년을 머물러 일판향(一瓣香)[97]을 얻었으니 　留得十年香一瓣

낙랑 땅 서쪽 물가에 꿈길만 아득하다. 　　　　　樂浪西畔夢悠悠

또 시「우촌을 그리며」[98]에서는 다음과 같이 썼다.

갱당(羹堂)이 벼슬 놓고 떠나가서는 　　　　　　羹堂罷官去

성도를 여러 번 노닐었다네. 　　　　　　　　　多作成都遊

한 줄 길 가을 산 좋고, 뇌락인은 뇌락주로 돌아가네"(連綿一路秋山好, 磊落人歸磊落州.)라고 한 구절이 보인다.

95　진풍(秦風)의 백로시(白露詩):『시경』「겸가」(蒹葭) 편의 별칭. 첫 장은 이렇다. "갈대는 푸른데 흰 이슬 서리 됐네. 바로 저 사람이 물 저편에 있도네. 물길 거슬러 올라가나 길이 험하고 머네. 물길 따라 내려가려 하나 아득히 물 가운데 있네"(蒹葭蒼蒼, 白露爲霜. 遡洄從之, 道阻且長. 遡游從之, 宛在水中央.)라고 한 것을 이른다. 간절히 그리워하나 만날 수 없는 그리움을 말한다.

96　왕사정(王士禎): 1634~1711. 명말청초의 문인. 원문의 "貽上"은 그의 자이다. 산동(山東) 제남부(濟南府) 신성(新城) 사람으로, 호는 완정(阮亭)·어양산인(漁洋山人)이다. 청대 시단(詩壇)의 맹주로 신운(神韻)을 중시하였으며, 당대의 정종(正宗)으로 일컬어졌다. 순치(順治) 연간의 진사로 양주부추관(揚州府推官)을 지냈으며, 강희(康熙) 연간에 예부주사(禮部主事)·한림원시강(翰林院侍講)·형부상서(刑部尙書)를 지냈다. 저서에『대경당집』(帶經堂集)·『지북우담』(池北偶談) 등이 있다.

97　일판향(一瓣香): 불교에서 설법하기 전 세 조각의 향을 피우면서 "이 도법을 전수한 아무개 법사에게 제일 첫 번째 향을 올립니다"(此一瓣香敬獻於授我道法之某法師)라고 하는 데서 유래한 말로, 전하여 스승으로 모셔 공경한다는 뜻이 되었다.

98　「우촌을 그리며」: 이 시는『정유각집』시집 권3의「회인시. 장심여의 시를 본떠 짓다」중 제9수「이우촌 조원」(李雨邨調元)이다.

거침없이 득의함 대단했으니　　　　　猖狂意殊得

명나라 때 양신과 똑 닮았도다.　　　　絶似楊用修

그대들 그 얘기를 듣고 싶거든　　　　欲聞二三子

모름지기 『함해』에서 구해야 하리.　　須從函海求

또 「연경잡절」[99]에서는 이렇게 말했다.

성도 땅 우촌 노인 이조원 선생　　　成都雨邨叟

지금은 방랑길 어떠하신가?　　　　放浪今何如

만 리 고향 가는 배 무거웠으리　　萬里歸舟重

천추의 『함해』 책 가득 실려서.　　千秋函海書

字羹堂, 一字煥其, 或稱秔塘. 號雨邨, 綿州羅江人. 甲寅臘月初五日生.
乾隆二十八年癸未登進士, 入翰林. 出廷尉周立崖[100]之門, 歷內閣中書舍
人·國子監學正·吏部考功司員外郞兼驗封司事. 甲午出試廣東. 先是殿試
與祝德麟同寓, 時人有'跌宕風流祝小姐, 飛揚跋扈李將軍'之謔. 其從弟驥
元, 出紀尙書之門, 每謁尙書, 必問曰: "將軍安否?"甲辰謫戍, 爲袁淸恪
公某奏, 贖獲免, 仍還原職. 雨邨嘗自言: "其詩學授于海寧査梧[101]岡, 科
擧實得力于錢塘陳學川澧." 雨邨父曰化楠, 字廷節, 號石亭. 乾隆七年擧

---

99 「연경잡절」: 아래는 『정유각집』「연경잡절」 중 제36수이다.
100 崖: 『호저집』 원문에는 "厓"로 되어 있으나, "崖"로 바로잡는다.
101 梧: 『호저집』 원문에는 "桐"으로 되어 있으나, "梧"로 바로잡는다.

進士, 官平湖時政, 聲爲浙中第一. 民有'雲霧七年, 兩月靑天'之謠. 南滙
吳省欽撰石亭傳, 有云: "不愧古循良吏矣." 初廷節家居關地于雲龍山之
西峯, 手植花果數百株. 峯之陽結廬, 命曰憶醒園. 蓋取杜少陵題瀼西新草
屋第三章詩意也. 雨邨以庚寅正月旋里, 各建亭於其上. 最高者爲望江亭,
其下爲萬松嶺. 每風裊裊而起, 彷彿澎湃之聲. 西山之陰, 爲放鶴亭, 可一
望雲龍諸山. 其下一層, 有二船房, 左曰貯風, 右曰延月, 疊翠重嵐, 最爲
幽折. 其中爲大觀臺, 一園之景皆萃焉. 出蓬萊門以北曰木香亭, 與酴醾架
相對, 每花時, 芳氣襲人. 下卽魚池. 有兩亭, 南曰納凉, 北曰非魚. 每五六
月之交, 綠柳含風, 坐臥終日, 可以忘暑. 稍下又爲靑溪草堂, 春時鳴鳥繞
屋, 桃花三兩枝, 令人移情. 其南洗墨池, 池上有石亭. 其北則雨邨書屋在
焉, 竹竿萬個, 大有村落間, 意其最北. 又有臨江閣·樹根亭·綠陰山房·倚
雲樓·聽鶯軒, 凡欄楯石梯, 皆極曲折. 後於南邨, 以其山居稍遠. 當門隔
溪, 另築別業, 卽少時書塾也. 以田二十畝鑿爲湖, 湖中東築函海樓, 西立
愛蓮亭. 界兩湖曰滄浪舫, 前曰觀瀾閣, 後曰聽泉亭. 前左曰雲林舘, 右曰
水月軒. 中爲橙林草堂而當之, 北曰紅梅書屋. 自是遊者絡繹, 不復問醒園
矣. 雨村長于博物考古之學. 所著有函海四十餘種, 其井蛙雜記十卷, 蓋其
尤著者也. 又有升菴四[102]十種. 罷官, 載板入川中. 風流自豪, 人比之楊用
修. 其子朝礎. 先君答雨邨書曰: "齊家啓. 入秋以來, 側耳搔首, 惟日下之
新聞是俟, 庶幾龍門一字, 波及於鱥生. 不意驛卒中滯, 浹月經旬, 於是乎
吾數人者, 割情斷慮, 不復所望. 忽忽如狂, 顧瞻靡適, 相戒從今以往, 永
勿作此等事, 徒亂人情. 故節使之行至迫也, 未嘗作一緘書矣. 偶到幾何室

102　四:『호저집』원문에는 "五"로 되어 있으나, 유득공의 『난양록』(灤陽錄)과 서호수의 『연
행기』(燕行紀) 및 앞서 이정원과의 필담 내용을 참고하여 바로잡는다.

中, 未交一言, 只道來字, 來者桂全也. 如死獲生, 弗知攸措. 又況多承德音, 申之以惠好之誼, 滿室琳琅, 觸手生香. 向之至落莫者, 轉而爲大快活矣. 人情之易變如此. 嗟呼! 不佞誠何人哉, 蟄處蛙居二十七年, 一朝被大君子吹噓剪拂, 無所不至, 寒谷廻春, 枯木生華. 雖有鐵腸, 寧無感泣? 不佞迂士也, 與時無當, 性又多悲. 每於秋冬之際, 百端交集, 雖家人朋友, 莫能相解. 幼時號曰楚亭, 楚亭云者, 讀楚人之騷者也. 至於文章, 尤無深造, 固不敢與藝苑諸公爭長較短. 亦未嘗以傳與未傳, 置諸胸中, 時時命筆, 略見其志. 自以爲詩不强作, 文附經濟, 慨然慕鄭漁仲顧寧人之爲學. 哀民生之日乏, 憫同志之多窘, 欲學中國之制, 築土室, 造水車, 省費而厚斂, 移風俗於一鄉, 庶朋友之無違, 此夙夕之苦心也. 雖然以眇然之身, 而有大庇之志, 無終夕之憂, 而望百年之惠. 難矣哉! 所以爲此言者, 欲使天涯知己, 想其人而恕其妄耳." 來序有云: '自振者無力, 終知者甚稀.' 悲哉言乎! 抑何以遙度也, 萬里神交, 不自覺其熱淚之無從也. 序文茫洋曲麗, 以莊騷之才, 行三禮之學, 發以奇氣, 斂以眞心. 文至於此, 能事畢矣. 自顧無狀, 何以得此? 竊自幸夫福力之甚厚也. 書中有'忠臣孝子, 以氣爲文'之語, 尤爲感激. 因其言而求其至, 則先生之所賜多矣. 嗚呼! 人孰無交, 如今日之於先生者, 蓋幾希矣. 惠風前日有詩云: '同里十年多未識, 手中川蜀故人書.' 豫爲不佞今日而發也. 詩云: '丈夫志四海, 萬里猶比隣.' 又'盈盈一水間, 脈脈不得語.' 不佞今特書此以奉聞. 鐵冶亭先生八法精美, 望轉囑乞敎. 不佞素不學書, 陋鄉無師友口訣, 狂自塗抹, 不知者見其沾沾疾書, 以爲可喜, 先生亦以名下無虛稱之, 地若可入, 豈敢見人哉! 卽見冶亭先生所用私印, 甚古. 望囑此手, 刻寄鄙人姓名及號. 不必以方, 才愼勿爲大. 大便不雅且難致矣. 先生所著, 數數更僕, 而其金石闕文考一段, 特載寄不佞. 札中共訂之敎, 雖不敢當, 而神往則深矣. 瓊篇捧讀千萬, 珍重次韻. 已非古, 乃敢嫌其時有出沒耶? 冶亭書法, 亦望得送, 使薑山免不佞終身之妬, 如何如何. 弊集今年作一卷, 包賜敎移, 謄還其一. 不瑕有勞否悚悚. 七律一頁, 依薑山韻寄上. 許忠愍祠詩碑, 曾從幾何得見? 今又見賜, 當作永寶四詩小跋. 幷蘭公小弁, 咫尺中有遠勢, 所謂芥子納須彌者非耶? 感荷感荷. 夜甚忙, 諸友許所來冊子, 未及遍覽. 不敢下語仰復, 甚鬱甚鬱. 胸中勃勃, 萬語莫盡, 惟冀照亮. 寄秋庯札, 望轉付."又寄雨邨詩曰: "書來忽地墜虛空, 說未傳時意已通. 西笑無端懷舊雨, 東臨何處慕長風. 天涯友道悲籠鳥. 海外詩名付雪鴻. 弗恨龍門生未遇. 襟期省識畫圖中."又懷雨邨詩曰: "小照東來洌水堂, 松風謖謖讀書床. 天涯詞伯無人識, 獨爇名香晝味長."又病中懷雨邨詩曰: "沈沈園樹一蟬遙, 萱草萱花雨未消. 萬里知名猶外事, 一身多病又今朝. 僑居恰送秋千月, 客路頻從第五橋. 獨有伊人忘不得, 阜城門外雁迢迢."又寄雨村詩曰: "生來不見看雲樓, 萬里人歸磊落州. 蜀道靑天嗟遠別, 秦風白露又深秋. 纔聞宦迹追貽上, 還把文章配用修. 留得十年香一瓣, 樂浪西畔夢悠悠."又懷雨邨詩曰: "羹堂罷官去, 多作成都遊. 猖狂意殊得, 絶似楊用修. 欲聞二三子, 須從函海求."又燕京雜絶云: "成都雨邨叟, 放浪今何如. 萬里歸舟重, 千秋函海書."

반정균[103]
潘庭筠, 1742~?

자가 향조(香祖)인데, 난공(蘭公) 또는 난타(蘭垞)라고도 한다. 호는 추루(秋庙)로 덕원(德園)이라고도 한다. 절강(浙江) 전당(錢塘) 사람이다. 벼슬은 섬서도(陝西道) 감찰어사(監察御史)를 지냈다. 학문이 깊이가 있었다. 성품은 불씨(佛氏)를 좋아했다.

선군이 「기서폭후」(記書幅後)[104]에서 말했다.

"외사씨(外史氏)가 말하길, 천하의 일은 어느 것 하나 뜻대로 되지 않는다고 했다. 비록 그러나 일찍이 듣건대 옛사람이 '거슬러 올라가 벗한다'(尙友)[105]고 한 말이 있었다. 올라가 벗한다는 것은 반드시 수염과 눈썹을 떠올려 보며 그것이 바로 아무개라고 생각하는 것이다. 또 '누워서 노닌다'(臥遊)라고도 했다. 누워 노니는 것은 반드시 유람의 행차를 떠올려 보며 그것이 바로 나라고 생각하는 것이다. 대저 진짜 교유를 나누고 진짜 유람을 하는 자는 천 명 백 명에 하나일 뿐이니, 그 뜻대로 되지 않

---

103 반정균(潘庭筠): 1742~? 앞서 홍대용이 북경에서 만나 교분을 맺었다는 항주 출신 세 선비 중 한 사람이다. 박제가는 1777년에 이조원과 반정균의 평비를 단 『한객건연집』을 받아본 이후, 1778년에 이덕무와 더불어 첫 연행길에 오르면서 비로소 반정균과 북경에서 실제로 만나게 되었다.

104 「기서폭후」(記書幅後): 『정유각집』 문집 권1에 실려 있다.

105 거슬러 올라가 벗한다(尙友): 『맹자』 「만장 하」(萬章下)에 "천하의 좋은 선비와 벗하는 것을 만족스럽지 못하게 여겨 또다시 위로 올라가서 옛사람을 논하나니, 그 시를 외우며 그 글을 읽으면서도 그 사람을 알지 못한다면 되겠는가. 이 때문에 그 당세를 논하는 것이니, 이는 위로 올라가서 벗하는 것이다"(以友天下之善士爲未足, 又尙論古之人, 頌其詩, 讀其書, 不知其人可乎. 是以論其世也, 是尙友也.)라고 하였다.

음이 이와 같다.

　이제 내가 한 차례의 생각으로 노닐며 벗과 사귄다고 하더라도, 또 누가 능히 이를 금하겠는가. 그렇다면 어찌 벗을 사귀고 유람하는 것에만 이러함이 있겠는가? 공명을 떠올리더라도 뜻대로 되고, 부귀를 생각해도 뜻대로 된다. 차나 향, 미인과 오래된 그릇, 서화 같은 것들을 떠올리더라도 두루 갖추지 못할 것이 없다. 좋은 날 아름다운 경치와 마주하여 꽃과 버들은 번화한데 한번 말하고 한번 웃는 것 또한 마음에 맞지 않음이 없다. 혹 먼 길 떠난 나그네를 대신해서 그의 고향에 돌아가기도 하고, 혹 가난한 사람으로 하여금 돈과 비단을 많이 얻게 하기도 한다. 속된 사람과 만나 그 마음의 눈을 씻어 주기도 하고, 질병을 없애거나 이별이 없게 할 수도 있다. 백 년 천 년 아니 만 년토록 오래 살 수도 있고, 내세의 다른 세상에서 인물이나 새와 짐승, 형제와 부부를 미리 정해 볼 수도 있다. 당우(唐虞)와 삼대(三代)의 거룩한 임금의 다스림을 빠르게 회복할 수도 있고, 사해 만국의 아득히 먼, 말이 통하지 않는 사람들과 편지를 주고받을 수도 있다.

　대개 천고라는 것은 과거의 만 리이고, 만 리라는 것은 현재의 천고이다. 저 절강에 사는 반정균과 육비는 어찌 나의 현재의 천고가 아니겠는가? 하지만 내가 망상으로 '내가 이미 절강 사람을 만나 보았다'라고 하더라도 반드시 나를 어찌지 못할 것이고, 편지 한 통을 써 놓고 '반생이 날마다 내게 편지를 부친다'라고 해도 또한 나를 어찌지 못할 것이니, 조금이라도 뜻과 같지 않음이 있겠는가? 설령 내가 중국에서 태어나 이 사람과 더불어 한마을과 한 골목에 살면서 무릎을 맞대고 손을 맞잡는다 해도, 그 일생의 교유와 풍류, 고상한 만남의 남은 자취란 것은 짧은 편지와 시 한 수, 글 한 편이 인간 세상에 떠돌아다니는 것에 지나지 않을 뿐이다."

또 「홍대용이 소장한 반정균의 묵적에 제하다」[106]라는 시는 이렇다.

남해 바다 어느 때나 모두 말라서	南海何時竭
초나라 기슭 평지로 이어질는지.	楚岸連平地
반 수재와 내가 서로 만나게 되면	相逢潘秀才
마땅히 전생의 일 얘기해야지.	應話前生事

또 「난타의 원석 시에 차운하다」[107]에서는 이렇게 말했다.

봄바람 선리(仙李)의 나라[108]에 불고	春風仙李國
밝은 달은 한산주(漢山州)[109]를 환히 비추네.	明月漢山州
해외에서 좋은 시절 함께 보내니	海外同佳節
하늘 끝에 멋진 풍류 거나하구나.	天涯足勝流
새 적삼에 취기를 몰아내고서	新衫消半醉
빠른 말로 한가한 근심 없애리.	快馬破閒愁
우습다, 초가집에 사는 선비가	自笑蓬廬士
평생토록 원유(遠遊)에 뜻을 두다니.	平生志遠遊

---

106 「홍대용이…제하다」: 『정유각집』 시집 권1의 「홍대용이 소장한 반정균 사인의 묵적에 제하다」(題洪湛軒所藏潘舍人庭筠墨蹟)이다.
107 「난타의…차운하다」: 『정유각집』 시집 권1의 「난타 선생의 원석 시에 차운하여 중목에게 화답하다」(和仲牧次蘭坨先生元夕)이다.
108 선리(仙李)의 나라: 조선을 가리킨다.
109 한산주(漢山州): 신라 때 광주(廣州)를 부르던 이름. 여기서는 조선의 서울을 말한다.

또 「추루를 그리며」[110]에서는 이렇게 말했다.

반랑(潘郎)의 문채는 동오(東吳)[111]서도 특출나니	潘郎文彩出東吳
접부채의 그림이 계림(鷄林)에서 비싸다네.	價重鷄林摺扇圖
생각건대 봄이 와서 숙직이 잦아지면	料道春來頻鎖直
풍월 보며 서호(西湖)를 떠올릴 수 있겠구나.	可應風月憶西湖

또 「추루에게 부치다」에서는 이렇게 말했다.

망상(妄想)이 본래부터 공(空)인 줄 어이 알리	那知妄想本來空
하늘가로 뜻 가져가 마침내 통했구려.	齎志天涯竟得通
만 리에서 술잔 들어 밝은 달 맞으면서	萬里杯尊迎素月
한 통의 편지를 서풍 향해 띄우누나.	一封書札向西風
푸른 물결 오문(吳門)의 말 분간조차 못하지만[112]	滄波不辨吳門馬
구름 나무 그리는 맘[113] 북쪽 땅은 드넓어라.	雲樹相思北地鴻
다정한 이 늙기가 너무 쉽기 때문이라	摠爲多情人易老
반랑의 소식을 십 년 동안 기다렸네.	潘郎消息十年中

---

110 「추루를 그리며」: 『정유각집』 「회인시」 중 제50수이다.

111 동오(東吳): 중국 절강 일대를 말한다. 반정균은 절강 전당 사람이다.

112 오문(吳門)의…못하지만: 두 사람 사이가 바다로 막혀 너무 멀다는 뜻이다. 『장자』 「추수」(秋水)에 "가을장마가 지면서 온갖 물이 하수(河水)로 들어와 물이 엄청나게 불어, 물가의 두 언덕 사이에서 소와 말도 분간을 못할 지경이었다"(秋水時至, 百川灌河, 涇流之大, 兩涘渚崖之間, 不辨牛馬.)라는 구절에서 왔다.

113 구름…맘: 벗을 그리는 마음을 의미한다. 두보의 「봄날 이백을 생각하며」(春日憶李白)에서 자신과 이백이 만나지 못하는 처지를 빗대어 "위수 북쪽 봄날의 나무 한 그루, 장강 동쪽 해질녘 구름"(渭北春天樹, 江東日暮雲.)이라고 하였다.

또 선군께서 옥하관(玉河館)¹¹⁴에 머물 때 반정균에게 이렇게 편지를 썼다.

"하루는 길기가 1년 같고, 집은 가까워도 사람은 멀리 있군요. 이따금 거리 사이를 산보하면서도 또 감히 아무 때나 찾아뵙지 못합니다. 대문을 바라보며 서성이다가 돌아갈 날이 가까워짐을 생각하자니, 비록 하루에 1천 사람과 만나 이리저리 얽힌다 해도 다만 이 한 마음만은 끝내 옮길 수가 없습니다. 해마다 북경으로 와서 훗날의 모임이 끝이 없다 하더라도, 앞일은 캄캄하니 누가 다시 이를 알겠습니까? 이것이 바로 제가 어쩔 수 없이 사려(思慮)를 다하여 눈앞의 즐거움을 도모하는 까닭입니다. 지난번 보내 주신 서둘러 쓴 편지를 보았지만, 듣고 보는 것이 마음속에 담긴 말을 방해하니 필묵(筆墨)으로는 다 표현할 수가 없군요. 그리운 마음 아득하기가 마치 늙은 누에가 실을 뽑지 못하는 것과 한가지입니다. 분부만 내리신다면 비록 오늘 하루라도 한바탕 토해 내어 다할 수가 있겠습니다."

또 시 「향조를 그리며」¹¹⁵는 이렇다.

난공(蘭公)과의 묵은 인연 무겁기도 해	蘭公夙緣重
만 리 길서 세 번을 서로 만났네.	萬里三相見
선리(禪理)의 정밀함을 차츰 접하곤	漸看禪理精
벼슬길 게을러짐 더욱 즐기네.	偏憐宦遊倦

---

114 옥하관(玉河館): 북경에서 조선 사신이 묵었던 숙소의 이름이다.
115 「향조를 그리며」:『정유각집』「회인시. 장심여의 시를 본떠 짓다」 중 제11수 「반덕원 정균」(潘德園庭筠)이다.

| 꽃 들어 먼 나그네 전송을 하니 | 拈花送遠客 |
| 독경 소리 깊은 정원 건너오누나. | 經聲度深院 |

또 「속회인시」(續懷人詩)[116]에서는 이렇게 썼다.

수많은 꽃 탑을 이뤄 부처 앞에 절 올리며[117]	千花成塔禮瞿曇
둘이 함께 관음사서 얘기틴 일 생각하네.	憶共觀音寺裏譚
듣자니 반 어사는 언제나 재계하며[118]	聞說長齋潘御史
삿갓을 빌려 쓰고 강남을 지났다네.	乞携野笠過江南

또 「연경잡절」[119]에서는 이렇게 말했다.

반공이 남쪽으로 내려가던 날	潘公南下日
급하게 편지 한 통 보내왔었지.	倉猝尺書憑
'농후한 곳 마음을 쏟지 말게나'	濃厚莫回頭
이 한마디 마땅히 마음 새기리.	此語當鏤膺

---

116 「속회인시」(續懷人詩): 『정유각집』 시집 권4의 「속회인시」(續懷人詩) 18수 중 제13수 「반향조 정균」(潘香祖庭筠)이다.

117 부처…올리며: 원문의 "瞿曇"은 석가모니의 속성(俗姓)으로, 부처를 가리킨다. 반정균은 독실한 불교 신자였으며, 풍금백(馮金伯)의 『묵향거화지』(墨香居畫識) 권9에 따르면 50대 이후 불교에 완전히 귀의한 것으로 보인다.

118 언제나 재계하며: 원문은 "長齋". 불가에서 한낮이 넘도록 굶는 것을 '재'(齋), 이를 반복하는 것을 장재라 한다. 두보의 「음중팔선가」(飮中八仙歌)에 "소진은 수불 앞 장재를 했지만, 술 취해선 이따금 좌선하길 빼먹었지"(蘇晉長齋繡佛前, 醉中往往愛逃禪.)라는 구절이 보인다.

119 「연경잡절」: 『정유각집』 「연경잡절」 중 35수이다.

필담을 아래에 붙인다.

선군 임금의 부름을 받아 들어갔다가 갑작스럽게 뽑혀서 오게 되었습니다.

반정균 은혜로 사랑하심이 몹시 융숭했던 모양입니다. 또한 직임을 맡기기에 알맞았기 때문이겠지요.

선군 그릇 임금의 사랑을 입었으나 요행으로 큰 허물을 면했습니다. 장차 무엇으로 보답할지 걱정입니다. 제 부족한 시는 겨와 쭉정이를 까불러서 걸러 내야 할 겝니다. 양봉(兩峯) 나빙(羅聘)을 원망하지 않을 수가 없군요.

반정균 10년 전에 이미 그대의 문집을 읽었습니다. 이서구는 근래 어찌 지냅니까?

선군 그는 막 당상관에 올라 큰 고을에 가 있습니다.[120] 바로 묘향산인데, 단군의 옛 땅이지요. 돌아오면 틀림없이 예원(藝苑)의 주맹이 될 것입니다.

반정균 선생과 영암(泠菴)[121]은 아직 관직을 옮기지 못했습니다그려.

선군 그는 이제 막 번와시(燔瓦寺)[122]의 관리가 되었습니다. 또『여지승람』을 편찬하느라 비각을 자주 들락거리지요.

반정균 홍담헌 선생 집안의 후인은 어떻습니까?

---

120 그는…있습니다: 이서구가 1790년(정조 14) 3월 정3품직인 영변대도호부사(寧邊大都護府使)로 부임한 것을 이른다.

121 영암(泠菴): 유득공을 가리킨다.

122 번와시(燔瓦寺): 조선시대 왕실이나 관에서 사용할 기와를 제작했던 관서. 번와소(燔瓦所)라고도 한다.

선군　제 직무가 번다하다 보니 서로 자주 문안할 수가 없답니다. 그의 아들도 음률을 잘한다고 들었습니다.

반정균　선생께서 정사를 담당하는 날에는 능히 그를 발탁할 수 있겠지요?

선군　그런 자리를 맡게 되는 것은 바랄 수도 없을 겁니다. 시간이 있으시면 남은 얘기를 마저 하십시다. 『범아』(梵雅)[123]가 필요한데, 처음에는 천문을 풀이했고, 두 번째로 지리를 풀이하고, 조수충어(鳥獸蟲魚) 등을 풀이한 항목이 있지요. 모두 15편이라더군요.

반정균　『범아』는 본 적이 없습니다. 불가의 시인 모양입니다. 틀림없이 대법(大法)을 밝힌 것은 없지 싶군요. 도(道)와는 무관한 『이아』(爾雅) 같은 종류일 겁니다.

선군　『범아』는 예부(禮部) 마응룡(馬應龍)이 지은 것입니다. 『지북우담』(池北偶談)[124]에 나오지요. 선생께서 보셨다면 꼭 이 책을 사려 했습니다만.

반정균　이 책을 알지 못합니다. 참으로 행인(行人) 자우(子羽)[125] 같

123　『범아』(梵雅): 마응룡(馬應龍, 1783~1841)이 찬한 불교 서적이다. 총 12권으로 제1권은 석언(釋言), 제2권은 석의(釋義), 제3권은 석상(釋相), 제4권은 석교(釋敎), 제5권은 석불(釋佛), 제6권은 석보살(釋菩薩), 제7권은 석성문(釋聲聞), 제8권은 석외도(釋外道), 제9권은 석인륜(釋人倫), 제10권은 석천문(釋天文), 제11권은 석지리(釋地理), 제12권은 석조수(釋鳥獸)이다. 체재가 박제가의 말과는 차이가 있다.

124　『지북우담』(池北偶談): 청대 문인 왕사진(王士禛, 1634~1711)이 자신이 보고 들은 것을 기록한 필기 작품집으로, 총 26권 4책이다. 담고(談故), 담헌(談獻), 담예(談藝), 담이(談異)로 구성되어 있다. 『범아』는 3책 16권 담예 편에 언급된다.

125　행인(行人) 자우(子羽): 춘추시대 정(鄭)나라 사람 공손휘(公孫揮). 행인은 벼슬 이름으로, 사신을 관장한다. 여기서는 사신으로 온 박제가를 가리킨다. 『논어』「헌문」(憲問)의 "외교 문서를 작성할 때는 비심이 초고를 만들고, 세숙이 토론하고, 행인 자우가 수식하고, 동리의 자

은 재주이나, 책 찾다가 길 위에서 늙을까 걱정이올시다.

선군 선생과 양봉은 모두 부처를 믿으시니[佞佛], 오늘 한자리 빌려 인과(因果)에 대해 얘기해 보는 것은 어떻습니까?

반정균 이 '영'(佞)이란 한 글자는 유가의 아상(我相)[126]이 무거워서 하신 말씀입니다. 이 글자는 분명 아양 떤다는 '첨'(諂) 자로 보는 것만 못합니다. 그래서 자신을 일컬어 불녕(不佞)이라 하는 것이지요. 동방에서는 선학(禪學)이 성합니까?

선군 모두들 집도 없고 가족도 없이 자취를 숨기고 지내지요. 사대부로 머리를 깎는 사람은 없습니다. 이른바 사대부들 또한 송나라 유자(儒者)들의 소주(小註)에다 머리를 박았다 들었다 하지요. 제가 이곳에 와서야 간신히 한마디를 할 수 있습니다그려. 그건 그렇고, 강남(江南)의 초휴(椒畦) 왕학호(王學浩)와는 친하신지요? 그가 산수를 그려 저에게 부쳐 왔는데, 제가 지금 유람에 지쳐서 천애(天涯)의 인연을 맺을 생각을 하지 못하겠군요. 다만 나랏일이 다급한지라 틀림없이 다시 오겠습니다. 제가 오늘 다시금 한 인연을 만든 셈입니다.

반공의 젊었을 적 일이 여태도 생각나는데 저 또한 터럭이 듬성듬성해졌습니다. 마땅히 빈 공책 하나를 사서 공께 시의 발문과 작은 그림을 지어 주시기를 청합니다. 돌아가서 책상에 얹어 두고 생각하렵니다. 이 일은 석가여래께서도 수긍하실

산이 윤색하였다"(爲命, 裨諶草創之, 世叔討論之, 行人子羽修飾之, 東里子産潤色之.)라는 구절에서 따온 말이다.

126 아상(我相): 불교 사상(四相)의 하나로, 나에 집착하여 남을 업신여기는 태도를 말한다.

겝니다.

반정균 돌아가시는 날짜가 언제입니까?

선군 내년 2월 초입니다.

반정균 그렇다면 여유롭게 화첩을 만들어 드릴 수 있겠군요. 다만 솜씨가 볼만하지 못할 겁니다.

字香祖, 一字蘭公, 或稱蘭垞. 號秋庫, 又號德園. 浙江錢塘人. 官陝西道監察御史. 學問淵邃. 性好佛. 先君記書幅後曰: "外史氏曰: '天下事, 百不如意.' 雖然竊嘗聞之, 昔人有言曰尙友. 尙友者, 必擬作鬚眉, 念之曰某也. 又曰臥遊. 臥遊者, 必擬爲遊行, 念之曰我也. 夫眞友眞遊者, 千百而一焉, 則若是其不如意也. 今我一念而謂之遊且友焉, 又孰能禁之? 然則奚獨友與遊有是哉? 念功名則如意, 念富貴則如意. 念茶香美人古器書畫, 莫不畢具. 良辰勝景, 花柳繁華, 一談一笑, 又無不適. 或代遠客, 歸其故鄕, 或使貧人, 多得錢帛, 如遇俗人, 洗其心目. 可無疾病, 可無離別, 百千萬年, 可以長生, 他生他世, 人物鳥獸兄弟夫婦, 可以預定. 唐虞三代聖王之治, 可以快復, 四海萬國, 遙遙重譯之人, 可折簡而往復矣. 夫千古者, 過去之萬里也, 萬里者, 現在之千古也. 彼浙江之潘生陸生, 豈非吾現在之千古乎? 然而吾以妄想念之, 謂之吾已觀浙江人, 必無如我何, 作一赫蹏, 謂之潘生日日寄書于我, 亦無如我何, 有毫髮之不如意哉? 縱使生於中國, 得與斯人同里同閈, 促膝携手, 其一生交遊風流雅集之遺跡, 不過寸簡尺牘一詩一文, 流落人間而已."[127] 又題洪湛軒所藏潘香祖墨蹟詩曰: "南海

---

[127] 而已: 『호저집』 원문에는 "已而"로 되어 있으나, 바로잡는다.

何時竭, 楚岸連平地. 相逢潘秀才, 應話前生事."又次蘭坨元夕詩曰:"春風仙李國, 明月漢山州. 海外同佳節, 天涯足勝流. 新衫消半醉, 快馬破閒愁. 自笑蓬廬士, 平生志遠遊."又懷秋庼詩曰:"潘郎文彩出東吳, 價重鷄林摺扇圖. 料道春來頻鎖直, 可應風月憶西湖."又寄秋庼詩曰:"那知妄想本來空, 齎志天涯竟得通. 萬里杯尊迎素月, 一封書札向西風. 滄[128]波不辨吳門馬, 雲樹相思北地鴻. 摠爲多情人易老, 潘郎消息十年中."又先君留玉河時, 作書于蘭坨曰:"長日如年, 室邇人遐. 時時散步街市間, 又不敢以非時進. 謁望門屏而跼躅, 念歸期之將至, 雖日遇千人, 纏綿綢繆, 而只此一心, 終竟不能移也. 卽使年年進京, 後會無窮, 而未來冥冥, 誰復知之? 此僕之所以不得不殫竭思慮, 以圖現在之樂耳. 頃見回書草草, 豈耳目有妨心肺之言, 非筆墨所可罄者耶? 懷緒茫茫, 如老蠶之未繭也. 如聞命, 雖今日可一吐而盡矣."又懷香祖詩曰:"蘭公夙緣重, 萬里三相見. 漸看禪理精, 偏憐宦遊倦. 拈花送遠客, 經聲度深院."又續懷詩曰:"千花成塔禮瞿曇, 憶共觀音寺裏譚. 聞說長齋潘御史, 乞携野笠過江南."又燕京雜絶云:"潘公南下日, 倉猝尺書憑. 濃厚莫回頭, 此語當鏤膺."筆談附下.

先君　召見時卽驟擢.

潘　　想恩眷甚隆. 亦使職稱故耳.

先君　誤被主眷, 幸免大過. 恐何以答將來也. 拙句籤[129]揚穅秕, 卽不
　　　敢不怨兩峯也.

潘　　十年前已讀大集. 書九近如何?

128　滄:『호저집』원문에는 "滄"으로 되어 있으나, 문맥에 따라 바로잡는다.
129　籤:『호저집』원문에는 "籤"로 되어 있으나, 문맥에 따라 바로잡는다.

先君	他方陞堂官, 據雄府, 卽妙香山, 檀君故地. 歸日必主盟藝苑.
潘	與先生同冷莓, 未遷官.
先君	見方帶燔瓦寺官. 又編輿地勝覽, 出入秘閣.
潘	洪湛軒先生家後人, 何如?
先君	職事繁, 未能數相問. 聞其子亦通音律云.
潘	先生枋政日, 未審能拔擢之否?
先君	秉銓固不敢望. 有間不惜齒牙餘論. 要梵雅, 一釋天文, 二釋地理, 有釋鳥獸蟲魚等目, 共十五篇.
潘	梵雅則未見. 想是僧家吟咏文字, 未必與大法有發明也. 如爾雅類, 此書與道無關.
先君	梵雅是馬禮部應龍所著, 出池北偶談. 先生曾見過, 必要買此書.
潘	未知此書. 眞行人子羽才, 恐老於道路.
先君	先生與兩峯皆佞佛, 今日借一席, 談因果何如?
潘	此一字卽是儒家我相重故, 此字未必如諂字看. 故自稱曰不佞. 東方禪學盛不?
先君	都是無室無家人, 遯迹. 無士大夫削髮者. 所謂士大夫, 亦頭出頭沒於宋儒小註中. 我到此, 方能一出口氣. 江南王學浩椒畦相熟否? 他畫山水寄吾, 我今倦遊, 不得作天涯想. 但王事來逼, 必當復來. 我今日又作一緣矣. 尙憶潘郎小年時事. 吾亦髮種種. 當買一空帖, 請公作詩跋及小畫, 歸作案上思想. 此事如來當首肯.
潘	歸期何日?
先君	明年二月初.
潘	如此則可從容作畫冊奉贈. 特不足觀耳.

축덕린

祝德麟, 1742~1798

자가 지당(芷塘), 호는 묘과산인(妙果山人)이며 열친루(悅親樓)라고도 한다. 절강 해녕(海寧) 사람이다. 14세 때인 건륭 25년 경신년(1760)에 거인(擧人)에 뽑혀 신동이란 이름이 있었다. 자태가 곱고도 아리따워 마치 처녀와 같았다. 건륭 28년 계미년(1763)에 진사(進士)에 오르니, 당시 나이가 17세였다. 20세에 한림(翰林)에 들어가 조운송(趙雲松)[130]의 문하로 나왔다. 자태가 흘러넘쳐 한림원 안에서는 '축소저'(祝小姐)라고 불렀다. 경인년(1770)에 촉군(蜀郡)의 향시(鄕試)를 주관하였다. 뒤에 어사(御史)에 개수(改授)되어 모 기관에 대해 고발하였다가 좌천되었고, 부조(部曹)[131]가 되었지만 돌아가지는 못하였다. 『구북집』(甌北集)[132]에서 말한 "땅에 웅크린 봉황이 입 다무니 참으로 추하도다"(蹲地鳳噤實所醜.)라고 한 것이 대개 이 같은 사실을 기록한 것이다.

부친은 무영(懋英)이니, 호는 와암(臥巖)이다. 성품이 강직하고 곧아서 과거 공부를 일삼지 않았고, 명가(名家)의 말을 가지고 연(燕)과 제(齊), 회(淮)와 채(蔡) 땅의 사이를 노닐었다. 모친은 태의인(太宜人)[133]

---

130 조운송(趙雲松): 조익(趙翼, 1727~1814). 운송은 그의 자다. 호는 구북(甌北)이다. 시로써 명성이 높아 원매, 장사전과 함께 건륭삼대가(乾隆三大家)로 불렸다. 저서에 『이십이사차기』(二十二史箚記)・『해여총고』(陔餘叢考)・『구북시초』(甌北詩草) 등이 있다.
131 부조(部曹): 청나라 각부(各部)의 속관(屬官)을 말한다.
132 『구북집』(甌北集): 조익의 문집.
133 태의인(太宜人): 의인(宜人)은 명청 시대 5품관의 어머니 또는 조모에게 주어지던 품계다. 앞에 붙인 태(太) 자는 높여 부르는 뜻이다.

사씨(查氏)이니, 책을 읽으면 그 대의(大義)에 통달하였다. 축덕린은 나이 30세에 아버지의 상을 만났고 3년이 지나서 어머니의 상을 당하니, 실로 정유년(1777)의 일이었다.

선군의 기록은 이렇다.

"내가 도성에 들어갔을 때 만나 보니 비쩍 마른 몸이 옷조차 이길 수 없는 듯이 보였다. 내가 두 번 세 번 위문하고 슬픔을 절제하는 것으로 경계의 말을 해 주었다. 그러자 축덕린이 말했다.

'어머니의 널을 받들고 고향으로 돌아가 영원히 동해(東海)의 일민(逸民)이 되렵니다.'

뒤에 교서(校書)로 담계(覃溪) 옹방강(翁方綱)과 더불어 문소각(文溯閣)134으로 같이 왔다."

선군의 「심양잡절」(瀋陽雜絶)135에서 이렇게 말했다.

『사고전서』 새 책을 취진자로 찍어 내니　　　四庫新書撮聚珍

문소각 이루어짐 문진각에 응함이라.　　　閣成文溯應文津

축덕린은 옹방강과 함께 지냄 흡족한지　　　祝公恰共翁公住

지나는 객 옛 친구임을 알지 못하누나.　　　不識行人是故人

선군께서 지은 「지당을 생각하며」136라는 시는 이렇다.

134　문소각(文溯閣): 『사고전서』(四庫全書)를 보관한 장소 중 하나로 심양(瀋陽) 고궁 안에 있었다. 『사고전서』는 문연각(文淵閣)·문원각(文源閣)·문진각(文津閣)·문소각 등의 각 전각에 나누어 보관하였다.
135　「심양잡절」(瀋陽雜絶): 『정유각집』 시집 권3에 실려 있다. 총 7수로, 인용한 시는 그중 제3수이다.
136　「지당을 생각하며」: 『정유각집』 「회인시. 장심여의 시를 본떠 짓다」 중 제10수이다.

내 여행길 구외(口外)[137]를 향해 갈 적에	我行指口外
축덕린은 심양에 머물렀었네.	芷塘方住瀋
그대와 문소각에 함께 올라서	恨未上文溯
하삭음(河朔飮)[138] 하지 못함 안타까워라.	共君河朔飮
벼슬자리 밀려난 일 듣긴 했어도	但聞襪官級
시품마저 밀려난 건 정녕 아닐세.	未必鑴詩品

字芷塘, 一號妙果山人, 又號悅親樓. 浙江海寧人. 十四歲中乾隆二十五年庚辰舉人, 有神童之名. 風姿韶秀, 若處子. 二十八年癸未登進士, 時年方十七. 二十而入翰林, 出趙雲松之門. 姿態橫生, 翰林中呼爲祝小姐. 庚寅典蜀鄉試. 後改御史, 以參奏某司. 貶秩, 改部曹, 不赴歸, 甌北集中所謂蹲地鳳噤實所醜, 蓋紀其實也. 父懋英, 號臥巖, 性亢直, 不事擧業, 以名家言遊燕齊淮蔡間. 母太宜人查氏, 讀書通大義. 祝三十而奔父喪, 越三年丁母憂, 實丁酉歲也. 先君記曰: "余入都時相見, 瘦身若不勝衣. 余致慰再三, 仍以節哀爲戒. 祝云: '奉母櫬歸故園, 永作東海之逸民.' 後以校書, 與翁覃溪方綱, 同來文溯閣." 先君瀋陽雜絶云: "四庫新書揖聚珍, 閣成文溯應文津. 祝公恰共翁公住[139], 不識行人是故人." 先君懷芷塘詩曰: "我行指口外, 芷塘方住瀋. 恨未上文溯, 共君河朔飮. 但聞襪官級, 未必鑴詩品."

---

137 구외(口外): 만리장성(萬里長城) 이북 지역. '구'(口)란 만리장성의 관문을 뜻한다. 박제가가 1790년 연행 때 열하를 거쳐 북경으로 갔던 일을 이른다.
138 하삭음(河朔飮): 무더운 여름에 더위를 피해 마련한 술자리를 말한다. 후한 말 유송(劉松)이 원소(袁紹)의 자제와 함께 하삭에서 삼복 무렵에 주야로 술을 마셨다는 고사에서 나왔다. 『초학기』(初學記)에 보인다.
139 住: 『호저집』 원문에는 "佳"로 되어 있으나, 『정유각집』에 따라 바로잡는다.

당낙우

唐樂宇, 1739~1791

자가 요춘(堯春)이니, 면죽(綿竹) 사람이다. 건륭 병술년(1766)에 진사가 되었다. 호부낭중(戶部郎中)을 거쳐 귀주(貴州) 평월(平越)로 고을살이를 나갔다. 남롱(南籠) 땅으로 좌천되었다가[140] 돌아오는 길에 기관(蘷關)에서 죽었다. 젊어서부터 시로 이름났다. "백사장 천 리에 달이 비치니, 누런 잎 반강(半江)에 조수가 지네"(白沙千里月, 黃葉半江潮.)라는 시구가 있었으므로, 당시 사람들이 '당황엽'(唐黃葉)이라고 일컬었다.

선군은 이렇게 썼다.

"낙우는 호가 원항(鴛港)이니, 사천 사람이다. 벼슬은 원외랑(員外郎)을 지냈다. 기하학(幾何學)에 밝았다. 저서에 『동락총서』(東絡叢書) 200여 권이 있다. 무술년(1778)에 나와 더불어 사귐을 맺었다. 집이 유리창 선월루(先月樓) 서점 남쪽에 있었다. 나와 더불어 악률로 문답한 것이 수천 언(言)이나 된다. 경술년(1790)에 어려운 일을 만나 다시 뽑히기를 기다리며 북경에 있기에, 내가 바로 가서 안부를 물었다. 그의 어린 딸은 이미 같은 고을 사람으로 과거에 급제한 주근(朱瑾)에게 시집갔다고 한다. 구봉(九峯) 또한 그의 호이다. 아들은 아명이 우관(友官)과 요우(瑤友)이고, 딸은 이름을 경요(瓊瑤)라 하였다. 4남 4녀를 두었다."

---

140 호부낭중(戶部郎中)을…좌천되었다가: 당낙우는 전법당(錢法堂) 주공(鑄工) 파업 사건을 계기로 좌천되어 귀주 평월태수로 지내다가 1790년 다시 귀주 남롱태수로 옮겼다.

字堯春, 綿竹人. 乾隆丙戌進士. 由戶部郎中, 出守貴州平越. 調南籠鐫
級, 歸卒於夔關. 少以詩鳴, 有'白沙千里月, 黃葉半江潮'之句, 人稱唐黃
葉. 先君記曰: "樂宇號鴽港, 四川人. 官員外郎. 明幾何之學. 著有東絡叢
書二百餘卷. 戊戌與余訂交. 家在琉璃廠之先月樓南. 與余有樂律問答數
千言. 庚戌遭艱, 候補在京, 余卽之問. 其稚女已嫁同鄕朱瑾登料云. 九峯
亦其號也. 子小名友官瑤友, 女名瓊瑤, 凡有四子四女."

채증원
蔡曾源, ?~?

숭녕(崇寧) 사람이다. 건륭 갑진년(1784)에 이갑으로 진사로 뽑혀 지현
(知縣)에 등용되었다. 설남(雪南) 채시전(蔡時田)[141]의 손자로, 시는 예
스러우면서도 험하고 기이한 것을 좋아하여 조부의 유풍이 있었다.

　선군은 이렇게 썼다.

　"증원은 호가 여교(呂橋)이니 당낙우의 손님이다. 팔분서(八分書)를
잘 썼는데 기이한 기운이 있었다. 세상의 형식에 얽매이지 않았으므로
사람들이 '운종수적'(雲踪水跡), 곧 구름 같은 자취에 강물 같은 행적이
라 일컬었다. 내 부채에 글을 지어 주고는 붓을 던지고 떠나갔으므로 마

141　채시전(蔡時田): 자가 수래(修萊), 호는 설남(雪南)이다. 1735년에 거인이 되었다. 시에
능하여 시명(詩名)이 있었다. 저서에 『설남시초』(雪南詩鈔)가 있다.

침내 작별하지 못하였다."

崇寧人. 乾隆甲辰二甲進士, 以知縣用. 雪南之孫, 詩古峭好奇, 有祖風.
先君記曰: "曾源號呂橋, 鴛港客也. 善八分書, 有奇氣. 不受羈束, 人稱雲
踪水跡. 題余扇投筆而去, 竟不得別."

심심순[142]
沈心醇, ?~?

자가 포준(匏尊), 호는 인재(靭齋)이다. 금석문(金石文)을 몹시 좋아하
여, 선군에게 「석고문」(石鼓文)[143]과 고경(古鏡)의 탑본을 선물했다. 저
술로 『인재시초』(靭齋詩抄)가 있다.
　선군의 「포준을 그리며」[144]는 이렇다.

142　심심순(沈心醇): ?~? 1778년 연행 당시 해녕(海寧) 출신 제생(諸生)으로 연경에 머물
렀다. 『입연기』 하(下)에 보인다.
143　「석고문」(石鼓文): 현존하는 중국의 가장 오래된 금석문(金石文). 10개의 석고(石鼓)에
주(周) 선왕(宣王) 때의 것으로 전해지는 엽시(獵詩)가 새겨져 있다. 건륭제 때 석고를 두 벌
복제하고, 또 팽원서(彭元瑞. 1775~1840) 등에게 명하여 마모된 글자를 정리·복원해 새로 새
기도록 하였다. 현재는 북경 자금성 내 고궁박물원에 전시되어 있다.
144　「포준을 그리며」: 『정유각집』 「회인시. 장심여의 시를 본떠 짓다」 중 제41수 「심포준 심
순」(沈匏尊心醇)이다.

포준과 헤어진 지 한참 됐는데	匏尊別來久
지금도 골동 감상 즐긴다 하네.	聞猶耽古玩
이따금 거울 뒷면 탑본을 하여	時時搨鏡背
옹방강에 부쳐서 보게 한다지.	寄與覃溪看
연대에서 석고(石鼓)를 얘기했는데	燕臺話石鼓
작별 날짜 손꼽다가 깜짝 놀랐네.	屈指驚聚散

字匏尊, 號靭齋. 酷好金石, 贈先君石鼓文及古鏡搨. 著有靭齋詩抄. 先君
懷匏尊詩曰："匏尊別來久, 聞猶耽古玩. 時時搨鏡背, 寄與覃溪看. 燕臺
話石鼓, 屈指驚聚散."

포자경
鮑紫卿, ?~?

전당(錢塘) 서호(西湖) 사람이다.

선군께서 「노하운선기」(潞河運船記)에서 이렇게 말했다.

"포자경은 산동독무(山東督撫)를 지낸 하유성(何裕城)[145]의 사위이

---

145 하유성(何裕城): 1726~1790. 청나라 절강(浙江) 산음(山陰) 사람. 자는 복천(福天), 호
는 성암(惺庵)이다. 아버지 하위(何焴)를 따라 하천을 수리하면서 제방 공사의 중요성을 알게

다. 내가 청장관 이덕무와 함께 그의 배에 올라가 보았다. 배는 길이가 10여 장인데, 무늬 창에 채색한 다락집이 높다랗게 우뚝 솟아 있었다. 그 가운데에 사방 1자가량의 방이 있는데 위쪽은 다락이고, 아래쪽은 창고였다. 서화와 패액(牌額), 휘장과 금침(衾枕)을 갖추었고, 짙은 향기가 그윽이 깊었다. 구불구불 꺾어지고 가로막혀 있어서 깊이를 가늠할 수가 없었다. 배에 올랐을 때 깊숙한 곳에서 부녀자들이 우리를 살펴보았는데, 수를 놓은 저고리에 칠보 비녀를 하고 패옥 소리가 쟁글거렸다. 대개 그 가족들을 데리고 다닌다고 한다.

그가 우리에게 의자를 내주더니 차를 내오라 하고 향을 피우며 필담을 나누었다. 포자경이 나에게 시를 청하므로, 나는 우리나라 부채에다가 율시(律詩) 한 수를 써서 주었다. 그중 한 연(聯)은 이러하였다.

| 만 리의 생애를 춘수택(春水宅)[146]에 맡겨 두고 | 萬里生涯春水宅 |
| 하룻밤 꿈속 넋은 백구향(白鷗鄉)에 맴도네. | 一天魂夢白鷗鄉 |

포자경이 이 구절을 극찬하면서 말했다.

'춘수택(春水宅)은 장지화(張志和)의 배 이름이니 실로 안 알려진 것이 아니지만, 백구향(白鷗鄉)은 바로 근래 강남 땅의 배 이름인데, 공께서 대체 어디에서 이를 아셨습니까?'

내가 우연히 맞아떨어진 것이라고 대답해 주었다. 포자경이 말했다.

되어 『전하지요』(全河指要)를 저술했다. 황명으로 이하동하도총관(理河東河道總管)에 임명되어 청룡강(青龍岡)과 이가하(伊家河) 두 곳의 공사를 감독하여 성과를 거두었다. 나중에 하남(河南)·섬서(陝西)·강서(江西)·안휘(安徽)의 순무(巡撫)를 역임했다.
146 춘수택(春水宅): 당나라의 은사 장지화(張志和)가 타고 낚시하며 지냈던 배 이름이다.

'돌아가면 마땅히 새겨서 기둥에 걸어야겠습니다.'

이때는 4월 하고도 초열흘이 지난 때여서 바람이 맑고 햇볕이 아름다웠다. 주렴을 드리운 들창 너머로 멀리 갈매기와 구름 안개, 누대와 사람들 그리고 백사장과 방죽, 바람 맞은 돛단배가 출몰하는 것을 바라보자니 아득히 물 위에 있는 것을 잊을 지경이었다. 마치 이내 몸이 산림의 사이에 깃들어 단청 안에서 눈길을 놀리는 것만 같았다."

선군의 「자경에게 주다」[147]는 다음과 같다.

손님 있어 배를 타고 저물녘에 이르니	有客檥舟到夕陽
하는 말이 장가들어 소항(蘇杭)에서 산다 하네.	自言嫁娶住蘇杭
남조의 절 밖에선 종소리 아득하고	南朝寺外鍾聲遠
서자호(西子湖) 물가에는 나무 그림자 길다 하네.	西子湖頭樹影長
만 리의 생애를 춘수택에 맡겨 두고	萬里生涯春水宅
하룻밤 꿈속 넋은 백구향에 맴도네.	一天魂夢白鷗鄉
삼한 땅의 사신이 애간장이 끊어져	三韓使者腸堪斷
돌아보면 안개 물결 아스라이 드누나.	回首煙波入渺茫

錢塘西湖人. 先君潞河運船記曰：“紫卿, 山東督撫何裕城之女婿也. 余與青莊李君登其船. 船長十餘丈. 文牕彩閣, 屹然高嶠. 當中有室方丈. 上樓下庫. 書畫牌額, 帷帷衾枕, 芬馥幽深. 曲折遮掩, 窅不可測. 登船之際, 婦

---

147 「자경에게 주다」: 『정유각집』 시집 권1의 「동로하에서 포자경에게 주다」(東潞河, 贈鮑紫卿)이다.

女之從深處觀望者, 繡襦寶髻, 佩聲珊然, 蓋挈其家眷云. 設椅命茶, 燒香筆語. 紫卿請詩. 余以東扇書贈一律, 其一聯有'萬里生涯春水宅, 一天魂夢白鷗鄉'之句. 紫卿極讚之曰: '春水宅是張志和船名, 諒非隱僻, 白鷗鄉卽近代江南船名, 公何從知之?' 余謝以偶然. 紫卿云: '歸當刻揭楣帖也.' 時四月旬後, 風日淸美, 簾牖之外, 遙見鷗鳥雲煙樓臺人物, 與夫沙隄風帆之出沒, 悠然忘其爲水, 若寓身山林之間, 而遊目丹靑之內." 先君贈紫卿詩曰: "有客乘舟到夕陽, 自言嫁娶住蘇杭. 南朝寺外鍾聲遠, 西子湖頭樹影長. 萬里生涯春水宅, 一天魂夢白鷗鄉. 三韓使者腸堪斷, 回首煙波入渺茫."

철보

鐵保, 1752~1824

자가 야정(冶亭), 호는 매암(梅菴)이니 허한당(虛閒堂)이라고도 한다. 성씨는 각라(覺羅)로, 만주족의 존칭인데 황제와는 같은 종파가 아니다. 건륭 임진년(1772)에 진사가 되었고, 예부상서(禮部尙書)를 지냈다. 초서를 잘했는데, 오로지 『순화각첩』(淳化閣帖)[148]을 공부하였다.

---

148 『순화각첩』(淳化閣帖): 순화(淳化) 3년(992) 송 태종이 제왕과 대신에게 나누어 준 법첩(法帖)으로 총 10권이다. 『각첩』(閣帖) 또는 『순화비각법첩』(淳化秘閣法帖)이라고도 한다. 내부(內府)에서 소장하고 있던 역대의 묵적(墨蹟)을 모각(模刻)하여 편찬한 것이다. 1권이 역대제왕법첩(歷代帝王法帖), 2~4권이 역대명신법첩(歷代名臣法帖), 5권이 제가고법첩(諸家古

선군께서 「야정을 그리며」149에서 이렇게 말했다.

장백산 천년토록 쌓인 기운 깊어서	長白千年積氣深
야정의 시구에선 큰 소리 울리누나.	冶亭詩句發鴻音
연경에서 술에 취해 천 장 종이 글씨 쓰니	燕京酒後書千紙
선비 옷에 협객 마음 감춘 것을 누가 알리.	那識儒衣裏俠心

또 「야정을 생각하며」150는 이렇다.

무리에서 뛰어난 야정 철보는	軒軒鐵冶亭
약관의 나이에 신교(神交) 맺었지.	弱冠交有神
초서 예서 과장(科場)을 주름잡았고	艸隷旣擅場
말타기 활쏘기도 으뜸이었네.	騎射復絶倫
그 누가 알았으리 십 년 지난 뒤	誰知十年後
갑자기 난양(灤陽) 땅서 만나게 될 줄.	暫結灤陽隣

또 「속회인시」151에서 이렇게 말했다.

흐드러진 앵두꽃이 문에 가득 난만한데	聯輝棣蕚盛門闌

法帖), 6~8권이 왕희지(王羲之), 9~10권이 왕헌지(王獻之)의 글씨이다.
149 「야정을 그리며」:『정유각집』「회인시」 중 제51수 「철허한당 보」(鐵虛閒堂保)이다.
150 「야정을 생각하며」:『정유각집』「회인시. 장심여의 시를 본떠 짓다」 중 제4수 「철야정 보」
(鐵冶亭保)이다.
151 「속회인시」:『정유각집』「속회인시」 중 제6수 「철야정 보」(鐵冶亭保)이다.

이국 사람 함께 와서 초성(草聖)[152]을 보는구나. 異國人携草聖看

시명으로 철보 어른 놀래킴 부끄러운데 自愧詩名驚老鐵

동국 사신 만날 때면 평안한지 물으시네. 每逢東使問平安

또 「연경잡절」[153]에서는 이렇게 말했다.

전례도 성대하게 번국 맞으니 盛典迎藩國

철보 경 사신 행차 찾아왔다네. 鐵卿來客星

동쪽 바다 안목으로 바라본다면 不知東海眼

오는 날 뉘 반길지 모르겠구나. 到日爲誰靑

字冶亭, 號梅菴, 一號虛閒堂. 姓覺羅, 滿洲尊稱, 非皇帝同派也. 乾隆壬
辰進士, 官禮部尙書. 工草書, 專學淳化. 先君懷冶亭詩曰: "長白千年積
氣深, 冶亭詩句發鴻音. 燕京酒後書千[154]紙, 那識儒衣裏俠心." 又懷冶亭
詩曰: "軒軒鐵冶亭, 弱冠交有神. 艸隷旣擅場, 騎射復絶倫. 誰知十[155]年
後, 暫結灤陽隣." 又續懷詩曰: "聯輝棣蕚盛門闌, 異國人携草聖看. 自
愧[156]詩名驚老鐵, 每逢東使問平安." 又燕京雜絶云: "盛典迎藩國, 鐵卿
來客星. 不知東海眼, 到日爲誰靑."

152 초성(草聖): 초서의 성인.
153 「연경잡절」: 『정유각집』「연경잡절」 중 제23수다.
154 書千: 『정유각집』에는 "千書"로 되어 있다.
155 十: 『호저집』 원문에는 "廿"으로 되어 있으나, 『정유각집』에 따라 바로잡는다.
156 愧: 『정유각집』에는 "笑"로 되어 있다.

권 2

경술년(1790), 신해년(1791)

팽원서

彭元瑞, 1731~1803

자가 운미(芸楣)이니, 강서(江西) 남창(南昌) 사람이다. 정축년(1757)에 진사가 되었다. 습아(嶍峨)[1] 사람 입애(立崖) 주어례(周於禮)[2]의 문하에서 나왔다. 여러 벼슬을 거쳐 참정(參政)에 이르렀다. 그의 아들은 익몽(翼蒙)이다.

선군께서 운미에게 준 시[3]는 다음과 같다.

들자니 용문에 오르신 손님	聞說登龍客
돌아오자 황하를 마시는 듯해.[4]	歸來似飲河
누대를 세울 만한 땅은 없어도	樓臺無地起
도리(桃李)는 문 앞에 무성하다네.[5]	桃李在門多

---

1 습아(嶍峨): 습아현(嶍峨縣). 운남성(雲南省)의 지명으로, 본래 습산(嶍山)과 아산(峨山)을 함께 일컫는 말이다.
2 주어례(周於禮): 본서 78면 각주 59번 참조.
3 운미에게 준 시: 『정유각집』 시집 권3의 「팽운미에게 주다」(呈彭雲楣)이다.
4 돌아오자…듯해: 『장자』 「소요유」(逍遙遊)에 "뱁새가 깊은 숲에 둥지를 틀어도 나뭇가지 하나 차지하는 데 지나지 않고, 두더지는 강물을 마셔도 자기 배를 채우는 데 지나지 않는다"(鷦鷯巢於深林, 不過一枝, 鼴鼠飲河, 不過滿腹.)라고 한 데서 온 말로, 사람이 각각 자기 분수가 있음을 의미한다. 여기서는 팽원서가 과거에 급제하여 승승장구하다가 귀거래하여 안분자족의 삶을 산다는 의미로 썼다.
5 도리(桃李)는…무성하다네: 원문의 "桃李在門"은 복사꽃과 오얏꽃이 문에 있다는 말로 현달을 의미한다. "복사꽃과 오얏꽃은 비록 말이 없어도 그 아래에 저절로 길이 이루어진다"(桃李不言, 下自成蹊.)라는 옛 속담이 있다. 『사기』 「이장군열전론」(李將軍列傳論)에 보인다. 또는 문하에 제자가 많음을 의미하기도 한다. 『자치통감』(資治通鑒) 당기(唐紀)에 "천하의 복사꽃과 오얏꽃이 모두 공의 문에서 나왔다"(天下桃李, 悉在公門.)라는 구절이 보인다.

십고(十鼓)에 '종구'(樅楀) 글자 배치하였고[6]   十鼓排樅楀

천문(千文)에서 '비파'(枇杷) 자를 쪼갰었다네.[7]   千文坼枇杷

일찍이 쥘부채를 가지고 와서   憶曾携摺扇

아들 편에 보내 준 일 생각나누나.   書贈小郞過

또 「운미를 생각하며」[8]라는 시는 다음과 같다.

팽원서는 화려한 문장 솜씨로   芸楣黼黻手

언사 꾸밈 아송(雅頌)에 대적할 만해.   修辭匹雅頌

듣자니 새로 참정(參政) 되었다는데   聞說新參政

부열(傅說)과 여상(呂尙)[9]보다 어질다 하네.   賢於卜與夢

동국 사람 해마다 그를 찾아가   東人望如歲

한마디 귀한 말씀 얻으려 하네.   要乞一言重

6　십고(十鼓)에…배치하였고: 십고는 10개의 석고(石鼓)로, 곧 「석고문」을 말한다. 본서 111면 각주 143번 참조. 팽원서는 건륭제의 명을 받아 마모되어 보이지 않는 석고문의 글자를 복원하여 10장(章)의 시문을 완성한 바 있는데, 바로 이 일을 가리켜 말한 것이다. 석고문의 글귀 중에 '종구'(樅楀)라는 글자가 있다.

7　천문(千文)에서…쪼갰다네: 본래 『천자문』(千字文)에 "비파나무는 늦도록 푸르고, 오동 잎은 일찍 시든다"(枇杷晚翠, 梧桐早凋.)라는 구절이 있다. 여기서는 팽원서가 『천자문』의 글자를 써서 모두 1천 자의 글을 지으면서 '비파'(枇杷)와 같이 한 쌍인 글자를 쪼개어 각각 활용했다는 뜻이다.

8　「운미를 생각하며」: 『정유각집』 「회인시. 장심여의 시를 본떠 짓다」 중 제1수 「팽운미 원서」 (彭芸楣元瑞)다.

9　부열(傅說)과 여상(呂尙): 원문은 "卜與夢"으로, 글자대로 풀면 '점과 꿈'이다. 제왕이 어진 재상을 얻는 일을 가리킨다. 부열은 고대 은(殷)나라 고종(高宗)의 재상으로, 고종이 꿈에서 그를 보고 찾아서 재상으로 삼았다. 여상은 주(周)나라 문왕(文王)의 재상 강태공(姜太公)으로, 문왕이 점을 쳐서 그를 얻었다.

또 「속회인시」[10]는 이렇다.

왕희지(王羲之)와 주문(周文)이 얼굴 바꿔 나오니[11]	王字周文換面來
굽은 길서 말 올라타[12] 맑은 재주 다투었지.	螘封盤馬鬪淸才
일찍이 한마디로 황각(黃閣)[13]에 발탁되어	曾將片語干黃閣
『방략』(方略)[14]이 완성되자 총재 자리 잃었다네.	方略書成失摠裁

字芸楣, 江西南昌人. 丁丑進士, 出嶰峨周立崖[15]之門. 歷官至參政. 其子
翼蒙. 先君呈芸楣詩曰: "聞說登龍客, 歸來似飮河. 樓臺無地起, 桃李在
門多. 十鼓排櫼梠, 千文坂枇杷. 憶曾携摺扇, 書贈小郞過." 又懷芸楣詩
曰: "芸[16]楣䰃斂手, 修辭匹雅頌. 聞說新參政, 賢於卜與夢. 東人望如歲,
要乞一言重." 又續懷詩曰: "王字周文換面來, 螘封盤馬鬪淸才. 曾將片語
干黃閣, 方略書成失摠裁."

10 「속회인시」: 『정유각집』「속회인시」 중 제1수 「팽운미 원서」(彭芸楣元瑞)이다.
11 왕희지(王羲之)와…나오니: 원문의 "換面"은 '개두환면'(改頭換面)의 준말로, 내용과 실
질은 그대로 두고 형식만 바꾸었다는 뜻이다. 여기서는 팽원서가 왕희지와 주나라 금문(金文)
의 글씨를 자기 것으로 소화했다는 의미다.
12 굽은…올라타: 원문은 "螘封盤馬". '의봉'(螘封)은 개미 둑을, '반마'(盤馬)는 말을 타고 빙
빙 도는 일을 가리킨다. 팽원서의 서법이 험로에서 말을 자유자재로 부리듯 하였다는 말이다.
13 황각(黃閣): 재상의 관서. 혹은 재상을 의미한다. 한대(漢代)에 승상의 관서 문을 황색으
로 칠한 데서 왔다.
14 『방략』(方略): 『황청개국방략』(皇淸開國方略). 청나라 개국의 사적(事跡)을 기록한 책으
로, 건륭제의 칙명으로 편찬되었다. 총 32권. 1773년(건륭 38)에 착수하여 1786년(건륭 51)에
완성되었다.
15 崖: 『호저집』 원문에는 "厓"로 되어 있으나, 오기로 보아 바로잡는다.
16 芸: 『호저집』 원문에는 "云"으로 되어 있으나, 오기로 보아 바로잡는다.

기윤

紀昀, 1724~1805

자는 효람(曉嵐), 혹 효만(曉巒)이라고도 부른다. 하간(河間)[17] 헌현(獻縣) 사람이다. 건륭 12년 정묘년(1747)에 해원(解元)[18]으로 뽑혔고, 19년 갑술년(1754)에 이갑 4등으로 진사에 올랐다가 서길사에 개수(改授)되었다. 갑진년(1784)에 부고관(副考官)으로 발탁되었다.

이에 앞서 합격자 발표가 있기 전에 문각공(文恪公) 동방달(董邦達)[19]의 동방달은 자가 부존(孚存), 호는 동산(東山)이니, 부양(富陽) 사람이다. 계축년(1733)에 진사가 되어 서길사로 뽑혔고, 편수관(編修官)을 거쳐 벼슬이 이부우시랑(吏部右侍郞)에 이르렀다. 원나라 사람의 화법을 본받아 고필(枯筆)[20]을 잘 썼다. 윤곽선을 그려 넣고 나서 주름을 넣거나 붓을 문대었으므로 빼어난 운치가 많았다. 근세에 또 동원(董源)[21]과 거연(巨然)[22]

---

17 하간(河間): 중국 하북(河北)의 지명. 기윤의 별칭이기도 하다.
18 해원(解元): 본서 31면 각주 18번 참조.
19 동방달(董邦達): 1696~1769. 청나라 관료. 자는 부존(孚存)·쟁존(爭存)이며, 호가 동산(東山), 시호는 문각(文恪)이다. 절강성 부양(富陽) 사람이다. 옹정(雍正) 11년(1733) 진사가 되어 편수(編修)에 임명되었다. 『서청고감』(西淸古鑑)·『비전주림』(秘殿珠林)·『석거보급』(石渠寶笈) 등을 편찬했다. 벼슬은 중윤(中允)·시독학사(侍讀學士), 호부·공부·이부시랑(吏部侍郞)을 거쳐 공부상서(工部尙書)까지 올랐다. 산수화에 능했다.
20 고필(枯筆): 붓에 먹물을 조금만 찍어 사용하는 동양화와 서예의 한 필법이다.
21 동원(董源): 943~962. 남당(南唐)~북송(北宋) 시기의 화가. 자는 숙달(叔達) 또는 북원(北苑)이다. 남당 이욱(李煜)에게 벼슬하여 후원부사(後苑副使)가 되었다. 산수화에 능해 거연(巨然)과 함께 '동거'(董巨)로 불렸다. 작품에 〈한림중정도〉(寒林重汀圖)·〈하경산구대도도〉(夏景山口待渡圖)·〈하산도〉(夏山圖)·〈용숙교민도〉(龍宿郊民圖)·〈소상도권〉(瀟湘圖卷) 등이 있다.
22 거연(巨然): 남당 개원사(開元寺)의 승려. 강녕(江寧) 사람으로 동원의 제자다. 후주(後主)가 송(宋)에 항복할 때 따라와 개보사(開寶寺)에서 거처하였다. 스승과 함께 남종화풍(南宗畫風)의 길을 열었다.

같은 화가에 견주어졌다. 타고난 자질이 높은데다 옛것을 좋아하고 또 독실하여 자연스럽고
도 빼어났다. 집에 있다가, 글자점을 잘 친다는 절강 선비를 만났다. 기윤이
'묵'(墨)이란 글자를 쓰자, 절강 선비가 말했다.

"용두(龍頭), 즉 장원급제는 그대에게는 해당되지 않겠군요. 묵이란 글
자를 파자(破字)해 보면 이갑(二甲) 아래 점을 네 개 찍었으니, 이갑 4등
으로 합격하겠습니다. 하지만 틀림없이 한림원에 들어가겠군요. 네 개의
점은 서(庶) 자를 나타내고, 맨 밑의 토(土)는 '길'(吉) 자의 머리 부분이
니, 서길사를 뜻합니다."

방이 붙고 나서 보니 과연 그러하였다.

정축년(1757) 산관(散館)[23] 된 뒤 편수관에 제수되었고, 한림원 시
독학사(侍讀學士)를 거쳐 경진년(1760)에는 산서(山西) 지방의 주시관
(主試官)이 되었다. 무자년(1768) 가을에 양회염운사(兩淮鹽運使) 노견
증(盧見曾)[24]이 국고에 손을 댄 일이 적발되었는데, 여기에 연루되어 파
직 당해 우루무치(烏魯木齊)로 종군하였다. 곧 건륭 20년(1755)에 이리
(伊犁)[25] 땅을 평정하고 진(鎭)을 설치했던 서부의 신강(新疆) 지역이다.
기윤은 학문이 깊고 해박한 데다 고증은 정밀하고 꼼꼼하였다. 이에 이
르러 더욱 그 견문을 넓힐 기회를 얻었으니, 그가 지은 『여시아문』(如是
我聞)[26] 속에 자세히 보인다.

---

23 산관(散館): 본서 37면 각주 41번 참조.

24 노견증(盧見曾): 1690~1768. 청나라 산동(山東) 덕주(德州) 사람. 자가 포손(抱孫), 호
는 아우산인(雅雨山人) 또는 담원(澹園)이다. 1721년(강희 60) 진사가 된 뒤 양회염운사 등을
지냈다. 건륭제가 양회 지방 염정(鹽政)의 비리를 조사할 때 죄를 얻어 죽었다. 저서에 『주역
선』(周易選), 『아우당집』(雅雨堂集) 등이 있다.

25 이리(伊犁): 지금의 신강위구르자치구(新疆維吾爾自治區) 북서부이다.

26 『여시아문』(如是我聞): 기윤의 『열미초당필기』(閱微草堂筆記) 권7부터 권10에 수록되어

기윤이 우루무치에 있은 지 4년이 채 못 되어, 신묘년(1771) 6월에 석방되어 연경으로 돌아왔다. 이에 앞서 견책을 받았을 적에 옥사가 자못 급박하였으므로, 군관 한 명이 짝지어 한 명씩 맡아 지켰다. 동(董)씨 성을 가진 군관 하나가 또한 글자점을 잘 친다고 하니, 기윤이 즉시 '동'(董) 자를 써서 그에게 풀이하게 하였다. 그러자 그가 말했다.

"공께서는 먼 데로 수자리를 살러 가실 겁니다. 그곳은 천리만리 떨어진 곳이겠군요."

기윤이 또 '명'(名) 자를 쓰자, 동씨가 말했다.

"아래는 '구'(口) 자가 되고 위는 '외'(外) 자의 편방(偏傍)이 되니, 장성 바깥〔口外〕입니다. 해가 서쪽에 있으면 저녁〔夕〕이 되므로 서역이 아닐까 합니다."

기윤이 물었다.

"장차 돌아올 수는 있겠는가?"

그가 말했다.

"글자의 모양이 '군'(君) 자와 비슷하고, 또한 '소'(召) 자와도 비슷하니 틀림없이 죄를 용서 받아 돌아오실 겁니다."

기윤이 물었다.

"어느 해가 되겠는가?"

그가 말했다.

"구(口) 자는 사(四) 자의 바깥 둘레에다 가운데 두 획을 뺀 것이니, 4년을 채우지 못하겠군요. 올해가 무자년(戊子年)이라 4년이 지나면 신묘년

있다. 『열미초당필기』는 육조(六朝) 지괴(志怪)의 형식을 빌린 필기체 소설집으로, 『여시아문』에는 기윤이 우루무치에 종군하던 시절 그 지역민과 교유하며 들었던 이야기를 적었다.

(辛卯年)이 됩니다. 석(夕) 자는 묘(卯) 자의 편방이니 또한 서로 부합됩니다."

이때에 이르러 과연 들어맞았다. 얼마 안 있어 다시 기용되어 한림시독관(翰林侍讀官)이 되고, 복건(福建)의 제독학정(提督學政)27을 거쳐 병부시랑(兵部侍郎)에 올랐다. 건륭 38년(1773)에 칙명으로 사고전서관(四庫全書館)을 열어 『영락대전』(永樂大典)28을 교정하였고, 천하의 기서를 찾아 구입하여 황제의 명으로 『사고전서』(四庫全書)를 편찬하였다.

기윤은 박학하였으므로 서자(庶子) 육석웅(陸錫熊)29과 더불어 석웅은 호가 이산(耳山)이다. 총찬(摠纂)이 되었다. 기윤이 책 100여 종을 올리자 내부에서 처음 인간(印刊)한 『패문운부』(佩文韻府)30 1부를 상으로 내렸다. 또 명을 받들어 『사고전서목록』(四庫全書目錄)을 지었다. 무릇 서발(序跋)의 형식으로 지은 글들이 모두 그 손에서 나왔다. 그 고증은 가장 해박하였고, 그가 황제께 올린 사접(謝摺)과 사륙문(四六文)은 유려하면서도 풍부하여 건륭제가 몹시 중히 여겼다. 이때 기윤이 비록 병부(兵部)의 사무를 책임지고 있었지만 『사고전서』 총찬의 책임을 홀로 맡

27 제독학정(提督學政): 청나라 때에 교육을 담당하던 지방 관직이다. 과거와 학교의 일을 관장하기 위하여 조정에서 각 성(省)으로 파견하였다.
28 『영락대전』(永樂大典): 명나라 영락제(永樂帝) 때 해진(解縉) 등이 명을 받아 편찬한 칙찬(勅撰) 유서(類書). 1405년(영락 3)에 착수하여 1408년(영락 6)에 완성하였다. 총 22,377권 11,095책의 최대 규모의 유서이다. 건륭제가 『사고전서』를 편찬할 때 이를 참고하였다.
29 육석웅(陸錫熊): 1734~1792. 청나라의 학자이자 관리. 자가 건남(健男), 호는 이산(耳山)이며 상해(上海) 사람이다. 건륭 26년(1761) 진사가 되고 소시(召試)에서 내각중서(內閣中書)가 되었다. 형부낭중(刑部郎中)을 거쳐 기윤과 함께 『사고전서』 총찬이 되었다. 그 밖에 『거란국지』(契丹國志)·『승조순절제신록』(勝朝殉節諸臣錄)·『하원기략』(河源紀略) 등을 편찬하였다. 저서로 『황촌시화』(篁村詩鈔)·『보규당문집』(寶奎堂文集) 등이 있다.
30 『패문운부』(佩文韻府): 청나라 강희제(康熙帝) 때 칙명으로 편찬한 운서(韻書). 패문(佩文)은 청나라 황제의 서재 이름이다. 한자 어휘를 평수운(平水韻) 106운의 순대로 배열하고 성어의 출전을 밝힌 것이다. 모두 106권.

았고, 육석웅은 그저 이름만 올렸을 뿐 글 하나도 보태지 않았다. 하루는 병부에서 사건 처리를 잘못한 것이 있어 당관(堂官)[31]이 관례에 따라 책임져야 할 직명을 논하였는데,[32] 기윤이 관여되었다. 의논이 올라가자, 건륭제가 말했다.

"기윤은 그저 한 사람의 부유(腐儒)일 뿐이니, 『사고전서』를 함께 맡고 있어 평상시에 병부에 갈 수가 없다. 너희 각 당관들은 병부에 있으면서 무슨 일을 맡았더란 말이냐?"

이에 각 당관이 의논 처리하여 기윤을 너그럽게 면해 주었다.

이에 앞서 기윤의 집이 정양문(正陽門)[33] 밖 저시구(豬市口)에 있었는데, 대문에다 '해원'(解元)이란 편액을 걸어 놓았었다. 이에 이르러 상서(尙書) 팽원서가 기윤에게 이렇게 말했다.

"공의 현판을 바꿔야겠구려."

무슨 말로 바꾸냐고 묻자, 그가 말했다.

"흠정부유(欽定腐儒)요!"

듣는 사람들이 포복절도하였다.

곁에서 모시는 첩 심씨(沈氏)는 자가 명간(明玕)이니, 장주(長洲) 사람이다. 정신이 맑고 생각이 밝아 일반 가정의 여자와는 달랐다. 평소 그 언니에게 가만히 말하곤 했다. "내가 농사꾼의 아내가 될 수는 없고 신분 높은 훌륭한 집안에서는 또 굳이 나를 지어미로 삼지 않을 테니, 귀한 집안의 잉첩(媵妾)이나 되어야겠다." 그녀의 어미가 가만히 이 말을 듣고

---

31 당관(堂官): 명청 시대 중앙 각부의 장관으로, 상서(尙書)·시랑(侍郞) 등의 통칭이다.
32 논하였는데: 원문의 "應議"는 종실이나 고위 관료 등이 죄를 범했을 때 함부로 죄주거나 심문하지 않고 먼저 임금에게 알려 그 뜻에 따라 처리하는 원칙을 말한다.
33 정양문(正陽門): 북경 내성(內城)의 남문. 전문(前門)이라고도 한다.

는 마침내 그 뜻대로 해 주었다. 그녀는 성품이 지혜롭고 영리하여 처음에는 간신히 글자나 알았지만, 기윤을 따라 도서를 점검하는 사이에 마침내 글 뜻을 알게 되어 또한 능히 얕은 말로 시를 지을 수 있게 되었다. 나이 겨우 서른에 세상을 뜨면서 그 딸에게 작은 초상화를 맡기며 입으로 시 한 수를 읊조려 이렇게 말했다.

삼십 년 지난 세월 한바탕 꿈 같은데	三十年來夢一場
남은 모습 딸에게 간직하라 맡기누나.	遺容手付女收藏
훗날에 내 평생의 있었던 일 얘기하여	他時話我平生事
고소(姑蘇) 땅 심오양(沈五孃)의 이름을 알게 하리.	認取姑蘇沈五孃

그녀의 병세가 한창 위독할 때 기윤은 마침 원명원(圓明園)에서 숙직하며 해전(海淀)³⁴의 괴서노옥(槐西老屋)³⁵에서 잤다. 꿈속에 어렴풋이 심씨가 고운 모습으로 묵고 있는 곳에 온 것을 보고는, 생각이 맺혀 꿈에 이른 것이려니 여겼다. 나중에 돌아와 들으니 심씨가 이날 저녁 혼절했다가 두 시간이 지나 소생해서는 그 어미에게 "마침 꿈에 해전의 거처하시는 곳에 이르렀는데 우레와 같은 큰 소리가 나서 이 때문에 놀라서 깼습니다"라고 말한 것을 들었다. 기윤이 생각해 보니 이날 저녁에 과연 벽위에 걸어 둔 물병의 새끼줄이 끊어져 땅에 떨어졌으므로, 그제야 그녀의 살았을 적 혼이 다녀간 줄을 알았다. 기윤은 그 뒤 마침내 문연각 직

---

34 해전(海淀): 지금의 북경시(北京市) 해전구(海淀區). 창춘원(暢春園)·이화(頤和園)·원명원의 세 동산이 있던 지역이다.
35 괴서노옥(槐西老屋): 본래 기윤의 사위 원후정(袁煦正)의 소유이다. 『열미초당필기』에 「괴서잡지」(槐西雜志)가 있다.

학사(文淵閣直學士)에 이르고, 예부상서(禮部尙書)로 있다가 죽었다.

상서가 영재 유득공 공에게 말했다.[36]

"그대의 문집을 잘 읽어 보았습니다. 타고난 바탕이 빼어나 이후(而后) 선생[37]과 더불어 한때의 주유(周瑜)와 제갈량(諸葛亮)이라 하겠습니다. 어제 이후 선생의 문집과 더불어 함께 '맛은 서권기(書卷氣)를 머금었고, 말은 성령(性靈)에서 나왔다'라고 품평하였으니 지극히 패복(佩服)하지 않을 수 없습니다."

영재가 이렇게 기록하였다.

"상서는 나이와 지위가 모두 높았으나, 나와 차수(次修)가 함께 방문하자 삼가 빈주(賓主)의 예를 차려 온종일 담론하며 토론하였다. 며칠 뒤에 수레를 명하여 옥하관(玉河館)에 와서는 두 검서가 있는지를 물었다. 그때 마침 우리가 나가 있었으므로 명함을 남겨 놓고 떠났다. 옥하관 안이 이 때문에 낯빛이 변했다."

선군께서 「효람을 그리며」[38]에서 말했다.

효람은 지금의 등용문으로	曉嵐今龍門
가슴에 넉넉하게 사고(四庫) 품었네.	胸涵四庫富
『난양수록』(灤陽隨錄) 귀신 얘기 실려 있는데[39]	灤陽說鬼夥

---

36 상서가…말했다: 이하 내용은 『난양록』 권2 「기효람대종백」(紀曉嵐大宗伯)에서 인용한 것이다.

37 이후(而后) 선생 : 박제가를 가리킨다.

38 「효람을 그리며」: 『정유각집』 「회인시. 장사전 심여의 시를 본떠 짓다」 중 제2수 「기효람윤」(紀曉嵐昀)이다.

39 『난양수록』(灤陽隨錄)…있는데: 『열미초당필기』의 『난양소하록』(灤陽消夏錄)에 수록된 이야기이다. 한 서생이 밤길에 귀신이 된 친구를 만나 동행하게 된다. 어떤 허름한 집을 지나던

귀신 또한 못난 서생⁴⁰ 조롱했다지.　　　　　鬼亦嘲學究

대진(戴震)⁴¹을 앞장서서 추천하였고　　　　　推轂戴東原

나를 위해 옛 책들을 사 주었다오.　　　　　　遺書爲我購

또 「속회인시」⁴²에서는 이렇게 말했다.

폐백 들고 지금껏 구주를 편답(遍踏)하니　　　執贄由來遍九州

계림 땅의 제자 또한 가르침 받는구나.　　　　雞林弟子亦蒙求

세모(歲暮)의 회인시에 도리어 놀라노니　　　　飜驚歲暮懷人作

옥정(玉井)과 주천(珠泉)에 만곡의 물 쏟아지는 듯.⁴³ 玉井珠泉萬斛流

또 「연경잡절」⁴⁴에서는 이렇게 말했다.

중 귀신이 이 집에 학문의 빛이 7, 8척가량 뿜어져 나오는 것이 선비의 집이라고 하자, 그럼 자신에게 보이는 빛은 얼마나 되냐고 묻는다. 이에 귀신이 그간 과거 시험 공부만을 일삼은 자네에게는 아무런 빛도 보이지 않는다며 비웃었다는 내용이다.

40 못난 서생: 원문의 "學究"는 학문 수준이 썩 높지 않은 서생을 뜻한다. 본래 당나라 때 명경과(明經科) 중의 하나인 학구일경과(學究一經科)를 이른다. 경전 구절을 주고 앞뒤 구절을 채워 제출하게 하는 쉬운 시험이다.

41 대진(戴震): 1724∼1777. 청대 고증학의 대가. 자가 동원(東原)이며 혹은 신수(愼修)라고 한다. 안휘(安徽) 휴녕(休寧) 사람이다. 강영(江永)을 사사했고, 1762년(건륭 27) 거인(擧人)이 되었다. 이후 『사고전서』 찬수관(纂修官)이 되었으며 대리시소경(大理寺少卿)에 발탁되었다. 역산(曆算)과 지리(地理)에도 정통했다. 저술에 『맹자자의소증』(孟子字義疏證)·『고공기도』(考工記圖)·『굴원부주』(屈原賦注)·『원선』(原善)·『대동원집』(戴東原集) 등이 있다.

42 「속회인시」: 『정유각집』 「속회인시」 중 제2수 「기효람 윤」(紀曉嵐昀)이다.

43 옥정(玉井)과…쏟아지는 듯: 서호수(徐浩修)의 『연행기』(燕行紀) 권3 경술년(1790) 8월 14일 기사에 상사가 기윤에게 편지와 예물을 보내고 답례를 받은 일이 보인다. 기윤이 보낸 단계연(端溪硯)에는 옥정(玉井) 2자가 새겨져 있었고, 뒷면의 자찬명(自撰銘)에 "소동파의 글은 주천(珠泉)이 만곡(萬斛)이지만, 나는 나의 우물을 파니 논이랑에 물을 대기에 또한 넉넉하네"(坡老之文珠泉萬斛, 我浚我井灌畦亦不足.)라는 글귀가 있었다고 한다.

44 「연경잡절」: 『정유각집』 「연경잡절」 중 제21수이다.

기공은 세 가지가 모두 높으니[45]　　　　　　　紀公三達尊

을사년 천수(千叟) 중에 한 분이라네.[46]　　　　　乙巳千叟一

내게서 무엇을 좋게 봤는지　　　　　　　　　　奚取於我哉

해마다 문필을 부쳐 온다네.　　　　　　　　　　年年寄文筆

필담을 아래에 붙인다.

기윤　작별한 이래로 애타게 그리다가 또한 다시 서로 똑같이 예관
　　　으로 사신의 업무를 맡아 으레 서로 만나 보게 되었으니, 이는
　　　또 외교로 논할 것이 아닙니다. 지난번 건청궁(乾淸宮)에서 귀
　　　국의 사신이 온 것을 알렸더니 황제께서 내일 알현하는 것을
　　　허락하셨습니다.

선군　『난양소하록』(灤陽消夏錄) 및 그 밖에 다른 훌륭한 작품들을
　　　제가 한차례 비루한 눈으로 볼 수 있다면 진실로 갈망하는 마
　　　음에 위로가 될 듯합니다.

기윤　근래 어떤 사람이 5부(部)를 합쳐 새겨 1편으로 만들었으니[47]
　　　조금 늦게라도 가져오면, 받들어 올려 가르침을 청할 수 있겠

45　세 가지가 모두 높으니: 『맹자』「공손추 하」에서 "천하에 세 가지 높은 것이 있는데, 관작
이 하나요, 나이가 하나며, 덕이 또 하나다"(天下有達尊三, 爵一齒一德一.)라고 했다. 기윤은
이 세 가지를 모두 갖추고 있다는 뜻이다.

46　을사년…한 분이라네: 건륭 50년 을사년(1785)에 건청궁에서 건륭제의 천수연을 베풀었
다. 이때 잔치에 참석한 자가 3,900여 명으로 각기 구장(鳩杖)을 하사 받았다. 기윤 또한 참석
하였으므로 이렇게 말한 것이다.

47　근래…만들었으니: 『열미초당필기』의 간행을 가리킨다. 1800년(가경 5)에 기윤의 제자 성
시언(盛時彦)이 『난양소하록』(灤陽消夏錄) 6권, 『여시아문』(如是我聞) 4권, 『괴서잡지』(槐西
雜志) 4권, 『고망청지』(姑妄聽之) 4권, 『난양속록』(灤陽續錄) 6권을 합쳐서 간행하였다.

습니다.

선군　『엄주사부』(弇州四部)[48]와 같은 종류겠군요.

기윤　합쳐서 다섯 종일 뿐입니다.

선군　대략『어류』(語類)와『유편』(類編) 등의 책[49]과 이 밖에『독서
　　　기』(讀書記) 같은 것은『간명서목』(簡明書目)에 실려 있으니,
　　　이 자리에서 한차례 볼 수 있을는지요?

기윤　이것은 모두 통용되는 책들입니다. 하지만 근래의 풍기가『이
　　　아』(爾雅)와『설문』(說文)의 일파만을 따르는지라, 이러한 책
　　　은 마침내 책방에 없는 바가 되었습니다. 사방으로 사람들에
　　　게 구입할 것을 부탁했으니 대략 결과가 있을 겁니다.

선군　『백전잡록』(白田雜錄)[50] 같은 것은요?

기윤　『백전잡저』(白田雜著)는 본래 제 집에서 가지고 있던 것인데
　　　한번 관가의 서고에 들어가고 나서는 마침내 얻어 볼 수가 없
　　　습니다. 다행히도 왕무굉(王懋竑)[51]의 문집이 있는데 이 책을
　　　문집 속에 새겨 넣은지라 이 또한 다른 사람에게 부탁해서 진

48　『엄주사부』(弇州四部): 명나라 문인 왕세정(王世貞, 1526~1590)이 편찬한『엄주사부고』
(弇州四部稿)를 가리킨다. 엄주는 왕세정의 호 엄주산인(弇州山人)에서 따온 것이다. 총 174권.
49　『어류』(語類)와『유편』(類編) 등의 책:『어류』는『주자어류』(朱子語類) 140권,『유편』은
『주자문집대전유편』(朱子文集大全類編) 110권을 가리킨다.
50　『백전잡록』(白田雜錄):『백전잡저』(白田雜著). 청나라 문인 왕무굉(王懋竑, 1668~1741)
의 저서. 경사자집(經史子集)에 관계되는 잡저를 모아 엮었다. 총 8권.
51　왕무굉(王懋竑): 청나라 강소(江蘇) 보응(寶應) 사람. 자는 자중(子中), 호는 백전(白田)
이다. 강희 57년(1719) 진사가 되고, 안경부교수(安慶府教授)에 제수되었다. 옹정 초에 부름을
받아 한림원편수(翰林院編修)가 되었다. 경사(經史)에 정통하였으며, 병으로 사직하고 귀향한
뒤 저술에 몰두했다. 저서에『주자연보』(朱子年譜)·『주자논학절요어』(朱子論學切要語)·『독경
기의』(讀經記疑)와『독사기의』(讀史記疑)·『주자어록주』(朱子語錄注)·『주자문집주』(朱子文集
注) 등이 있다.

강부(鎭江府)[52]로 가서 찍어 오게 하였습니다. 이 몇 책은 모두 그 집안에서 구한 것인 데다 또 대부분 남쪽 땅에 있기 때문에 이를 구하기가 쉽지가 않군요. 부탁을 받은 사람도 또 아직 급하지 않은 물건이라 천천히 구해도 된다고 여겨, 이러구러 지금에 이르게 되었습니다. 앞서 말한 책은 이미 표시해서 여러 벗들에게 재촉하였으니, 대저 있기는 틀림없이 있겠지만 다만 단번에 바로 응할 수 없을 뿐입니다.

선군 유구 사신은 이미 돌아왔는지요? 편수관 이정원(李鼎元)은 지금 벼슬이 중서사인(中書舍人)이라는데[53] 서울로 돌아와 있는지요?[54]

기윤 이미 돌아왔습니다. 그의 아우 이기원(李驥元)은 저의 문인입니다.

선군 이미 알고 있습니다.[55]

기윤 첫 번째로 사은사(謝恩使)는 황상께서 머물게 하셔서 대례(大禮)로 들어갔고, 지금은 공사(貢使)가 어제 낮에 이미 도착했으니, 대략 귀국의 사신과 더불어 축하 잔치에 함께 참여할 것

---

52 진강부(鎭江府): 청대의 부(府) 이름으로, 지금의 강소성(江蘇省) 진강시(鎭江市)이다.

53 편수관…중서사인(中書舍人)이라는데: 이 부분은 『연대재유록』에서는 기윤이 한 말로 나오는데, 여기서는 박제가가 한 말처럼 되어 있다. 편찬 과정에서 필담에 다소 착오가 생긴 듯하다. 이정원은 1791년(건륭 56) 한림원의 시험에서 4등에 들어 내각중서사인이 되었다. 『고종순황제실록』(高宗純皇帝實錄) 권1272, 1791년 2월 13일 기사에 보인다.

54 서울로 돌아와 있는지요: 1800년 이정원은 유구부사에 임명되어 유구에 방문하였다. 본서 65면 각주 22번 참조.

55 이미 알고 있습니다: 이 부분은 『연대재유록』에서는 기윤의 말로 "已亡矣"라 하여 이기원이 이때 이미 사망하였음을 설명한 것으로 되어 있다. 여기서는 박제가가 "已知矣"라 하여 이기원이 기윤의 문인임을 이미 알고 있다는 뜻으로 썼다. 위와 마찬가지로 필담에 얼마간 착간이 생긴 듯하다. 이기원은 1799년에 사망하였다.

입니다.

선군 이소원은 아직도 성도에 있으면서 뜻을 얻지 못하고 있는지요?

기윤 노래하는 기생을 뽑아 산수를 유람하며, 아울러 시화(詩話) 몇 권을 지으면서 몹시 잘 지낸다고 합니다.

선군 옹공은 이미 홍려시(鴻臚寺)에 있으면서[56] 동릉(東陵)[57]에서 사명(使命)을 받들고 있더군요.

기윤 세형(世兄)[58] 옹공은 한림(翰林)으로 있다가 형부(刑部)로 직책이 변경되었고, 이번 회시(會試)에서 분방(分房)의 책임[59]을 맡았습니다.

선군 좨주(祭酒) 위겸항(韋謙恒)의 시는 어떤지요?

기윤 이 사람은 저의 문인입니다. 그는 문장이 시보다 낫지요. 그 아들은 삼례(三禮)에 대한 조예가 깊어서 능히 그 아버지의 학문을 전할 만합니다.

선군 그 사위에 공협(龔協, 1751~?)이란 사람이 있는데, 또한 시로 이름이 알려져 있습니다. 잘못 걸려들어 귀양 가 있다는데, 대체 무슨 일인지요?

---

56 옹공은…있으면서: 옹방강은 1801년 당시 홍려시경(鴻臚寺卿)으로 있었다. 홍려시(鴻臚寺)는 조공(朝貢)·내빙(來聘)·흉의(凶儀)·사묘(祠廟)의 일을 관장하는 관서다.

57 동릉(東陵): 청(淸) 태조(太祖)의 능. 심양(瀋陽) 동쪽 외곽에 있다. 복릉(福陵)이라고도 한다.

58 세형(世兄): 대대로 교분이 있는 집안의 동년배(同年輩)를 부르는 경칭이다.

59 분방(分房)의 책임: 고시관(考試官)을 맡았음을 이른다. 분방은 과거에서 응시소를 여러 개로 나누는 것이다. 청대에는 남위(南闈)와 북위(北闈)의 동고관(同考官)을 모두 18방으로 나누어 시권(試卷)을 심사하는 책임을 맡겼다.

기윤 그는 공 예부(龔禮部)[60]의 아들이고, 왕어양(王漁洋)의 외증
손(外曾孫)인데, 알아보니 당편(撞騙)[61]으로 죄를 얻었다더군
요."

선군 비부(比部)[62] 손성연(孫星衍)은 지금도 연경에 있습니까?

기윤 연여(淵如)[63]는 도원(道員)[64]으로 외직에 나갔는데, 현재는 부
모의 상중에 있답니다.

선군 그는 몹시 해박하고 고아하며, 소전(小篆)을 잘 쓴다지요.

기윤 이 사람은 학문과 문장이 모두 단서(端緖)가 있는데, 산동(山
東)으로 관리가 되어 갔을 때도 또한 청렴하다는 이름이 있었
답니다.

선군 중서(中書) 손형(孫衡)은 연경에 있는지요?

기윤 그는 손 중당(孫中堂)[65]의 아들입니다. 선생께서 그를 어떻게
아시는지요?

선군 일찍이 경술년(1790)에 길에서 만났을 때 이름과 성을 직접
말해 주었습니다.

선군 소주칠자(蘇州七子)의 명단을 들어 볼 수 있을까요?

기윤 이는 예당(禮堂) 왕명성(王鳴盛)[66]과 신미(辛楣) 전대흔(錢大

---

60 공 예부(龔禮部): 공염(龔廉)을 이른다.
61 당편(撞騙): 관리가 거짓으로 속여 백성의 재물을 가로채는 것을 말한다.
62 비부(比部): 형부(刑部).
63 연여(淵如): 손성연의 자. 본서 71면 각주 44번 참조.
64 도원(道員): 청대에 한 성(省)을 구성하는 각각의 도(道)를 관장하던 관직이다.
65 손 중당(孫中堂): 손사의(孫士毅, 1720~1796)를 말한다. 자가 지치(智冶), 호는 보산(補
山)으로, 절강 인화현(仁和縣) 임평진(臨平鎭) 사람이다. 중당(中堂)은 재상의 직임을 이르는
말로, 그가 병부상서와 예부상서를 지냈으므로 이렇게 부른 것이다.
66 왕명성(王鳴盛): 1722~1798. 청나라 강소(江蘇) 사람. 자는 봉계(鳳階)이며, 예당(禮堂)

昕)[67]이 함께했던 모임입니다. 그중에 훌륭한 선비가 많았는데, 또한 명성을 좋아하는 자도 그 사이에 붙기도 하였답니다. 하지만 지금은 아무도 이를 말하지 않습니다.

선균 전대흔이 지은 『이십삼사간오』(二十三史刊誤)[68]는 전본(傳本)이 있던데, 이미 완질을 이루었는지요? 예전에 보니 그의 아들 동벽(東壁)은 아주 젊은데도 지혜로웠습니다.

기윤 소주칠자의 모임에서는 오직 왕공과 전공 두 사람만 실답게 공부했고, 다른 이들은 모두 빌붙은 사람들일 뿐입니다. 두 사람은 모두 저와 같은 해에 등과했지요. 전신미의 아들 전동벽은 재주가 또한 취할 만합니다만, 조카인 전동원(錢東垣)[69]이 능히 그 가학을 이을 만한 것에는 아직 미치지 못합니다. 동원은 새로 향시에 선발되었답니다.

선균 선생께서 오래 앉아 계셔서 불편하실 테니, 물러나 아드님과 손주와 더불어 한차례 대화하기를 청합니다. 또한 다음 세대로 우호를 이으려는 것입니다.

은 그의 호이다. 건륭 19년(1754)에 진사가 되었고, 내각학사겸예부시랑(內閣學士兼禮部侍郞)을 역임했다. 사학(史學)과 경학(經學)에 정통했다. 『상서후안』(尙書後案), 『십칠사상각』(十七史商權) 등을 저술하였다.

67　전대흔(錢大昕): 1728~1804. 청나라 강소성 사람. 자는 효징(曉徵)이며, 신미(辛楣)는 그의 호이다. 건륭 19년에 진사가 되어 벼슬이 사부소첨사(事府少詹事)에 이르렀다. 특히 사학에 해박하였다. 대표적인 저술로 『십가제양신록』(十駕齊養新錄)이 있다.

68　『이십삼사간오』(二十三史刊誤): 중국의 역대 정사(正史)를 고증한 『이십이사고이』(二十二史考異)를 말하는 듯하다.

69　전동원(錢東垣): 1768~1823. 자가 기근(旣勤), 호는 역헌(亦軒)으로, 강소(江蘇) 사람이다. 전대소(錢大昭)의 아들이자, 전대흔의 조카이다. 동생 전역(錢繹)·전동(錢侗)과 함께 '삼봉'(三鳳)으로 불렸다. 가경 3년(1798) 거인이 되어, 절강의 송양지현(松陽知縣)과 상우지현(上虞知縣)을 역임했다.

기윤 이들은 모두 못나서 대현(大賢)께서 함께 어울리기에는 부족
합니다.

字曉嵐, 或稱曉巒. 河間獻縣人. 乾隆十二年丁卯解元, 十九年甲戌二甲第
四名進士, 改庶吉士. 甲辰充副考官. 先是未傳臚前, 在董文恪公邦達 邦達
字孚存, 號東山, 富陽人. 癸丑進士, 改庶吉士, 由編修官, 至吏部右侍郎. 取法元人, 善用枯筆,
句勒皴擦, 多逸致. 近又參之董巨. 天姿旣高, 好古復篤, 自然超軼. 家, 遇浙士云能測字.
昀書一墨字, 浙士曰:"龍頭不屬君矣. 墨字坼之, 爲二甲下作四點, 其二
甲第四乎. 然必入翰林. 四點庶字, 脚土吉字頭, 是庶吉士矣."榜後果然.
丁丑散館, 授編修, 歷翰林院侍讀學士. 庚辰主試山西. 戊子秋, 以兩淮鹽
運使盧見曾侵帑事發, 牽連革職, 遣戍烏魯木齊, 卽二十年平定伊犁, 所設
鎭西府之新疆也. 昀學問淵博, 考証精詳, 至是益得擴其見聞, 俱見所著如
是我聞中. 昀在烏魯木齊, 不四年, 以辛卯六月, 釋放還京. 先是穭讞時,
獄頗急, 以一軍官伴守, 一董姓軍官云能坼字, 昀卽書董字使坼, 曰:"公
遠戍矣. 是千里萬里也."昀又書名字, 董曰:"下爲口字上爲外字偏傍, 是
口外矣. 日在西爲夕, 其西域乎."問:"將來得歸否."曰:"字形類君, 亦
類召, 必賜環也."問:"在何年?"曰:"口爲四字之外圍, 而中缺兩筆, 其
不足四年乎. 今年爲戊子, 至四年爲辛卯. 夕字卯之偏傍, 亦相合也."至
是果驗. 旋起復, 官翰林侍讀, 提督福建學政, 陞兵部侍郎. 三十八年, 命
開四庫全書館, 校定永樂大典, 訪購天下奇書, 欽定爲四庫全書. 以昀博
學, 命與庶子陸錫熊 錫熊號耳山. 爲摠纂. 昀進書一百餘種, 賞內府初印佩
文韻府一部. 又奉命作四庫全書目錄, 凡所擬序跋, 皆出其手. 其考訂最爲
核博, 其謝摺四六, 猶爲流麗華贍, 乾隆甚重之. 時昀雖領部務, 而四庫全

書摠纂, 獨任其責, 錫熊但列名, 不贊一詞也. 一日兵部有失察事件, 堂官例應議職名, 昀與焉. 議上, 乾隆曰: "紀昀乃一腐儒, 兼辦四庫全書. 不能常至兵部. 爾各堂官在兵部, 所辦何事?" 乃議處各堂官, 寬免紀昀. 先昀有住宅在正陽門外豬市口. 宅門掛解元扁. 至是尙書彭元瑞謂昀曰: "公扁可換矣." 問換何語, 曰: "欽定腐儒." 聞者絶倒. 其侍姬沈氏字明玕, 長洲人. 神思朗徹, 殊不類小家女. 常私語其姊[70]曰: "我不能爲田家婦, 高門華族. 又不必以我爲婦, 庶幾其貴家媵乎?" 其母微聞之, 竟如其志. 性慧黠, 初僅識字, 隨紀檢點圖籍, 遂知文義, 亦能以淺語成詩. 年僅三十, 臨終以小照付其女,[71] 口誦一詩云: "三十年來夢一場, 遺容手付女收[72]藏. 他時話我平生事, 認取姑蘇沈五孃." 方病劇時, 紀適侍直圓明苑,[73] 宿海淀槐西老屋. 夢中怳見沈姬珊珊來寓所, 以爲結念所致. 旣而歸聞沈姬是夕暈絶, 移二時乃蘇,[74] 語母曰: "適夢至海淀寓所, 有大聲如雷霆, 因而驚醒." 紀憶是夕, 果壁上掛瓶繩斷墮地, 始悟其生魂果至也. 紀後竟至文淵閣直學士, 禮部尙書卒. 尙書謂柳公泠齋曰: "拜讀尊集, 天骨秀拔, 與而后先生一時之瑜亮也. 昨與而后先生集俱品, 以味含書卷, 語出性靈, 不勝佩服之至." 泠齋記曰: "尙書年位俱邵, 而余與次修同訪, 恪執賓主之禮, 談討竟日. 後數日, 命駕到館, 問兩檢書在否, 値余輩出遊, 留刺而去, 館中爲之動色." 先君懷曉嵐詩曰: "曉嵐今龍門, 胸涵四庫富. 瀋陽說鬼桒, 鬼亦嘲學究. 推轂戴東原, 遺書爲我購." 又續懷詩曰: "執贄由來遍九州, 雞林

70 姊: 『호저집』원문에는 "娣"로 되어 있으나, 『열미초당필기』에 따라 바로잡는다.
71 女: 『호저집』원문에는 "女奴"로 되어 있으나, 『열미초당필기』를 따른다.
72 收: 『호저집』원문에는 "奴"로 되어 있으나, 『열미초당필기』에 따라 바로잡는다.
73 苑: 『열미초당필기』에는 "園"으로 되어 있다.
74 移二時乃蘇: 원문은 "移時乃蘇"로 "二"가 없으나, 『열미초당필기』에 따라 바로잡는다.

弟子亦蒙求. 飜驚歲暮懷人作, 玉井珠泉萬斛流." 又燕京雜絶云: "紀公三達尊, 乙巳千叟一. 奚取於我哉, 秊秊寄文筆." ^{筆談附下}.

紀	別來渴憶, 亦復相同禮官, 職典屬國, 例得相見, 此又不以外交論也. 頃在乾淸宮奏知貴國使來, 有旨明日准瞻仰.
先君	灤陽銷夏錄, 及他盛什等, 身可以一寓鄙目, 誠慰渴望.
紀	近有人合刻五部爲一編, 稍遲取來, 可以奉贈請敎.
先君	如弇州四部之類.
紀	共五種耳.
先君	大約語類類編等卷, 外此如讀書記, 載在簡明書目. 可以卽地見過否?
紀	此皆通行之書, 而邇來風氣趨爾雅說文一派. 此等書, 遂爲坊間所無, 四處託人購之, 略有着落矣.
先君	如白田雜錄?
紀	白田雜著, 本寒家之本, 一入官庫, 遂不可得. 幸王懋竑有文集, 此書刻入其中, 亦託人向⁷⁵鎭江府刷印也. 此數書摠得求之其家中, 又多在南方, 故求之不易. 受託之人, 又以爲不急之物, 可以緩求. 故悠忽遂至今也. 前者已標以催諸友, 大抵有則必有, 但不能一呼立應耳.
先君	琉球使臣已回否? 李編修鼎元, 此時官中書舍人, 回在京師否?
紀	已回. 其弟驥元, 敝門人也.
先君	已知矣.

---

75 向: 『호저집』 원문에는 "間"으로 되어 있으나, 『연대재유록』에 따라 바로잡는다.

紀	初次謝恩使, 皇上留之, 入大禮, 現在貢使. 昨午已到, 大約與貴國使臣同預慶宴也.
先君	李調元尙在成都, 落魄否?
紀	徵歌選妓, 玩水游山, 兼作詩話若干卷, 甚得意也.
先君	翁公已以鴻臚, 奉使東陵.
紀	翁世兄由翰林改刑部. 此次會試分房.
先君	韋祭酒謙恒詩何如?
紀	此敝門人也. 其文勝其詩, 其子邃于三禮, 能傳父學.
先君	其女婿有龔協亦詩聞, 罣誤在謫, 的是何事?
紀	此龔禮部之子, 王漁洋之外曾孫, 究以撞騙[76]獲罪.
先君	比部孫星衍尙在京?
紀	淵如外轉道員, 現在丁憂.
先君	他甚博雅, 善小篆.
紀	此公學問文章, 皆有端緒, 作官山東, 亦有淸名.
先君	孫中書衡, 在京師否?
紀	此孫中堂之子也. 先生何以識之?
先君	曾在庚戌道上相逢, 自稱名姓.
先君	蘇州七子之目, 可得聞歟?
紀	此王禮堂錢辛楣之同社也. 中多佳士, 亦有好名者, 附其間, 今已無人道之矣.
先君	辛楣所著廿三史刊誤, 有傳本, 已成完帙否? 曾見其子東壁, 甚少而慧.

76　撞騙: 『호저집』 원문에는 "憧編"으로 되어 있으나, 『연대재유록』에 따라 바로잡는다.

紀	七子社, 惟王錢二公爲寔學. 他皆依草附木耳. 二公皆敝同年
	也. 辛楣之子東壁, 才亦可取, 尙不及其姪東垣, 能世其家學.
	東垣新擧於鄕.
先君	先生久坐不便, 請退與令郞令孫一暢, 亦繼世好耳.
紀	此皆豚犬, 不足仰扳[77]大賢也.

옹방강

翁方綱, 1733~1818

자가 정삼(正三), 호는 담계(覃溪)이다. 순천부(順天府) 대흥(大興) 사람이다. 건륭 임신년(1752)에 과거에 급제하여, 벼슬이 내각학사겸예부시랑을 지냈다. 학문이 깊고 서법(書法)에 능하였다. 필의(筆意)가 거침이 없는데다 바른 법도를 깨달아 얻었다. 집에 석묵루(石墨樓)가 있어 양한(兩漢)의 금석문(金石文)을 수장해 두었는데, 기둥과 천장까지 가득 찼다. 성품이 소동파를 애호하여 스스로 소재학인(蘇齋學人)이라고 일컫고, 그 방에는 '보소재'(寶蘇齋)란 편액을 걸었다. 평소에도 늘 소동파의 세 가지 초상화를 걸어 놓았다.

선군의 「시랑 옹방강에게 부치다」[78]란 시는 이렇다.

---

77 扳: 『호저집』 원문에는 "拔"로 되어 있으나, 『연대재유록』에 따라 바로잡는다.
78 「시랑 옹방강에게 부치다」: 『정유각집』 시집 권3에 실려 있다.

우뚝이 금석문은 세상에서 빼어나고　　　　　蕭然金石出風塵

긴 노래 붓 떨구면 구절마다 신묘하네.　　　　落筆長歌句有神

나도 몰래 청담(淸談)이 한 격조 높아지니　　　不覺淸談高一格

소재(蘇齋) 선생 문하에서 향 피운 사람일세.　蘇齋門下瓣香人

또 「『낙엽시첩』(落葉詩帖) 시에 차운하다」[79]란 시는 이렇다.

그대 시에 붉은빛 줄지 않음 사랑하나　　　　愛汝題詩不減紅

다정하매 도리어 동과 서로 흩어지네.　　　　多情還是各西東

어이해야 왕유(王維)의 바위로 변하여서　　　何由化作王維石

만 리의 바람 타고 동쪽으로 떨어질까.[80]　　吹落扶桑萬里風

또 「옹담계를 그리며」[81]라는 시는 이렇다.

담계 선생 홍조(洪趙)[82]의 무리이거니　　　　覃溪洪趙流

금석문의 세세한 것 궁구하였지.　　　　　　金石窮錙銖

섣달이라 19일 생일날에는　　　　　　　　　臘月日十九

---

79 「『낙엽시첩』(落葉詩帖) 시에 차운하다」: 『정유각집』 시집 권3에 실린 「옹담계의 『낙엽시첩』 시운에 차운하다」(次韻翁覃溪落葉詩帖)이다.

80 어이해야…떨어질까: 왕유의 시 「장난삼아 반석에 제하다」(戱題磐石)에 "봄바람이 내 마음을 몰라준다 말한다면, 어이하여 꽃잎을 불어서 보내오나"(若道春風不解意, 何因吹送落花來.)란 구절이 있다. 반석이 되어 바람에 실려 온 옹방강의 낙엽 시를 받아 보고 싶다는 뜻이다.

81 「옹담계를 그리며」: 『정유각집』 「회인시. 장심여의 시를 본떠 짓다」 중 제3수 「옹담계 방강」(翁覃溪方綱)이다.

82 홍조(洪趙): 홍양길(洪亮吉)과 조익(趙翼)의 병칭이다. 이들은 모두 금석학에 조예가 깊었다.

향을 살라 염소(髥蘇)[83]께 제사 드리네.　　　　　　辨香祭髥蘇

날 이끌어 청비각(淸閟閣)[84]에 오르게 하니　　　　　引我上淸閟

높은 모임 문수(文殊)도 참여했었지.[85]　　　　　　高會參文殊

또 「속회인시」[86]는 이렇다.

담계학사 옹방강은 소동파에 벽이 있어　　　　　　覃溪學士癖於蘇

거처에 언제나 〈입극도〉(笠屐圖)를 걸었다네.[87]　　燕處長懸笠屐圖

구불구불 사람이 금석 속을 지나가니　　　　　　　宛轉人行金石裏

아홉 굽이 구슬을 개미가 뚫는 듯해.[88]　　　　　恰如九曲蟻穿珠

83 염소(髥蘇): 소식(蘇軾)의 별칭으로, 구레나룻이 많았기에 붙은 이름이다. 옹방강은 평소에 소식을 좋아하여 소식의 초상화를 걸어 두었으며 스스로를 소재(蘇齋)라 칭했고, 학인들은 그 집에 '보소재'란 편액을 걸어 두었다. 12월 19일은 소동파의 생일인데, 이날에는 여럿이 모여 소동파의 제사를 지냈다.

84 청비각(淸閟閣): 명말청초의 산수화가 예운림(倪雲林)의 집에 청비각이 있었는데, 깊고 아늑하여 속세의 티끌이 없었다. 그 안의 수천 권 서책은 모두 그가 손수 교정한 것이었고, 경사에서부터 불교와 노장의 글까지 모든 서책을 매일 읊조리곤 했다. 그 집 안에는 옛날 정이(鼎彝)와 명금(名琴)이 좌우에 널려 있고, 송계난죽(松桂蘭竹)이 집 주위에 빙 둘러 있었다. 집 밖에는 높은 나무와 긴 대나무들이 울창하게 깊은 숲을 이루고 있었다. 비가 그치고 바람이 자면 그는 지팡이와 신발을 끌고 그 주위를 마음대로 산보하면서 때로 시구를 읊조리며 즐겼다. 그래서 그것을 보는 사람들이 그가 세속을 벗어난 사람이라는 것을 알았다. 『하씨어림』(何氏語林)에 보인다. 여기서는 옹방강의 서재를 가리킨다.

85 문수(文殊)도 참여했었지: 당시 모임에 함께 갔던 나빙이 호를 '화지사승'(花之寺僧)이라 하였으므로 나빙을 문수보살에 견준 것이다.

86 「속회인시」: 『정유각집』「속회인시」 중 제3수 「옹담계 방강」(翁覃溪方綱)이다.

87 거처에…걸었다네: 〈입극도〉(笠屐圖)는 〈동파입극도〉(東坡笠屐圖)로, 소동파가 삿갓과 나막신 차림으로 비를 피하는 모습을 그렸다. 소동파를 존숭했던 옹방강은 이 그림을 자신의 거처에 걸어 두었는데, 훗날 김정희와 신위도 이를 흉내 내어 같은 그림을 걸어 두었다.

88 아홉…뚫는 듯해: 원문의 "蟻穿珠"는 개미허리에 비단실을 묶어 놓고 반대편에 꿀을 발라 구불구불한 구멍이 난 구슬을 쉽게 꿰었다는 고사에서 나온 말이다. 여기서는 옹방강이 서재에 가득 쌓인 서책 사이로 구불구불 걸어가는 모습을 빗대었다.

또 「연경잡절」에서 "금석문은 정삼옹 옹방강이요"(金石正三翁)라는 구절이 있다.

字正三, 號覃溪, 順天大興人. 乾隆壬申科擧, 官內閣學士兼禮部侍郎. 學問窮邃, 善書法. 筆意縱橫, 透得正眼. 家有石墨樓, 藏兩漢金石, 充棟溢宇. 性愛蘇, 自稱蘇齋學人. 扁其室曰寶蘇齋. 平居長懸東坡三像. 先君寄翁侍郎詩曰: "蕭然金石出風塵, 落筆長歌句有神. 不覺淸談高一格, 蘇齋門下瓣香人." 又次其落葉詩卷曰: "愛汝題詩不減紅, 多情還是各西東. 何由化作王維石, 吹落扶桑萬里風." 又懷覃溪詩曰: "覃谿洪趙流, 金石窮錙銖. 丑月日十九, 瓣香祭髥蘇. 引我上淸閟, 高會參文殊." 又續懷詩曰: "覃溪學士癖於蘇, 燕處長懸笠屐圖. 宛轉人行金石裏, 恰如九曲螘穿珠." 又燕京雜絶云: "金石正三翁."

오성흠

吳省欽, 1729~1803

자는 충지(沖之)이고, 호가 백화(白華)이니, 강소(江蘇) 남회(南匯) 사람이다. 건륭 계미년(1763)에 진사가 되었고, 임인년(1782)에 호북(湖北)의 제독학정(提督學政)이 되었다. 일강기거주관(日講起居注官)과 한림원시독학사(翰林院侍讀學士)를 지냈다. 그 선대가 휴녕(休寧)에서 단도(丹徒)로 옮길 때 강주(江洲) 길을 따라서 왔다. 뒤에 그곳을 피해 상해(上海)의 하사진(下沙鎭)에 집을 정해, 마침내 강소 사람이 되었다.[89]

부친은 오성구(吳成九)이니, 자가 화중(和仲)이요 경암(耕巖)이라고도 한다. 어려서부터 재주가 빼어났다. 일찍이 겨울에 마을 서당으로 가다가 물에 빠졌는데, 물 밑바닥에 닿자 눈을 감고 손으로 좌우를 더듬어 미처 베지 않은 갈대 하나를 잡고는, 이를 당겨 올라와 마침내 아무 탈이 없었다. 젊어서 시험에 응시하여 여러 번 높은 등수를 얻었으나 번번이 떨어지자, 더욱 바탕이 되는 공부에 힘을 쏟았다. 밤에는 경전과 역사를 익히고, 낮에는 학생들을 가르쳤다. 시에 있어서는 도연명(陶淵明)을 본받았고, 사(詞)는 소식(蘇軾)과 신기질(辛棄疾)[90]을 배웠으며, 글씨는 이북해(李北海)[91]를 따랐다. 조부는 증(贈) 통의대부 일강기거주관 한림원시독학사(通議大夫日講起居注官翰林院侍讀學士) 오계수(吳啓秀)로, 자가 오주(迃疇)다. 증조부는 강희 경오년(1690)에 부방(副榜)에 합격하여 후선교유(候選敎諭)를 지낸 증(贈) 통의대부 일독기거주관 한림원시강학사(通議大夫日讀起居注官翰林院侍講學士) 오수(吳燧)로, 자는 번선(蕃宣)이다.

오성흠은 누대에 걸친 바른 학문을 바탕으로 주(奏)와 부(賦)로 관직

---

89 그 선대가…되었다: 이하 오성흠 집안의 내력에 대한 내용은『백화전고』(白華前稿) 권23에 실린 「선고경암부군선비고태숙인묘판문」(先考耕巖府君先妣顧太淑人墓版文)에서 발췌한 것이다.

90 신기질(辛棄疾): 1140~1207. 남송의 문인으로 자가 유안(幼安), 호는 가헌(稼軒)이다. 호방사인(豪放詞人)의 1인자로, 소동파와 더불어 소신(蘇辛)으로 불렸다. 북송의 유영(柳永)·주방언(周邦彦), 남송의 강기(姜夔)와 더불어 사대사인(四大詞人)으로 일컬어지기도 한다.

91 이북해(李北海): 성당(盛唐) 시기의 문인 이옹(李邕, 675~747). 천보 연간에 북해(北海)의 태수를 지낸 까닭에 이북해라고도 부른다. 행서(行書)에 능하여 이왕(二王)의 서법을 계승·발전시켰다.

을 제수 받았다. 조고(朝考)[92]와 대고(大考)[93]에서부터 향시[94]에 이르기까지 여러 번 1등에 뽑혔다. 무술년(1798) 봄에 촉 땅에서 서울로 돌아오니, 건륭제가 하문하였다.

"네 아우가 문장에 능하니, 네 글도 마땅히 나쁘지 않겠구나."

무릇 응봉문자(應奉文字)[95]로 당시에 일컬어졌다. 특별히 고문(古文)을 잘하였다. 저서에 『백화전고』(白華全稿) 몇 권이 있다.

선군의 「백화를 그리는 시」[96]에서 이렇게 말했다.

왕완(汪琬)[97]이 죽은 뒤 백 년 지나자	汪琬死百年
중원에는 고문이 사라졌다네.	中原無古文
우뚝하다 순천부윤(順天府尹) 오성흠은	崢嶸順天尹
명성 이어 부지런함 말들 하누나.	嗣響亦云勤
그대여 어리다고 가볍게 여기지 마소	君莫輕叔子

---

92 조고(朝考): 청나라 때 새로 합격한 진사들을 대상으로 치르는 전시(殿試). 본서 37면 각주 42번 참조.

93 대고(大考): 청나라 때 한림원시독학사(翰林院侍讀學士) 이하 관리들을 대상으로 시행한 시험이다. 우수한 성적을 거둔 자는 승진을 시켰으나, 그렇지 않으면 처벌을 받거나 좌천되기도 하였다.

94 향시: 원문의 "시차"(試差)는 대개 향시의 시관(試官)을 이르나, 여기서는 오성흠이 1757년 (건륭 22)에 응한 소시(召試)를 이른다.

95 응봉문자(應奉文字): 한림원의 관직인 응봉한림문자(應奉翰林文字)를 줄여서 부르는 말이다. 오성흠이 한림원시독학사를 지냈기 때문에 이렇게 부른 것이다.

96 「백화를 그리는 시」: 『정유각집』 「회인시. 장심여의 시를 본떠 짓다」 중 제6수 「오백화 성흠」(吳白華省欽)이다.

97 왕완(汪琬): 1624~1691. 명말청초 시기의 문인. 자가 초문(苕文), 호는 둔암(鈍菴)·요봉(堯峯)이다. 강남 장주(長洲) 사람으로, 순치 12년(1655)에 진사가 되었다. 강희 연간에 한림원편수를 역임하며 『명사』(明史) 편찬에 참여하였으나, 얼마 뒤 사직하고 경학에 전념하였다. 예악에 밝고 시를 잘 지어 왕사정(王士禎)에 이름을 견주었다. 저서에 『고금오복고이』(古今五服考異)·『둔옹유고』(鈍翁類稿)·『요봉시문초』(堯峯詩文鈔) 등이 있다.

이 사람은 함부로 논할 수 없네.   斯人未易論

字沖之, 號白華. 江蘇南匯人. 乾隆癸未進士, 壬寅提督湖北學政, 日講起
居注官, 翰林院侍讀學士. 其先自休寧遷丹徒, 順江洲. 後避地, 家上海之
下沙鎭, 遂爲江蘇人. 父成九, 字和仲, 一字耕巖. 幼而俊爽. 嘗冬日就村
塾墜水, 及水底閉目, 以手左右撩, 得一葦未刈者, 緣而上, 竟無恙. 少試
累高等而屢擯, 益務根柢之學, 夜肆經史, 晝課生徒. 於詩法陶, 於詞法蘇
辛, 於書法李北海. 祖贈通議大夫日講起居注官翰林院侍讀學士啓秀, 字
逗疇. 曾祖康熙庚午副榜候選敎諭贈通議大夫日讀起居注官翰林院侍講學
士燧, 字蕃宣. 省欽, 席累世之學誼, 以奏賦授官, 自朝考大考, 至試差累
第一. 戊戌春, 自蜀返京, 乾隆垂問曰: "爾弟能文, 爾文當不惡." 凡應奉
文字稱於時, 尤工古文. 著有白華全稿若干卷. 先君懷白華詩曰: "汪琬死
百年, 中原無古文. 崢嶸順天尹, 嗣響亦云勤. 君莫輕叔子, 斯人未易論."

오성란

吳省蘭, 1738~1810

자는 천지(泉之), 호가 직당(稷堂)이니, 오성흠의 아우이다. 건륭 무술년
(1778)에 진사가 되어 한림원편수·문연각교리(文淵閣校理)를 지냈다.
국자감조교(國子監助敎)로 있을 때 금천토사(金川土司)[98]를 평정하는

잠(箴)을 지으니 천자가 몹시 칭찬하였다. 『십국궁사』(十國宮詞)와 『주어고존』(奏御稿存)을 지었다.

선군께서 「직당을 그리며」[99]에서 이렇게 말했다.

직당은 특별한 재주가 있어	稷堂有別才
글 지음에 짜임새가 뛰어나다네.	纂述工組鏤
열 나라의 궁사(宮詞)를 지어냈는데	裁成十國詞
붓끝에 정화로움 온통 모였네.	精華筆端湊
그대의 각첩(閣帖)[100] 발문 사랑하노니	憐君閣帖跋
예전 나의 글씨 견해와 딱 맞는다네.	符余論書舊

字泉之, 號稷堂, 省欽弟也. 乾隆戊戌進士, 官翰林院編修, 文淵閣校理. 爲國子助敎時, 撰平定金川土司箴, 爲天子激賞. 著十國宮詞奏御稿存. 先君懷稷堂詩曰: "稷堂有別才, 纂述工組鏤. 裁成十國詞, 精華筆端湊. 憐君閣帖跋, 符余論書舊."

---

98 금천토사(金川土司): 금천(金川)은 지금의 사천성(四川省) 아바장족창족자치주(阿壩藏族羌族自治州) 지역이며, 토사(土司)는 변방의 토만(土蠻)을 담당하는 벼슬의 호칭이다. 건륭제는 1747년(건륭 11)·1776년(건륭 41) 두 차례에 걸쳐 대·소금천(大小金川)에 웅거하던 장족(藏族)을 평정, 복속시켰다.
99 「직당을 그리며」: 『정유각집』「회인시. 장심여의 시를 본떠 짓다」중 제7수 「오직당 성란」(吳稷堂省蘭)이다.
100 각첩(閣帖): 『흠정중각순화각첩』(欽定重刻淳化閣帖)을 말한다.

진숭본

陳崇本, 1755~?

자는 정양(井養) 또는 백공(伯恭)이라고도 하니, 하남(河南) 상구(商邱)
사람이다. 벼슬이 일독기거주관(日讀起居注官)과 한림원시강학사(翰林
院侍講學士)를 지냈다. 집이 미시호동(米市衚衕)[101] 서쪽에 있었다.

　선군의 「정양을 그리며」[102]는 이렇다.

강관(講官)이라 귀가가 항상 늦으니	講官恒晚歸
얘기 길면 객이 벌써 재촉한다네.	語長客已催
굽은 회랑 주변은 변함이 없고	依依曲廊畔
쌓인 바위 홰나무에 기대섰구나.	壘石依疎槐
그대가 마음 쏟아 날 맞아 주니[103]	君爲下榻人
맑은 회포 간절히 귀 기울이네.	我切聽蟬懷

　또 「속회인시」[104]에서는 이렇게 말했다.

101　미시호동(米市衚衕): 북경 원선무구(原宣武區) 동남쪽에 있는 거리. 명대에 조성되었다.
예전에 쌀 시장이었기 때문에 미시(米市)라는 이름이 붙었다. 청대에 관료들이 다수 거주하는
곳이었다.
102　「정양을 그리며」: 『정유각집』 「회인시. 장심여의 시를 본떠 짓다」 중 제8수 「진정양 숭본」
(陳井養崇本)이다.
103　그대가…맞아 주니: 원문의 "하탑"(下榻)은 손님을 특별히 예우함을 뜻한다. 동한(東漢)
의 진번(陳蕃)이 남창태수(南昌太守)로 있을 때, 걸상 하나를 걸어 두었다가 당시의 은사(隱
士) 서치(徐穉)가 오면 이것을 내려서 앉게 함으로써 우대했다고 한다. 『후한서』(後漢書) 권53
「서치열전」(徐穉列傳)에 보인다.

백년의 문헌이 상구(商邱) 땅에 속했는데 百年文獻屬商邱

관각의 진룡(陳龍)[105]은 머리털이 또 검다네. 館閣陳龍又黑頭

개성 연간 진적[106]이 좋은 것을 아끼나니 最愛開成眞蹟好

그댈 위해 새롭게 석경루를 지었구려. 爲君新起石經樓

또「연경잡절」[107]에서는 이렇게 말했다.

미시(米市)의 거리를 잊지 못하니 難忘米市街

진숭본 집 회화나무 크기도 했지. 老大陳家槐

초죽(楚竹)으로 만든 황색 그릇 선물로 주니 楚竹翻黃器

안 준대도 마음에 품을 만해라.[108] 匪貽伊可懷

字井養, 一字伯恭, 河南商丘人. 官曰讀起居注官翰林院侍講學士. 家在米市衚衕西. 先君懷井養詩曰: "講官恒晚歸, 語長客已催. 依依曲廊畔, 壘石依疎槐. 君爲下榻人, 我切聽蟬懷." 又續懷詩曰: "百年文獻屬商邱, 館

104 「속회인시」:『정유각집』「속회인시」중 제7수「진백공 숭본」(陳伯恭崇本)이다.
105 진룡(陳龍): 진숭본이 관각에서 젊은 나이에 뛰어난 위치를 차지했음을 용에 빗대어 말한 것이다.
106 개성 연간 진적: 원문은 "개성진적"(開成眞蹟)으로, 당 문종(唐文宗) 때 만든 석경(石經)이다. 태화(太和) 7년(833)에 시작하여 개성(開成) 2년(872)에 완성해 장안의 태학에 두었다. 현존하는 석경 중 가장 오래된 것으로, 서가(書家) 사이에서 귀중한 자료로 여긴다.
107 「연경잡절」:『정유각집』「연경잡절」중 제25수이다.
108 초죽(楚竹)으로…품을 만해라: "黃器"란 반황색 문방 상자로, 박제가가 진숭본에게 받은 물건이다.『정유각집』의 시 아래 달린 주석은 이렇다. "학사 진숭본의 집은 미시호동의 서쪽에 있었는데, 나에게 반황색 문방(文房) 상자 하나를 주었다."(陳崇本學士家在米市街衚衕西, 贈余反黃文房一函.)

閣陳龍又黑頭. 最愛開成眞蹟好, 爲君新起石經樓." 又燕京雜絶云:"難忘
米市街, 老大陳家槐. 楚竹翻黃器, 匪貽伊可懷."

나빙
羅聘, 1733~1799

자가 양봉(兩峯)이니, 강도(江都) 광릉(廣陵) 사람이다. 천녕문(天寧
門)[109] 안쪽의 미타항(彌陀巷)[110]에 살았는데, 그 집의 편액을 '주초시
림'(朱草詩林)이라 했다. 한번은 꿈에 어떤 사람이 그에게 "그대는 전생
에 화지사(花之寺)의 승려였다"라고 하였다. 인하여 호를 화지사승(花之
寺僧)이라고 했다. 시를 잘 지었고 그림에도 능하였다. 눈동자가 푸른 빛
이어서 귀물(鬼物)을 잘 보았다.

젊어서 초산(焦山)[111]에서 글을 읽다가 거대한 귀신을 보았는데, 너무
길어서 몇 길이나 되는지조차 헤아릴 수 없었다. 오른손의 손톱으로 머
리카락을 쥐어뜯으며 괴로운 얼굴을 드러내고 있었는데, 마치 항아리 주
둥이에서 피를 뿜어내는 것 같았다. 머리카락은 길이가 몸뚱이와 같았
다. 왼팔은 뻗은 것이 산 절반에 닿았고, 양발이 강을 건너고 있었다. 온

---

109 천녕문(天寧門): 지금의 강소성 강도현(江都縣)에 있다.
110 미타항(彌陀巷): 나빙의 집이 있던 골목 이름이다.
111 초산(焦山): 강소성 진강시(鎭江市) 북동쪽 장강(長江) 가운데에 있는 산. 금산(金山)과
마주하고 있다. 후한(後漢)의 초선(焦先)이 은거하여 붙여진 이름이라 한다.

몸이 초록색이었고 시커먼 안개 속에 지워지고 있었다. 그 뒤로 항상 귀신을 보았다. 이로 말미암아 신선과 부처를 잘 그렸다. 〈귀취도〉(鬼趣圖) 8폭을 그렸는데, 화제(畫題)를 단 사람이 100여 명이었다.

처음에 수문(壽門) 김농(金農, 1687~1764)에게서 김농은 자가 수문으로, 항주 인화현(仁化縣) 사람이다. 수염이 성글고 이마가 넓었다. 옛것을 좋아하여 배우기에 힘썼고, 시문에 능하였다. 예서(隸書)를 잘 썼는데, 스스로 "예서에 굶주렸다"고 말하곤 했다. 지론이 세속과는 같지 않았다. 감식안이 정밀하여 옛 서화의 진위를 잘 구별하였다. 나그네로 떠돌기를 좋아하였는데, 유양(維揚) 땅에 가장 오래 머물렀다. 나이 50여 세가 되어서야 비로소 그림에 종사하였으나 붓만 대면 고상하고 초탈한 것이, 화가의 습기(習氣)가 없었다. 진실로 옛 그림을 본 것이 많았기 때문이었다. 맨 처음 대나무를 그릴 때는 석실노인(石室老人)[112]을 본받아서 호를 계류산민(稽留山民)이라 하였다. 이를 이어 매화를 그리게 되자 백옥섬(白玉蟾)[113]을 배워서 호를 석야거사(昔耶居士)라 하였다. 또 말을 그릴 때는 스스로 이렇게 말했다. "조패(曹霸)·한간(韓幹)의 화법을 익혔으니, 조왕손(趙王孫)은 족히 말할 것이 못 된다."[114] 불상(佛像)을 그릴 때는 호를 심출가암죽반승(心出家盦粥飯僧)이라고 하였다. 백거이

---

112 석실노인(石室老人): 문동(文同, 1018~1079). 북송 재주(梓州) 영태(永泰) 사람으로 자는 여가(與可), 호는 금강도인(錦江道人)·소소선생(笑笑先生)이다. 세칭 금강도인 또는 석실선생(石室先生)이라 하였다. 시서화에 두루 능해 문동사절(文同四絶)이라 불렸는데, 첫째가 시(詩), 둘째가 초사(楚詞), 셋째가 초서(草書), 넷째가 화(畫)이다. 죽화(竹畫)에 능했다. 저서에『단연집』(丹淵集)이 있다.
113 백옥섬(白玉蟾): 1134~1229. 남송(南宋) 때의 도인(道人)이다. 해남도(海南島) 경주(瓊州) 사람으로, 원명(原名)은 갈장경(葛長庚)이다. 백씨(白氏)의 양자(養子)가 된 다음 옥섬이라 이름하였다. 자는 여회(如晦), 호는 해경자(海瓊子)였다. 무이산(武夷山)에서 도(道)를 배워 태일궁(太一宮)에 거주하고, 자청명도진인(紫淸明道眞人)에 봉해져 도교 남종(南宗) 오조(五祖)의 하나가 되었다. 그의 서화는 당대 예술에 큰 영향을 미쳤다. 저서에『해경집』(海瓊集)·『도덕보장』(道德寶章)·『나부산지』(羅浮山志) 등이 있다.
114 조패(曹霸)·한간(韓幹)의…못 된다: 조패와 한간은 모두 당대(唐代)에 말을 전문으로 그렸던 화가이다. 조왕손(趙王孫)은 원대(元代)의 조맹부(趙孟頫)를 말하는 것으로, 역시 말 그림에 능했다.

(白居易)가 시에서 "몸은 출가하지 않았지만 마음은 출가했네"(身不出家心出家)[115]라고 한 말에서 따온 것이다. 꽃나무를 그릴 때는 가지와 잎새가 기이하였고 색칠하는 것은 더욱 이상해서 티끌 세상에서 보던 것이 아니었다. 대개 모두 자기 생각대로 했는데, 이에 대해 물어보면 "다라수(多羅樹)[116]나 용화수(龍華樹)[117]의 종류일세"라고 말하곤 했다. 지은 책에 『동심시초』(冬心詩鈔)가 있다. 살다가 자식 없이 아내가 죽자 양주 땅에서 더부살이하면서 다시는 돌아갈 계획을 세우지 않았다. 시중드는 팽랑(彭郞)을 몹시 아껴 잠시도 떨어지지 않았다. 또 소작(小鵲)이라고 하는 개가 있었는데 드나들 때면 반드시 같이 데리고 다녔다. 나중에 서호(西湖)를 유람하다가 흰 거북 한 마리를 얻었다. 작기가 겨우 동전만 했고, 광채가 반짝반짝 빛났다. 김농이 이것을 손안의 구슬처럼 여겨 수정으로 만든 상자에 담아 두고 언제나 가는 데마다 지니고 다녔다. 어느 날 저녁 문득 꿈을 꾸었는데, 흰옷을 입은 동자가 말했다. "내가 그대를 서하(棲霞)[118]의 송석(松石) 사이에서 뵙겠습니다." 이튿날 상자를 열어 거북을 살펴보니 이미 죽어 있었다. 김농이 몹시 슬퍼하며 수정 상자째로 이를 묻어 주고 「예구명」(瘞龜銘)을 지었는데, 그가 말한 '그대를 송석 사이에서 뵙겠다'고 한 것을 또 어떻게 풀이해야 할지 알지 못했다. 뒤에 총독(總督)의 초청에 따라 강녕(江寧)에 이르러 서하를 지나는데, 갑자기 나무 그림자 가운데서 백의동자가 부르는 것이 보이니 꿈속에서 본 것과 똑같았다. 가까이 다가가서 보니 홀연히 또 간 곳이 없었다. 마음에 의심이 나서 조사전(祖師殿)을 따라 올라가 보니, 좌대(座臺) 옆에 거북과 뱀 두 신장(神將)을 모두 신상(神像)처럼 꾸며 놓았다. 귀장군(龜將軍)은 간데없

---

115 몸은…출가했네: 백거이의 7언 율시 「조복운모산」(早服雲母散)의 구절이다.
116 다라수(多羅樹): 보리수나무. 본래 범어(梵語) 'pattra'의 음역(音譯)으로, 패다(貝多), 패다라(貝多羅)라고 한다. 고대 인도에서 보리수 잎에 불경을 썼다고 하여 불경을 지칭하는 말로도 쓰인다.
117 용화수(龍華樹): 뽕나뭇과에 속한 상록교목. 키가 30미터 정도 되고, 잎은 넓은 난형이며 끝이 뾰족하고 두껍다. 동인도에서 나며 무화과와 같은 열매가 열린다. 혹은 보리수라고도 한다. 후에 미륵불이 그 아래에서 성불하고 중생에게 설법할 것이라고 하는 나무이다.
118 서하(棲霞): 강소성(江蘇省) 남경시(南京市) 북동쪽 지역이다.

는 백의동자였다. 김농이 크게 의아하여 급히 짐을 꾸려 전당(錢塘)으로 돌아왔다. 며칠 안 되어 양주의 삼축암(三竺菴)에서 병으로 죽었다. 을유년 9월에 돌아와 임평(臨平)의 황환산(黃宦山)에 장사 지냈다. 매화 그림을 배웠고, 후에 옛 선불화(仙佛畫)의 화법을 모방하였다.

그 배필은 방완의(方婉儀, 1732~1779)이다. 자가 백련(白蓮)인데, 심대성(沈大成, 1700~1771)에게서 시를 배웠다. 심대성은 자가 학자(學子)이니, 운간(雲間) 사람이다. 흰머리가 되도록 경전을 공부하여 아는 것이 많았고 배움이 넓었다. 한번은 고묘(古廟)에 '구원장인'(九原丈人)의 비석이 있는 것을 보았는데, 나온 곳을 알지 못했다. 나중에 『십주기』(十洲記)를 살펴보고서야 비로소 그가 해신(海神)으로 물을 맡은 존재임을 알게 되었다. 인하여 『구원장인고』(九原丈人考)라는 책 한 권을 지었다. 저서에 『백련반격시』(白蓮半格詩)가 있다.

양봉(兩峯)이 그녀를 위해 이렇게 썼다.

"집사람 방씨 완의는 자가 백련이다. 어려서부터 가학을 이어받아 반격시(半格詩)[119]를 잘 지었다. 내게 시집온 뒤로는 살림을 하는 여가에도 일체의 화려한 표현을 물리쳐서, 대들보 사이의 제비와 처마 머리의 거미줄조차도 노래하지 않았다. 또한 일찍이 녹창(綠窗)[120] 아래 아녀자의 말을 붓으로 종이에 써넣은 적이 없었다. 때로 내가 그린 겨울철 매화와 대나무를 보고는 벼루 옆에서 그림을 가리키다가 자못 빼어난 운치를 통하였다. 가지 하나와 잎사귀 절반조차도 문득 능히 그려 냈으니 묵지(墨池)에 속세를 벗어난 생각이 있었다. 봄가을로 좋은 날을 만나면, 맑

---

119 반격시(半格詩): 시체(詩體)의 일종으로, 오늘날의 율시와 잘 어우러지는 가행체(歌行體)와는 다른 순수한 고풍(古風)의 시를 가리킨다.
120 녹창(綠窗): 집 안에서 부녀자가 거처하는 방을 가리킨다.

게 세수하고 일어나 화장하고 연지를 발라 다시 낮고 비루한 것을 일삼지 않았다. 한 마을에 사는 허 태부인(許太夫人)이 ^{허 태부인은 이름이 덕음(德音)이고, 자는 숙칙(淑則)이다. 청헌공(淸獻公)의 막내딸로 근래에 규수로 시에 능한 자 가운데 으뜸이다. 또한 그녀를 가리켜 여제자라 하였다고 한다.} 방완의에 대한 내용은 여기까지다. 아들 둘을 두었다. 윤소(允紹)는 자가 개인(个人)이고, 호는 철연(鐵硏)이다. 윤찬(允纘)은 자가 연당(練塘)이고, 호는 소봉(小峯)이다. 모두 그림을 잘 그렸다.

뒤에 양봉이 죽고 나서 선군께서 다시 연경에 들어가니, 그를 위해 위패를 베풀고 제사를 올리며 곡을 하였다. 강남의 인사로 참관하며 자리에 있던 자들이 서로 "너무나〔悍〕 ^{'한'(悍)은 중국음으로는 '한'(狠)이다.} 감동스럽다"고 말했으니, 그 사귐이 깊음을 말한 것이다. 그중 한 객이 장난삼아 말했다.

"그대가 동국(東國)에 있을 때 일찍이 돈을 내어 벗의 제사를 지내 준 적이 있었던가?"

선군이 대답했다.

"인생에서 나를 알아주는 벗이 가장 중한 것이지, 돈을 내고 안 내고는 논할 바가 아니지요."

나양봉이 선군의 초상화를 그렸다.

선군이 「나양봉의 죽란도(竹蘭圖)에 쓴 시」[121]는 이렇다.

| 도인이 대나무를 그릴 적에는 | 道人畫竹時 |
| 도리어 색상 따라 일으키지만, | 還從色相起 |

---

121 「나양봉의…시」: 『정유각집』 시집 권3에 수록되어 있다.

| 그대 보게 대나무 그린 뒤에는 | 君看竹成後 |
| 신묘함 겉모습에 있지 않다네. | 妙不在形似 |

캐는 사람 없다고 말하지 말게	莫說無人采
향기 나지 않아도 상관없다오.	非關爾不香
애오라지 한 떨기 꽃받침으로	聊將一孤萼
살며시 봄볕에게 미소 보내네.	含笑答春光

또 「나빙의 아내 방씨(方氏) 완의(婉儀)의 『반격시권』(半格詩卷)[122]에 쓴 시」[123]는 이렇다.

『당운』(唐韻) 베낀 신선 인연[124] 가볍지 않고	寫韻仙緣重
시 지어도 부덕은 맑기만 했네.	圖詩婦教清
문재(文才)는 유서(柳絮)[125]보다 윗길에 서니	才應低柳絮
그 집안의 연원이 동성(桐城)에 있네.[126]	第本出桐城

---

122 『반격시권』(半格詩卷):『백련반격시』(白蓮半格詩)를 말하는 듯하다.
123 「나빙의…시」:『정유각집』시집 권3에 수록되어 있다.
124 『당운』(唐韻)…인연: 당나라 대화(大和) 말년에 선녀 오채란(吳彩鸞)과 서생 문소(文
簫)의 전설에서 따온 표현이다. 선녀 오채란이 종릉(鍾陵) 땅에서 서생 문소를 만났다. 가난한
문소는 오채란의『당운』을 베껴 써 팔아서 생계를 꾸렸는데, 뒤에 두 사람 모두 범을 타고 신선
이 되어 갔다고 한다. 진원정(陳元靚)의『세시광기』(歲時廣記)에 보인다. 여기서는 문재가 뛰
어난 방씨와 나빙이 만나 부부가 된 일을 오채란과 문소에 빗댄 것이다.
125 유서(柳絮): 여자의 뛰어난 문재(文才)를 가리킨다. 진(晉)나라 재상 사안(謝安)이 조카
들과 내리는 눈을 감상하는데, 형의 아들 호아(胡兒)가 눈을 소금에 비유하자 그 누이 도온(道
韞)이 "버들가지가 바람에 날린다고 비유함만 못하다"(未若柳絮因風起)라고 했다는 고사가 있
다.『세설신어』(世說新語)에 보인다.
126 그 집안의…있네: 동성(桐城)은 안휘성(安徽省)에 있는 고을로, 청초의 문장가 방포(方
苞, 1668~1749)의 고향이다. 방완의가 방포와 같은 집안임을 말한 것이다.

자잘해도 모두 다 명리에 맞고　　　　　　　瑣細皆名理

고고함은 그 또한 성정이었네.　　　　　　孤高亦性情

저승의 시 모임은 쓸쓸하리니　　　　　　夜臺吟社冷

뉘 다시 나횡(羅橫)[127]을 생각하리오.　　　　誰復念羅橫

또 「〈귀취도〉(鬼趣圖)에 쓰다」[128]는 이렇다.

먹물 자국 등 그림자 어지러운 가운데　　　墨痕燈影兩迷離

〈귀취도〉 완성하곤 한바탕 웃는구나.　　　鬼趣圖成一笑之

유명(幽明) 이치 이르러선 말할 곳이 아예 없어　理到幽明無處說

애오라지 그 솜씨로 어린아이 놀래키네.　　聊將伎倆嚇纖兒

또 「정월 초이레 양봉의 생일」[129]에 이렇게 썼다.

하늘이 도화(圖畫)를 내려보냄은　　　　　維天降圖畫

인문을 환히 밝게 하려 함일세.　　　　　將以昭人文

새해 하고 첫 달의 초이렛날에　　　　　新年日之七

나군이 세상에 태어났다네.　　　　　　弧矢爲羅君

기이하다 화지사 선승(禪僧)이던 이　　　異哉花之禪

127　나횡(羅橫): 당나라 시인 나은(羅隱, 833~909)을 말한다. 횡(橫)은 그의 본명이고, 자는 소간(昭諫)이다. 시재가 출중했으나 추남이라 사랑을 이루지 못했다. 여기서는 나빙을 빗대어 말한 것이다.
128　「〈귀취도〉(鬼趣圖)에 쓰다」: 『정유각집』 시집 권3에 수록된 「나양봉 선생의 〈귀취도〉 두루마리에 쓰다」(題羅峯先生鬼趣圖卷)이다.
129　「정월 초이레 양봉의 생일」: 『정유각집』 시집 권3에 수록되어 있다.

필묵으로 천하에 알려졌구나.	筆墨天下聞
문지의 인연을 널리 말하니	廣說文字緣
찾는 이 구름처럼 많기도 해라.	履舃多如雲
『능가경』(楞伽經)의 의미를 짚어 주는데	拈示楞伽義
방장엔 화로 하나 향기로웠지.	方丈一爐熏
저 멀리 동해 바다 사는 사람이	遙遙海上人
머리 숙여 은근한 뜻을 표하네.	頂禮致慇懃
오늘은 날씨도 아름다우니	今日天氣佳
한잔 술로 마음껏 취해 보리라.	可以酒一醺
초목도 성질 기운 머금었으니	草木含性氣
수확은 철 변화에 달려 있다오.	收效在寒溫
인생엔 각자의 몫이 있거늘	人生各有事
궁달(窮達)을 말해서 무엇하리오.	窮達何足云
세상에서 60년을 살아온 것도	人間六十壽
공의 기쁨 되기엔 부족하겠네.	未足爲公欣
이 같고 다시금 이와 같으니	如是復如是
천만의 아침 볕을 깨닫겠구나.	了千萬朝曛

또 「이별 후에 양봉에게 부치다」[130]는 이렇다.

넋 나간 듯 꿈결인 듯 눈물만 흐르는데	似癡如夢淚涔涔

---

130 「이별…부치다」: 『정유각집』 시집 권3에 수록된 「이별 후에 나양봉에게 부치다」(別後寄羅兩峯)이다.

허공 속 얽힌 정을 그림 놓고 읊조린다.　　　　空裏情緣畫裏吟

어인 일로 하늘 서편 고개를 돌려 보나　　　　何事天西回首地

남은 사람 이별 근심 또 가을 그늘일세.　　　　殢人離思又秋陰

천 년에 짧은 이별 술에서 막 깨어나서　　　　千年小別酒初醒

마음을 활짝 열고 사해 우정 논했었지.　　　　四海論交眼盡靑

내 보물은 돈 주고 삼 하나도 없거니와　　　　我貨都非銀子買

시 주머니 그림 축에 볼 것 없음 혼자 웃네.　　　詩囊畫軸笑零星

하늘가 누런 잎은 우수수 떨어지고　　　　　天涯黃葉落來多

『반격시집』 허망해라 한탄한들 무엇하리.　　　半格詩空恨若何

생이별과 사별을 견주어 논한다면　　　　　儻把生離論死別

나소간(羅昭諫)은 두련파(竇連波)를 부러워했으리.[131]　羅昭諫羨竇連波

비단 주렴 선실 책 읽는 소리 떠올리니　　　　紺簾禪室憶書聲

꿈결에도 매화는 눈에 환히 비치누나.　　　　夢裏梅花照眼明

수레 오른 오늘 마음 시원치 아니함은　　　　今日登車心不快

살얼음과 잔설이 이별의 정 울려서라.　　　　薄氷殘雪動離情

131　나소간(羅昭諫)은 두련파(竇連波)를 부러워했으리: 나소간은 당나라 시인 나횡이다. 본
서 158면 각주 127번 참조. 두련파는 오호십육국 시대 전진(前秦)의 두도(竇滔)이다. 두도가
귀양을 가자 아내 소혜(蘇蕙)가 남편을 그리며 비단 위에 시를 지은 금자서(錦字書)를 보냈다
는 고사가 있다. 방씨와 사별한 나빙을 연정을 이루지 못한 나횡에 빗대어, 그가 차라리 아내와
생이별한 두도를 부러워했을 것이라 말한 것이다.

또 「양봉을 그리며」¹³²라는 시에 이렇게 말했다.

나양봉은 동심(冬心)¹³³을 스승 삼아서 　　　兩峯師冬心
필묵이 또 한 번 변하였다네. 　　　　　　　　筆墨又一變
두 아들도 세상에 이름 높으니 　　　　　　　二兒各鳴世
연당과 철연이 바로 그일세. 　　　　　　　　練塘及鐵研
문장은 이효광(李孝光)¹³⁴과 다름없으니 　　文如李孝光
태산이 새 얼굴을 열어 보인 듯. 　　　　　　岱宗開新面

또 「속회인시」¹³⁵는 이렇다.

뜻 높은 나반우(羅飯牛)¹³⁶를 만나 보지 못해도 　不見高人羅飯牛
꿈속의 밝은 달은 그 옛날 양주(楊州)¹³⁷라네. 　夢中明月古楊州
안개구름 공양이 지금은 어떠신지 　　　　　　煙雲供養今何似
하늘가 독화루(讀畫樓)서 애간장이 끊어지리. 　腸斷天涯讀畫樓

또 「연경잡절」¹³⁸에서 이렇게 말했다.

132　「양봉을 그리며」:『정유각집』「회인시. 장심여의 시를 본떠 짓다」 중 제13수이다.
133　동심(冬心): 김농(金農)의 호.
134　이효광(李孝光): 1285~1350. 원나라 때의 학자. 안탕산(雁宕山) 아래 은거했는데 사방
의 선비들이 와서 배웠다고 한다.
135　「속회인시」:『정유각집』「속회인시」 중 제4수 「나양봉 빙」(羅兩峰聘)이다.
136　나반우(羅飯牛): 청초의 화가 나목(羅牧, 1622~1705). 반우(飯牛)는 그의 자이며, 호는
운암(雲菴)이다. 강서(江西) 출생으로 남창(南昌)에서 살았다. 산수화에 뛰어났다. 여기서는
나빙을 빗대어 말하였다.
137　양주(楊州): 나빙의 고향이다.

검서관 박제가가 글씨를 쓰니 　　　　　貞蕤檢書書

유리창에 가짜 글씨 돌아다니네. 　　　　廠中傳贋本

새벽녘 열 개의 연구(聯句)를 써서 　　　　晨興寫十聯

나양봉 밥상에다 부쳐 보냈지. 　　　　寄與兩峯飯

또 "그림으로 뛰어나긴 나양봉일세"(丹靑羅兩峯)[139]라는 구절이 있다.

字兩峯, 江都廣陵人. 居天寧門內彌陀巷,[140] 額其堂曰朱草詩林. 嘗夢人
謂之曰: "君前身爲花之寺僧." 故因號花之寺僧. 能詩工繪事, 碧眼善見
鬼物. 少讀書焦山, 見巨鬼, 長不可以丈計, 右爪捋髮露苦面, 如甕口噀
血, 髮長等身. 左臂伸界半山, 兩足涉江, 通體綠色, 滅沒黑煙中. 嗣後恒
見鬼, 由是善畫仙佛, 作鬼趣圖八幀, 題者百餘人. 初學金壽門 金農字壽門,
杭州仁化人. 疎髥廣顙. 好古力學, 工詩文, 善隸書, 自云餓隸書. 持論不同流俗, 精鑒賞, 善別古
書畫眞贋. 好遊客, 維揚最久. 年五十餘, 始從事於畫, 涉筆卽古脫, 盡畫家之習, 良由所見古蹟多
也. 初寫竹, 師石室老人, 號稽留山民. 繼畫梅, 師白玉蟾, 號昔耶居士. 又畫馬自謂: "得曹韓法,
趙王孫不足道也." 寫佛像, 號心出家荼粥飯僧, 用白香山'身不出家心出家'語. 其布置花木, 奇柯
異葉, 設色尤異, 非復塵世間所覩. 蓋皆意爲之, 而問之則曰: "貝多龍窠之類也." 所著有冬心詩
鈔. 行世無子妻亡, 遂僑居維揚, 不復作歸計. 有青衣彭郎, 甚暱之, 跬步不離. 又有犬曰小鵲, 出

---

138 「연경잡절」: 「정유각집」 「연경잡절」 중 제137수이다.

139 그림으로 뛰어나긴 나양봉일세: 「연경잡절」 제22수의 한 구절이다. 본서 70면 각주 42번
참조.

140 巷: 『호저집』 원문에는 "巷"이라 썼다가 "菴"으로 고쳤으나, "巷"이 맞으므로 다시 바로
잡는다.

入必與俱. 後遊西湖, 得一白龜, 小僅如錢, 光彩照耀. 金視如掌珠, 以水晶盒貯之, 常携以自隨. 一夕忽夢, 白衣童子曰:"我當候君于棲霞松石間." 明日啓視龜, 已死. 金大慟, 以晶盒葬之, 作瘞龜銘, 不知所言候君松石間, 又作何解. 後因制府延, 至江寧, 過棲霞, 忽于樹影中, 見白衣童招之, 如夢中所見. 及至近接, 忽又杳然. 心疑之, 隨登祖師殿, 則座傍龜蛇二將, 俱粧神像, 龜將軍則儼然白衣童子也. 壽門大訝, 亟趣裝歸錢塘, 不數日, 病卒于楊州三笁菴, 乙酉九月. 歸葬于臨平黃宧山. 梅花, 後倣古仙佛畫法. 其配方婉儀, 字白蓮. 受詩于沈大成 沈大成字學子, 雲間人. 皓首窮經, 多聞博學. 嘗見古廟有九原丈人之碑, 不知所出. 後閱十洲記, 始知乃海神司水者也. 因作九原丈人考一編. 著有白蓮半格詩. 兩峯爲之敍曰:"閨中人方氏婉儀, 字曰白蓮. 幼承家學, 卽工半格詩. 及歸于室, 擧案之暇, 一切綺語屛, 而不爲梁間燕子簷額游絲, 亦未嘗作綠窓兒女之言, 寫入毫素也. 時觀余畫寒天梅竹, 從硯旁指畫, 頗通逸趣. 一枝半葉, 便能點染, 墨池有出塵之想. 春秋佳日, 淸盥而起, 紛奩脂盒, 乃復鄙夷不事. 同里許太夫人 許太夫人名德音, 字淑則. 淸獻公季女. 比來閨秀能詩者, 爲第一. 亦目之爲女弟子云." 止此. 有二子, 允紹字个人, 號鐵硏. 允纘字練塘, 號小峯. 俱工畫. 後兩峯已沒, 而先君再入燕. 爲設位致祭而哭之. 江南人士參觀. 在座者相謂曰:"悍 悍華音狠 鍾情." 言其交好之深也. 有客戲云:"子在東國, 曾捐金爲祭友乎?"先君答曰:"人生知己最重, 非所論於金之捐不捐矣." 兩峯寫先君像. 先君題兩峯畫竹蘭草詩曰:"道人畫竹時, 還從色相起. 君看竹成後, 妙不在形似. 莫說無人采, 非關爾不香. 聊將一孤萼, 含笑答春光." 又爲兩峯內子方氏婉儀書其半格詩卷詩曰:"寫韻仙緣重, 圖詩婦敎淸, 才應低柳絮, 第本出桐城, 瑣細皆名理, 孤高亦性情, 夜臺吟社冷, 誰復念羅橫." 又題鬼趣圖詩曰:"墨痕燈影兩迷離, 鬼趣圖成一笑之. 理到幽明無處說, 聊將伎倆嚇纖兒." 又羅兩峯人日生日詩曰:"維天降圖畫, 將以昭人文. 新年日之七, 弧矢爲羅君. 異哉花之禪, 筆墨天下聞. 廣說文字緣, 履舃多如雲. 拈示楞伽義, 方丈一爐熏. 遙遙海上人, 頂禮致慇懃. 今日天氣佳, 可以酒一醺. 草木含性氣, 收效在寒溫. 人生各有事, 窮達何足云. 人間六十壽, 未足爲公欣. 如是復如是, 了千萬朝曛." 又別後寄兩峯詩曰:"似癡如夢淚涔涔, 空裏情緣畫裏吟. 何事天西回首地, 殢人離思又秋陰. 千年小別酒初醒, 四海論交眼盡靑. 我貨都非銀子買, 詩囊畫軸笑零星. 天涯黃葉落來多, 半格詩空恨若何. 儻把生離論死別, 羅昭諫羨竇連波. 緗簾禪室憶書聲, 夢裏梅花照眼明. 今日登車心不快, 薄氷殘雪動離情." 又懷兩峯詩曰:"兩峯師多心, 筆墨又一變. 二兒各鳴[141]世, 練塘及鋧研. 文如李孝光, 岱宗開新面." 又續懷詩曰:"不見高人羅飯牛, 夢中明月古楊州. 煙雲供養今何似, 腸斷天涯讀畫樓." 又燕京雜絶云:"貞蕤檢書書, 廠中傳贗本. 晨興寫十聯, 寄與兩峯飯." 又云:"丹靑羅兩峯."

이병수

伊秉綬, 1754~1815

자가 묵경(墨卿)이니, 정주(汀州)[142] 사람이다. 벼슬이 형부직례사원외랑(刑部直隷司員外郎)을 지냈다. 선군께서 남천(南泉)이란 호를 지어 주었다. 그의 부친 이조동(伊朝棟)은 사진사출신(賜進士出身)[143]으

---

141   鳴:『정유각집』에는 "名"으로 되어 있으나, 문맥을 고려하여 『호저집』 원문 그대로 두었다.
142   정주(汀州): 중국 복건성(福建省) 서부 정강(汀江) 가에 위치한 고을이다.

로 고명(誥命)을 받아 통의대부(通議大夫)에 제수되었고, 물러나 광록시경(光祿寺卿)과 전 대리시경(大理寺卿)을 지냈다. 좌익종학(左翼宗學)[144]·홍려시경(鴻臚寺卿)·통정사참의(通政司參議)·호과급사중(戶科給事中)을 지냈고, 절강도감찰어사가삼급(浙江道監察御史加三級)을 맡았다.

선군의 「남천선생을 그리며」[145]라는 시는 이렇다.

일만 리 머나먼 정주(汀州)에서 온	汀州一萬里
남천의 재주 실로 으뜸이라네.	南泉寔冠冕
필법은 채양(蔡襄)[146]과 어깨 겨루고	書摩蔡襄肩
시구는 고병(高棅)[147] 안목 낮추어 보네.	句卑高棅選
산당에서 비 오던 밤 애기 나눌 적	山堂話雨夜
누굴 위해 등불 심지 잘라 냈었나.	爲誰燈火剪

또 「속회인시」[148]는 이렇다.

143 사진사출신(賜進士出身): 진사출신(進士出身)은 청대 전시(殿試)의 성적 등급에서 이갑(二甲)을 일컫는다. 사(賜)는 임금의 하사(下賜)이다. 일갑(一甲) 3인은 진사급제(進士及第)를, 삼갑(三甲)은 동진사출신(同進士出身)을 내렸다.
144 좌익종학(左翼宗學): 종학은 종친(宗親)의 학교다. 청나라 때 팔기(八旗)에 각각 종학을 설치하고, 옹정 2년(1724)에 좌우익(左右翼)을 정했다. 좌익 4기는 양황(鑲黃)·정백(正白)·양백(鑲白)·정람(正藍), 우익 4기는 정황(正黃)·정홍(正紅)·양홍(鑲紅)·양람(鑲藍)이다.
145 「남천선생을 그리며」: 『정유각집』「회인시. 장심여의 시를 본떠 짓다」 중 제16수 「이남천 병수」(伊南泉秉綬)이다.
146 채양(蔡襄): 1012~1067. 송대의 문인 서예가로, 송사대가(宋四大家) 중 하나로 꼽힌다. 풍류객으로 이름이 높았다.
147 고병(高棅): 1350~1423. 명대의 문인으로, 뒤에 정예(廷禮)로 개명했다. 시서화에 능해 삼절로 일컬었다. 『당시품휘』(唐詩品彙)와 『당시정성』(唐詩正聲)을 편집·간행했다.
148 「속회인시」: 『정유각집』「속회인시」 중 제10수 「이묵경 병수」(伊墨卿秉綬)이다.

한 잔 술 권하면서 우당(雨堂)[149]서 얘기할 제　　　　一盞遙飛話雨堂

풍류스런 마음[150]은 묵경(墨卿) 향해 쏠렸었지.　　　風心偏向墨卿長

깨알같이 작은 글씨[151] 무엇과 같을 쏜가　　　　　　針頭芥子緣何似

매애(梅崖)[152]의 책 속 향기 접하지도 못했네.　　　不接梅崖卷裏香

또 「연경잡절」[153]은 이렇다.

이공(伊公)은 해맑은 사람이어서　　　　　　　　　　伊公素心人

이웃처럼 마음을 허락하였네.[154]　　　　　　　　　　托契猶比隣

관음상 새긴 먹에 절을 올리니[155]　　　　　　　　　頂禮觀音墨

내 장차 벽산(碧山)[156]에 묻혀 죽으리.　　　　　　　吾將殉碧山

149　우당(雨堂): 비 내리는 집. 산속 집에서 비 오던 밤 만나 얘기 나누던 일을 말한다.

150　풍류스런 마음: "풍은 어떤 본에는 숙으로 되어 있다"(風一本夙)라는 메모가 붙어 있다. 숙심(夙心)으로 읽을 경우 '예전부터 품은 마음'이라는 의미가 된다.

151　깨알같이 작은 글씨: 원문은 "針頭芥子"로, 바늘 끝과 겨자씨라는 뜻이다. 깨알 같은 글씨를 말한다. 「연경잡절」에서는 "이병수는 호가 묵경이다. 휘주에서 나는 조공으로 바치는 먹을 내게 주었다. 불상을 새긴 뒤쪽에 반야심경을 썼는데, 가늘기가 가을 터럭 같았다"(伊秉綬號墨卿. 贈徽州貢墨, 刻佛像. 背書般若蜜多心經, 細入秋毫.)라 언급하였다.

152　매애(梅崖): 주사수(朱仕琇, 1715~1780)의 호. 복건(福建) 건녕(建寧) 사람으로, 건륭 13년(1748)에 진사에 급제해 한림원서길사가 되었다. 산동(山東)의 하진지현(夏津知縣)과 복녕부교수(福寧府敎授)를 지냈다. 문집으로 『매애문집』(梅崖文集)이 있다.

153　「연경잡절」: 『정유각집』 「연경잡절」 중 제24수이다.

154　이웃처럼 마음을 허락하였네: 원문의 "비린"(比隣)은 이웃으로, 당나라 왕발(王勃)의 「촉주로 부임하는 두소부를 전송하며」(送杜少府之任蜀州)의 "해내에 마음 아는 벗이 있다면, 천애의 먼 곳도 이웃 같으리"(海内存知己, 天涯若比隣.)라는 구절에서 왔다.

155　절을 올리니: 원문의 "頂禮"는 상대방의 앞에 나아가 머리가 그의 발에 닿도록 하는 절을 말한다.

156　벽산(碧山): 지금의 호북성(湖北省) 안륙시(安陸市)에 있는 산.

字墨卿, 汀州人. 官刑部直隷司員外郎. 先君贈號曰南泉. 父朝棟, 賜進士
出身. 誥授通議大夫. 予告光祿寺卿, 前大理寺卿. 稽查左翼宗學鴻臚寺
卿. 通政司參議, 戶科給事中, 掌浙江道監察御史加三級. 先君懷南泉詩
曰："汀州一萬里, 南泉寔冠冕. 書摩蔡襄肩, 句卑高棟選. 山堂話雨夜, 爲
誰燈火剪." 又續懷人詩曰："一盞遙飛話雨堂, 風心偏向墨卿長. 針頭芥子
緣何似, 不接梅崖卷裏香." 又燕京雜絶云："伊公素心人, 托契猶比隣. 頂
禮觀音墨, 吾將殉碧山."

공협
龔協, 1751~?

자가 극일(克一), 호는 행장(荇莊)이니, 상주(常州) 양호(陽湖) 사람이
다. 건륭 갑오년(1774)에 등과하여 부사무(部司務) 후보와 국자감학록
(國子監學錄)을 지냈다. 부친 공렴(龔廉)은 건륭 임술년(1742)에 진사
로 뽑혀, 벼슬이 예부원외랑·형부낭중·하남성 하남부지부(河南府知府)
를 지냈다. 모친 왕씨는 대사구를 지내고 문간(文簡)의 시호를 받은 완
정(阮亭) 왕사정(王士禛)[157] 왕사정은 자가 이상(貽上), 호가 완정이니, 산동 신성(新

---

[157] 왕사정(王士禛): 1634~1711. 『호저집』 원문 상단에 왕사정 사 형제에 관한 다음과 같은
후지쓰카의 메모가 있다. "사록(士祿)은 자가 자저(子底), 호는 서초(西樵)이다. 사희(士禧)는
자가 예길(禮吉)이다. 사호(士祜)는 자가 자측(子測), 호는 동정(東亭)이다. 사진(士禛)은 자
가 이상(貽上), 호는 완정(阮亭)이다."(士祿, 字子底, 號西樵. 士禧, 字禮吉. 士祜, 字子測, 號

城) 사람이다. 포정사(布政使)를 지낸 왕상진(王象晉)의 손자요, 왕여칙(王與勅)의 셋째 아들이다. 날 때부터 특별한 자질이 있어 7세에 『시경』을 읽다가 「연연」(燕燕)·「녹의」(綠衣) 등의 편에 이르자 문득 그 뜻을 이해하였다. 8세에 능히 시를 지었다. 11세에 조부가 취한 뒤에 사촌 동생 왕상함(王象咸)이 쓴 초서를 보고 여러 손자들에게 보이며 대구를 잇게 하였다. "술 취해 왕희지의 글씨를 아끼고"(醉愛羲之蹟) 그러자 왕사정이 바로 이렇게 읊었다. "미친 듯이 이백의 시를 읊노라"(狂吟白也詩) 조부가 이를 기이하게 여겨 말했다. "이 아이가 마땅히 문장으로 세상에 이름나겠구나." 15세에 지은 시가 책을 이루었는데, 이름을 『낙전당초고』(落箋堂初薰)라 하였다. 형 왕사록(王士祿)이 서문을 짓고 출판하였다. 경인년(1650)에 동자시(童子試)에 응시하여 모두 1등을 차지하였다. 신묘년(1651)에는 향시에 응거하여 제6명에 뽑혔고, 을미년(1655) 회시에서는 52명에 들었다. 무술년(1658) 전시에서는 이갑 36명에 뽑혀 양주의 추관(推官) 벼슬을 얻었다. 경자년(1660)에는 강남동고(江南同考)에 충원되었다. 신축년(1661)에는 송호관(松湖關)에서 직지사자(直指使者)로 황제를 배알하였다. 등위산(鄧尉山)에 매화가 성대하게 피었다는 말을 듣고, 가벼운 배를 타고 이견산(眂見山) 남쪽에 있는 태호(太湖) 물가의 어양산(漁洋山)에 올랐다. 안개에 둘러싸인 산봉우리가 기이하고 특별하였으므로 이때부터 자호를 어양산인(漁洋山人)이라 하였다. 갑진년(1664)에는 내직으로 옮겨 예부 주객사주사(主客司主事)와 양관제독(兩館提督)을 지냈고, 의제사원외랑(儀制司員外郎)으로 옮겼다. 병진년(1676)에는 호부의 사천사낭중(四川司郎中)으로 보임되었다. 무오년(1678) 정월에 무근전(懋勤殿)에서 소대(召對)하였고, 이튿날 "왕사정은 시와 문장이 모두 우수하니, 한림으로 쓰리라"라는 황제의 명을 받들었다. 시강(侍講)으로 고쳤다가 자리에 나아가기도 전에 시독(侍讀)으로 옮겼다. 의 증손녀이다. 아내 위씨는 좨주 위겸항(韋謙恒, 1717~1792) 위겸항은 자가 약선(葯仙)이니 약재(葯齋)라고도 한다. 호는 약헌(約軒)이며, 무호(蕪湖) 사람이다. 건륭 계미년에 탐화랑(探花郎)에 뽑혀, 벼슬이 국자감 좨주·귀주순무(貴州巡撫)를 지냈다.

東亭. 士禛, 字貽上, 號阮亭.)

평생 술을 마시지 않았고, 아내가 죽자 재혼하지 않았다. 나이 70여 세에 백발이 성성했으나 동안(童顔)은 전과 같았다. 저서에 『전경당시초』(傳經堂詩鈔)가 있다. 의 장녀이다.

아들 술조(述祖)는 강서(江西) 현승이다. 딸 아형(阿馨)은 7세에 당나라 사람의 시구를 써서 선군께 받들어 올렸는데, 글자의 짜임새가 날아갈 듯 경쾌하여 완연히 날갯짓하는 난새와 같았다. 행장이 일찍이 그 나이와 족보, 자녀의 이름을 써서 선군께 보여 주었다. 두루 자상하고 섬세함을 다하여 아무 간격이 없었으니, 그 풍류와 벗을 숭상하는 마음이 이와 같았다. 훗날 잘못된 비방을 입어 흑룡강(黑龍江)에서 수자리를 산다고 했다.

선군의 「행장이 부채에 쓴 시에 화답하다」[158]는 이렇다.

가인의 금자서(錦字書)[159]가 구름 끝에 있으니	佳人錦字隔雲端
허리띠 헐렁해짐[160] 그 누가 걱정할까.	消瘦誰憐帶孔寬
말 위의 봄바람에 연경 나무 푸르고	馬上春風燕樹綠
꿈속의 초승달에 압록강 물 차구나.	夢中新月鴨江寒
부채에 시 가득하니 그 마음 다정한데	多情扇面題詩遍
옷 향기 부끄러워 말 꺼내기 어려워라.	羞澁衣香下語難
혼자서 잠자는 곳 난간 기대 생각하며	遙想倚欄孤眺處
남몰래 서찰을 등 돌리고 보노라.	暗將書札背人看

---

158 「행장이…화답하다」: 『정유각집』시집 권3에 수록되어 있다.
159 금자서(錦字書): 원문은 "錦字"이다. 본서 160면 각주 131번 참조. 여기서는 공협의 아내를 두도의 아내 소혜에 빗대어 말한 것이다.
160 허리띠 헐렁해짐: 원문은 "帶孔寬"으로, 늙고 병들어 몸이 야위었음을 말한다. 양나라 때학자 심약(沈約, 441~513)이 친하게 지내던 서면(徐勉)에게 "백여 일 동안에 야위어 늘상 허리띠 구멍을 옮기고, 팔목을 재 보니 한 달 동안 반 푼이나 줄었다"라고 한 데서 왔다.

또 「또 행장을 그리며」¹⁶¹는 이렇다.

공행장의 시문은 연원 있으니	苓莊詩有自
외가가 왕어양의 집안이라네.	母家爲漁洋
천단 옆서 나에게 술잔 권할 제	觴我天壇側
등촉은 붉은 불을 토해 냈었지.	蠟蠋吐紅芒
집안 족보 서로 주며 통교를 하고	各贈通家譜
절대로 잊지 말자 맹세했다네.	信誓無相忘

또 「속회인시」¹⁶²에서는 이렇게 말했다.

오룡강(烏龍江)¹⁶³ 가의 풀이 봄을 알지 못하니	烏龍江草不知春
연경은 어지러워 마음속 말 못 나누네.	日下紛紛話未眞
내 그댈 그려 지은 금루곡(金縷曲)¹⁶⁴이 있지만	我有顧郎金縷曲
지금에 이 곡 알 이 그 누가 있겠는가?	秖今誰是賞音人

또 「연경잡절」에서는 이렇게 말했다.

---

161 「또 행장을 그리며」: 『정유각집』 「회인시. 장심여의 시를 본떠 짓다」 중 제17수 「공행장 협」(龔苓莊協)이다.
162 「속회인시」: 『정유각집』 「속회인시」 중 제9수 「공행장 협」(龔苓莊協)이다.
163 오룡강(烏龍江): 흑룡강(黑龍江). 이정구의 『월사집』(月沙集) 「경신연행록」(庚申燕行錄)에 "흑룡강은 혹 오룡강이라고도 한다"(黑龍江, 或云烏龍江.)라는 구절이 보인다.
164 금루곡(金縷曲): 악곡의 이름이다. '금루의'(金縷衣), '하신랑'(賀新郎), '유연비'(乳燕飛)라고도 한다.

공협의 수자리 삶 마음 아파서 　　　　　　　　心傷糞戌人

『추가집』(秋笳集)165을 눈물로 적시는구나. 　　　　淚濕秋笳集

그의 딸 아형(阿馨) 나이 손꼽아 보니 　　　　　　屈指阿馨秊

시집갈 나이 그 누가 불쌍타 하리. 　　　　　　　誰憐筓已及

필담을 아래에 붙인다.

공협 　입고 계신 의관(衣冠)은 나들이 복장인지요?

선군 　편의를 위해 길에서는 임시로 무복(武服)을 입곤 합니다.

공협 　당나라 때 관복 제도는 1·2품관은 자주색을, 3·4품관은 붉은
　　　　색을, 5·6품관은 녹색을 입었지요. 귀국에서는 어떻습니까?

선군 　1품에서 정3품까지는 붉은색을 입고, 종3품 이하의 관리들은
　　　　모두 녹색을 입습니다. 자주색은 입지 않습니다.

공협 　정3품 당상관(堂上官)이 붉은색을 입고 종3품 당하관(堂下
　　　　官)이 녹색을 입는다 하시면, 그대는 벼슬이 3품인데 어째서
　　　　초록 옷을 입으셨는지요?

선군 　당상관은 쌍학(雙鶴)을, 당하관은 단학(單鶴)을 붙입니다. 대
　　　　조회(大朝會)166 때는 흑단령(黑團領)167을 쓰는데, 보자(補

165 　『추가집』(秋笳集): 청나라 초 오조건(吳兆騫, 1631~1684)의 문집이다. 오조건은 강소
(江蘇) 오강(吳江) 출신으로, 자는 한사(漢槎)이다. 1657년 과장(科場)의 일에 연루되어 영고
탑(寧古塔)에 유배되었다가, 1682년 강희제에게 「장백산부」(長白山賦)를 지어 바친 일을 계기
로 유배에서 풀려났다. 공협이 모함으로 흑룡강에서 수자리 살게 된 것을 오조건의 유배에 빗댄
것으로 보인다.
166 　대조회(大朝會): 매월 초1일과 16일 및 입춘(立春), 동지(冬至) 때 여는 조회이다. 초6
일·11일·21일·26일의 조회는 아일조회(衙日朝會)라 한다.

子)¹⁶⁸가 달린 것입니다.

공협 집안의 3대의 이력과, 본관과 집안 등을 각자 종이 한 장에 써
서 바꿔서 보관하면 좋겠습니다. 아내가 무슨 성씨이고 자식
의 이름은 무엇이며, 형제가 몇 사람이고 집은 어디에 살며,
생일이 언제인지 같은 것 말입니다.

선군 서로를 생각하는 마음이 참 다감하십니다.

공협 공협은 자가 극일(克一), 호는 행장(荇莊)이다. 신미년(1751)
11월 13일생으로, 강남 상주부(常州府) 양호현(陽湖縣) 사람
이다. 건륭 갑오년(1774)에 과거에 급제해 거인(擧人)이 되어
부사무(部司務) 후보와 국자감학록(國子監學錄)이 되었다. 그
의 아버지는 공염(龔廉)이니, 건륭 임술년(1742)에 진사가 되
어 예부원외랑(禮部員外郞)·형부낭중(刑部郞中)·하남하남
부지부(河南河南府知府)를 지냈고, 고명(誥命)으로 중헌대
부(中憲大夫)에 제수되었다. 어머니는 왕씨이니, 산동(山東)
신성(新城) 사람으로, 형부상서(刑部尙書)를 지낸 문간공(文
簡公) 완정 왕사정 선생의 증손녀이다. 고명(誥命)으로 공인
(恭人)에 봉해졌다. 공협은 위씨(韋氏)에게 장가들었는데, 건
륭 계미년(1763)에 탐화로 급제했고, 현 국자감좨주(國子監祭

---

167 흑단령(黑團領): 검은 빛깔의 깃을 둥글게 만든 공복. 당상관은 무늬가 있는 검은 사(紗)
를 썼고, 당하관은 무늬가 없는 검은 사를 사용했다.
168 보자(補子): 명청 시대에 관복의 가슴과 등 부분에 달아 품급(品級)을 나타내던 흉배(胸
背)의 명칭이다. 금실 및 채색으로 문관은 새를, 무관은 길짐승을 수놓았다. 박제가는 연행 당
시 왕명으로 정3품 당상관직인 군기시정에 임시 보직되었다. 하지만 서얼인 까닭에 정3품 당상
관의 붉은 관복을 입을 수가 없었다. 스스로 설명하기가 구차했으므로 이에 대한 대답을 하지
않고 화제를 어물쩍 돌린 것이다.

酒)인 전 귀주포정사(貴州布政使) 호순무(護巡撫) 위겸항(韋
謙恒)의 딸이다. 관례에 따라 유인(孺人)으로 봉해졌다. 아들
은 술조(述祖)로, 현재 강서(江西)에 현승(縣丞)으로 나가 있
다. 딸 하나를 두었으니 아형(阿馨)이다.

字克一, 號荇莊. 常州陽湖人. 乾隆甲午登科, 候補部司務·國子監學錄.
父廉, 乾隆壬戌進士, 官禮部員外郎·刑部郎中·河南河南府知府. 母王氏,
大司寇諡文簡阮亭 王士禎, 字貽上, 號阮[169]亭, 山東新城人. 布政象晉孫, 與敕第三子. 生
有異稟, 七歲讀詩, 至燕燕·綠衣等篇, 便悟其旨. 八歲能詩. 十一歲祖醉後, 看從弟象咸作草書,
示諸孫屬對曰: "醉愛義之蹟." 士禎應聲曰: "狂[170]吟白也詩." 祖奇之曰: "此子當以文章名世."
年十五有詩成卷, 名落箋堂初藁. 兄士祿, 序而刻之. 庚寅應童子試, 皆第一. 辛卯應鄕試, 擧第六
名. 乙未會試五十二名. 戊戌殿試第二甲三十六名, 得楊州推官. 庚子充江南同考. 辛丑謁直指于
松湖關. 聞鄧尉梅花盛開, 輕舟登耗見山南太湖濱漁洋山, 煙鬢奇特, 始自號漁洋山人. 甲辰內遷
禮部主客司主事·提督兩館. 遷儀制司員外郎. 丙辰補戶部四川司郎中. 戊午正月召對懋勤殿. 明
日奉旨: "王士禎詩文兼優著, 以翰林用, 改侍講." 未任, 轉侍讀. 曾孫女. 妻韋氏, 祭酒謙
恒 韋謙恒, 字葯仙, 一字葯齋, 號約軒, 蕪湖人. 乾隆癸未探花, 官國子監祭酒·貴州巡撫. 生平
不飮酒, 妻沒不再娶. 年七十餘, 白髮黿黿, 而童顏如故. 所著有傳經堂詩鈔. 長女. 子述[171]
祖江西縣丞, 女阿馨七歲, 書唐人句, 奉贈先君, 結字飄飄, 宛若翔鸞. 荇

---

169 阮:『호저집』 원문에는 "玩"으로 되어 있으나, 오기로 보아 바로잡는다.
170 狂:『호저집』 원문에는 "聞"으로 되어 있으나,『고부우정잡록』(古夫于亭雜錄)에 따라 바
로잡는다.
171 述:『호저집』 원문에는 "逑"로 되어 있으나, 상단에 달린 후지쓰카의 메모에 "逑는 오자
인 듯하다. 마땅히 述 자가 되어야 한다"(逑似誤, 當述字.)라고 하였으므로 이에 따른다.

莊嘗書其年甲世派子女名字, 以示先君, 周詳纖悉, 無有間隔, 其風流尙友之感如此. 後以橫謗戍黑龍江云. 先君和荇莊詩扇詩曰: "佳人錦字隔雲端, 消瘦誰憐帶孔寬. 馬上春風燕樹綠, 夢中新月鴨江寒. 多情扇面題詩遍, 羞澁衣香下語難. 遙想倚欄孤眺處, 暗將書札背人看." 又又懷荇莊詩曰: "荇莊詩有自, 母家爲漁洋. 觸我天壇側, 蠟蠋吐紅芒. 各贈通家譜, 信誓無相忘." 又續懷詩曰: "烏龍江草不知春, 日下紛紛話未眞. 我有顧郎金縷曲, 秪今誰是賞音人." 又燕京雜絶云: "心傷囊戍人, 淚濕秋筇集. 屈指阿馨年, 誰憐笄已及." _{筆談附下.}

龔　衣冠是否行裝?

先君　爲便, 道路權着武服也.

龔　唐制, 一二服紫, 三四緋, 五六綠. 貴處何如?

先君　一至正三緋, 從三品以下皆綠, 無服紫.

龔　正三堂上緋, 從三堂下綠, 尊官三品, 何以衣綠?

先君　堂上雙鶴, 堂下單鶴. 大朝會用黑團領, 卽有補子.

龔　可將履歷三代籍貫閥閲各書一紙, 交藏之. 妻何氏, 子何名, 兄弟幾人, 住何地, 生日.

先君　多感相念之勤.

龔　龔協, 字克一, 號荇莊. 辛未十一月十三日生. 江南常州府陽湖縣. 乾隆甲午科舉人, 候補部司務國子監學錄. 父廉, 乾隆壬戌進士, 官禮部員外郎刑部郎中河南河南府知府, 誥授中憲大夫. 母王氏, 山東新城, 大司寇謚文簡阮亭先生曾孫女, 誥封恭人. 娶韋氏, 乾隆癸未探花, 現任國子監祭酒前貴州布政使護巡撫名謙恒女, 例封孺人. 子述祖, 現分發江西縣丞. 女一阿馨.

왕단광

汪端光, 1748~1826

자는 검담(劍潭), 호가 우선(雨禪)이며, 본명은 용광(龍光)이다. 신묘년 (1771)의 거인(擧人)으로 국자감학정(國子監學正)[172]을 지냈다. 시사 (詩詞)에 뛰어났고, 글씨는 미양양(米襄陽)[173]을 본받았다. 어머니 양씨 (梁氏)는 자가 난의(蘭漪)인데, 시에 능하였다.

선군의 「검담을 그리며 지은 시」[174]는 이렇다.

검담은 강개한 풍모 있지만	劍潭慷慨姿
옷조차 못 이길 듯 몸이 약했네.	弱如衣不勝
맑은 말 안개인 양 토하여 내니	清詞吐如煙
하늘하늘 춤추듯 어지러웠지.	褭娜看不定
강남몽(江南夢)[175] 꿈꾸며 그댈 그려도	憶爾江南夢
줄 수 없는 이 글을 누가 잡을까.	誰把文無贈

---

172 국자감학정(國子監學正): 송·원·명·청대에 국자감의 정8품 관리이다. 국자감에 소속되어 박사(博士)의 교육과 학문을 돕고 훈도(訓導) 역할까지 겸했다.
173 미양양(米襄陽): 북송의 서화가 미불(米芾, 1051~1107). 본서 29면 각주 11번 참조.
174 「검담을 그리며 지은 시」: 『정유각집』「회인시. 장심여의 시를 본떠 짓다」 중 제18수 「왕검담 단광」(汪釰潭端光)이다.
175 강남몽(江南夢): 멀리 있는 벗을 찾아가는 꿈이다. 성당(盛唐) 시인 잠삼(岑參)의 「춘몽」(春夢)에 "동방에 어젯밤 봄바람이 불어오니, 멀리 상강의 미인이 생각나네. 베개 위에서 잠깐 꾼 봄 꿈 속에, 강남 수천 리를 다 돌아다녔다오"(洞房昨夜春風起, 遙憶美人湘江水. 枕上片時春夢中, 行盡江南數千里.)라고 한 데서 왔다.

또 「연경잡절」[176]에서는 이렇게 말했다.

무리 속에 붓글씨를 살펴보고는	衆中看墨蹟
스스로 조장남(趙漳南)이라 말하네.[177]	云自趙漳南
남(南) 자 운의 간(諫) 자가 염(艶)과 통하듯	南韻諫通艶
검담을 간담이라 말한 것일세.[178]	劍潭爲澗曇

字劍潭, 號雨禪, 本名龍光. 辛卯擧人, 官國子監學正. 工詩詞, 書法米襄陽. 母梁氏, 字蘭漪, 工詩. 先君懷劍潭詩曰: "劍潭慷慨姿, 弱如衣不勝. 淸詞吐如煙, 裊娜看不定. 憶爾江南夢, 誰把文無贈." 又燕京雜絶雲: "衆中看墨蹟, 云自趙漳南. 南韻諫通艶, 劍潭爲澗曇."

176 「연경잡절」: 『정유각집』「연경잡절」 중 제27수이다.
177 스스로 조장남(趙漳南)이라 말하네: 「연경잡절」의 해당 시에 다음과 같은 주석이 달려 있다. "서장관 조덕윤의 아들이 왕단광을 만나 영첩(楹帖)을 주었는데, 왕단광은 조공을 일컬을 때 반드시 장남(漳南)이라 하였다."(趙書狀德潤之子, 逢汪國博端光贈楹帖, 必稱趙公爲漳南.) 왕단광이 무슨 뜻으로 장남이라 불렸는지는 분명하지 않다.
178 남(南) 자…것일세: 중국어 발음으로 '남(南)'과 '간(諫)'과 '염(艶)'이 서로 통운(通韻)하는 것처럼 '검담'(劍潭)과 발음이 같은 '간담'(澗曇)을 썼다는 뜻이다. 역시 「연경잡절」의 주에 해당 내용이 실려 있다.

손성연

孫星衍, 1753~1818

자는 계구(季逑), 호가 연여(淵如)이니, 상주(常州) 무진(武進) 사람이다. 건륭 정미년(1787)에 방안(榜眼)으로 뽑혀 형부(刑部)의 관리가 되었다. 어려서 변려문(騈儷文)에 능하였고, 이미 널리 백가(百家)를 섭렵하였다. 천문역수(天文曆數)·음양형택(陰陽形宅)·전주고문(篆籀古文)[179]·성음훈고(聲音訓詁)의 학문에 있어서도 정밀하지 않음이 없었다. 『고문상서주표』(古文尚書註表), 『안자춘추음의』(晏子春秋音義), 『문자당집』(問字堂集)을 저술하였다. 장안(長安)에서 옛 도장에 새긴 글을 얻고는 이렇게 말했다. "손희(孫喜)는 내 어렸을 때 이름과 똑같으므로 인하여 시를 지어서 기록해 둔다."

처 왕옥영(王玉瑛)은 자가 채미(采薇)로, 시에 능하였고 일찍 죽었다. 저술에 『장리각집』(長離閣集)이 있다. 태사(太史) 원매가 그녀를 위해 묘지명을 지었는데, 그 시를 칭찬하여 "슬픈 감정이 몹시 아름답고, 쟁글대는 가락이 맑고도 빼어났다"고 하였다. 채미는 명부(明府)[180] 왕예산(王藝山)의 딸이다.

이에 앞서 비릉(毗陵)[181]에 칠자(七子)의 호칭이 있었는데, 양서화

---

179 전주고문(篆籀古文): 한자 서체의 일종. 금석문이나 전각문으로 활용하기 위해 선 굵기를 일정하게 하고 사각 자형을 이루는 서체이다. 주나라 선왕(宣王) 때에 태사(太史)였던 주(籀)가 만든 대전(大篆), 진시황(秦始皇)이 이사(李斯)에게 지시하여 대전을 간략화한 소전(小篆)이 있다. 대전을 주문(籀文), 소전을 전문(篆文)이라 한다.
180 명부(明府): 수령(守令)의 별칭이다.
181 비릉(毗陵): 강소성(江蘇省) 상주시(常州市)의 옛 명칭이다.

(楊西禾)·양용상(楊蓉裳) 양용상은 금릉(金陵)의 향시에서 뽑혔다.·조억생(趙億生)·서서수(徐書受)·홍치존(洪稚存) 아래에 보인다.·황중칙(黃仲則) 황경인(黃景仁)이니, 자가 중칙(仲則), 호는 회존재(悔存齋)이다. 상주(常州) 무진(武進) 사람으로 저서에『회존재시초』(悔存齋詩鈔)가 있다. 및 손연여 등 7인이었다.

상서(尙書) 필원(畢沅)[182]이 필원은 자가 추범(秋帆)이니, 진양(鎭洋) 사람이다. 건륭 경진년(1760)에 장원급제하여, 내각중서(內閣中書)를 거쳐 수찬(修撰)을 제수 받았다. 공진계도(鞏秦階道)[183]에 발탁되어 포정순무(布政巡撫)를 지냈고, 하남(河南)에서 뽑혀 양호총독(兩湖總督)에 올랐다. 풍류가 거나하여 한때의 학사와 문인이 마치 오리 떼처럼 그를 따랐다. 부인으로 첩실인 주월존(周月尊)은 자가 의향(漪香)이니, 장주(長洲) 사람이다. 글 짓고 글씨 쓰는 것을 몹시 좋아하였고, 어진 이를 예로 대우하며 선비에게는 자신을 낮추었다.「우연히 짓다」(偶成)에서 이렇게 말했다. "집은 마치 한밤 달빛 둥글 때 적음 같고, 사람 흡사 가을 구름 흩어짐 많음일세."(家如夜月圓時少, 人似秋雲散處多.) 그녀의 아버지가 황산(黃山)에서 기도할 때, 꿈에 신이 초록 옷을 입은 여자더러 그를 쫓아가게 하여 마침내 태어났다.『오회영재집』(吳會英才集)을 출판했는데, 방자운(方子雲)·홍치존·고민항(顧敏恒) 고민항은 무석(無錫)[184] 사람이다.·황중칙·왕추승(王秋塍)[185]·양서화·서서

182　필원(畢沅): 1730~1797. 청나라 중기의 관료이자 학자이다. 자가 양형(纕蘅), 호는 추범(秋帆), 자호는 영암산인(靈岩山人)으로, 강소 진양(鎭洋) 사람이다. 건륭 25년(1760) 진사로 장원급제하여 한림원편수(翰林院編修), 섬서순무(陝西巡撫) 등을 역임하였다. 호광총독(湖廣總督) 재임 시 백련교를 진압하는 과정에서 사망하였으며, 사후에 태자태보(太子太保)로 추증되었다. 경사(經史)와 금석(金石), 지리(地理) 등에 정통하였으며, 장학성(章學誠)·손성연(孫星衍)·왕중(汪中)·단옥재(段玉裁) 등을 후하게 대우하고 이들과 더불어 고증학을 크게 일으켰다. 저서에『속자치통감』(續資治通鑑),『전경표』(傳經表),『관중금석기』(關中金石記),『영암산인시문집』(靈岩山人詩文集) 등이 있다.

183　공진계도(鞏秦階道): 청나라 때 행정구역으로, 감숙(甘肅)에 속해 있었다.

184　무석(無錫): 강소성 소주(蘇州) 북쪽에 있는 도시.

185　왕추승(王秋塍): 왕기년(王斯年)으로, 추승(秋塍)은 그의 자이다. 호는 해촌(海村)이다. 절강 해녕(海寧) 사람이다. 저서에『추승서옥시초』(秋塍書屋詩抄)·『문초』(文抄) 등이 있다.

수·양용상·고동정(高東井) 고문조(高文照)이니, 자가 동정이다. 젊어서부터 빼어나 우뚝이 스스로 섰다. 아버지 고식(高植)은 덕화(德化)[186]의 수령을 지냈는데, 어질다는 명성이 있었다. 받은 월급을 동정을 위해서 책을 사는 데 모두 썼다. 나이가 스무 살이 되기 전에 지은 시가 이미 1천 수나 되었다. 안목은 한세상을 우습게 보았고, 선배 가운데 마음으로 승복한 사람은 수원(隨園) 원매와 심여(心餘) 장사전뿐이었다. 갑오년(1774)에 향시에 뽑혔고, 뒤에 북경에서 죽었다.·진이당(陳理堂)[187]과 손연여 및 왕채미 등 12인을 꼽았다.

연여는 뜻이 크고 재주가 뛰어나 예속에 얽매이지 않았다. 젊었을 때 마을에 섞여 지내면서도 언제나 서문장(徐文長)이나 장몽진(張夢晉)[188] 같은 일류의 사람과 노닒이 있었다. 어른이 되어서는 스스로를 굽혀 책을 읽었다. 자신이 지은 시편을 버려서 백에 하나도 남겨 두지 않고는 '글이 성에 차지 않는다'고 하였다. 하지만 재사(才思)가 민첩하여 한번 붓을 내리면 천 마디 말을 쓰곤 하였다. 일찍이 장안의 관서에 객으로 머물 적에 벗과 하룻밤 사이에 소한각체시(消寒各體詩)[189] 40수를 짓기로 내기하였다. 때를 넘겨서 완성하였으나 글에 덧댄 자취가 없었으니 또한

---

186 덕화(德化): 복건(福建)에 위치한 현이다.
187 진이당(陳理堂): 진섭(陳燮)으로, 이당(理堂)은 그의 자이다. 강소 태주(泰州) 사람으로, 시에 능했다. 가경 무오년(1798)에 거인이 되었으며, 비주학정(邳州學正)을 지냈다. 저서에 『은원시집』(隱園詩集)이 있다.
188 서문장(徐文長)이나 장몽진(張夢晉): 명말청초의 저명한 서화가 서위(徐渭, 1521~1593)와 장령(張靈)을 가리킨다. 손연여가 이들 같은 수준의 사람과 노닐었다는 의미이다.
189 소한각체시(消寒各體詩): 중국의 세시풍속에 동지부터 9일을 한 단위로 아홉 번, 즉 81일이 지나면 겨울이 물러간다고 보았다. 여기서 말미암아 구구소한체시(九九消寒體詩)가 생겼는데, 9글자가 한 구를 이루고 매 글자는 9획인 시이다. 선종어제시에 "정자 앞 드리워진 버들 진중하게 봄바람 기다리네"(亭前垂柳珍重待春風)라는 구가 있는데, 한 구에 글자가 9개이고 각 글자는 9개의 획으로 이루어져 있다. 동지부터 날마다 한 획씩 그으면 81일에 구를 완성할 수 있다. 『제경경물략』(帝京景物略)에 "동짓날에 흰 매화 한 가지를 그리고 꼭지 81개를 만들어서 하루에 한 꼭지씩 물들이면 꼭지가 다 끝나는 날 구구(九九)가 나오는데, 그렇게 되면 봄이 깊어진다. 그러므로 구구소한도(九九消寒圖)라 이른다"고 하였다.

기이한 재주였다.[190]

창산(倉山) 원매가 한번은 연여에게 이렇게 말했다.

"천하에 맑은 재주는 많지만 기특한 재주는 적은데, 그대야말로 천하의 기재일세."

연여가 이 말을 듣고는 내심 기뻐하며 자부하였다.

선군이 쓴 「연여를 그리며」[191]는 이렇다.

손랑은 전서 예서 글씨를 잘 써	孫郞工篆隷
번화한 생각은 끊어 버렸네.	心絶芬華慮
말달려 함곡관을 여행하면서	走馬客函秦
필추범(畢秋帆)의 관아에서 책 교정했지.[192]	校書秋帆署
은근히 석경을 부쳐 보내니	殷勤寄石經
기쁘게 동명 향해 떠나가리라.	好向東溟去

또 「속회인시」[193]는 이렇다.

한 말의 먹물로 큰 글씨 베껴 쓰니[194]	一斗隃麋寫擘窠

190　연여는…재주였다: 이 단락은 『오회영재집』(吳會英才集)에서 인용한 것이다.
191　「연여를 그리며」: 『정유각집』「회인시. 장심여의 시를 본떠 짓다」 중 제14수 「손비부 성연」(孫比部星衍)이다.
192　필추범(畢秋帆)의…교정했지: 필원이 맡고 있던 부서에서 손성연이 근무했던 것으로 보인다.
193　「속회인시」: 『정유각집』「속회인시」 중 제12수 「손비부 성연」(孫比部星衍)이다.
194　한 말의…베껴 쓰니: 원문의 "隃麋"는 옛 고을 이름으로, 유명한 먹 생산지이다. 원문의 "擘窠"는 크게 쓴 예자(隷字)를 말한다.

팔뚝 안에 한나라 309비(碑)[195] 들었구나.　　　腕中三百九碑多
영롱관 안에 있는 붉고 누런 교서[196]는　　　玲瓏舘裏丹黃卷
이 모두 선생이 손수 교감하신 걸세.　　　摠被先生手勘過

또 「연경잡절」에 "맑은 행실 비부의 손성연이요"[197](淸修比部衍)라는 구절이 있다.

字季述, 號淵如, 常州武進人. 乾隆丁未榜眼, 官刑部. 幼工駢儷文, 旣博涉百家, 于天文曆數, 陰陽形宅, 篆籀古文, 聲音訓詁之學, 靡所不精. 著古文尙書註表, 晏子春秋音義, 問字堂集. 於長安得古印文曰: "孫喜與其小名同, 因作詩以誌之." 妻王玉瑛, 字采薇, 工詩. 早卒, 所著有長離閣集. 袁太史枚爲之墓志 稱其詩'哀感頑艶, 丁當淸逸.'采薇卽王明府藝山之女也.'先是毗陵有七子之目, 爲楊西禾·楊蓉裳 楊蓉裳擧金陵鄕試 ·趙億生·徐書受·洪稚存 見下 ·黃仲則 黃景仁, 字仲則, 號悔存齋. 常州武進人. 著有悔存齋詩鈔. 及淵如七人. 畢尙書沅[198] 畢沅, 字秋帆, 鎭洋人, 乾隆庚辰大魁, 由內閣中書, 授修撰. 擢翟秦階道, 歷布政巡撫, 調河南, 陞兩湖總督. 宏奬風流, 一時學士文人, 趨之如鶩. 夫人篋室周月尊, 字漪香, 長洲人. 酷嗜文墨, 禮賢下士, 偶成云: "家如夜月圓時少, 人似秋雲散處多."

195　한나라 309비(碑): 송(宋)나라 누기(婁機, 1133∼1211)가 찬한 『한예자원』(漢隸字源)에 들어간 한나라 때 비문(碑文)의 예자(隸字)를 뜻한다. 『한예자원』에는 이 밖에도 위진(魏晉) 시기의 비문 31개가 포함되어 있다.
196　붉고 누런 교서: 책을 교정할 때 붉은색과 누런색 안료를 쓰므로 이렇게 말한 것이다.
197　맑은…손성연이요(淸修比部衍): 「연경잡절」 제22수의 한 구절이다. 본서 70면 각주 42번 참조.
198　沅: 『호저집』 원문에는 "浣"으로 되어 있으나, 오기로 보아 바로잡는다.

其尊人禱于黃山, 夢神以綠衣女子俾之, 遂生. 刻吳會英才集, 爲方子雲·洪稚存·顧敏恒 顧敏恒無錫人 ·黃仲則·王秋塍·楊西禾·徐書受·楊蓉裳·高東井 高文照, 字東井, 少年韶秀, 嶷嶷自立. 父植, 宰德化, 有賢聲. 所得俸, 盡爲東井買書. 年未二十, 詩已千首. 目空一世, 前輩中所心折者, 隨園與心餘而已. 甲午擧鄕試, 後卒於京師. ·陳理堂, 及淵如采薇十二人. 淵如俶儻通才, 不拘禮俗. 少時涸跡閭里, 恒有文長夢晉之遊. 旣長折節讀書, 棄其詩什, 百不存一, 自云: "文不逮意." 然才思敏捷, 下筆千言. 嘗客長安節署, 與友人一夕賭作銷寒各體詩四十首, 踰時而成, 文不點綴, 亦異才也. 袁倉山枚常謂淵如曰: "天下淸才多, 奇才少, 君天下之奇才也." 淵如聞之, 竊喜自負. 先君懷淵如詩曰: "孫郞工篆隸, 心絶芬華慮. 走馬客函秦, 校書秋帆署. 殷勤寄石經, 好向東溟去." 又續懷詩曰: "一斗隃麋寫擘窠, 腕中三百九碑多. 玲瓏舘裏丹黃卷, 摠被先生手勘過." 又燕京雜絶云: "淸修比部衍."

홍양길
洪亮吉, 1746~1809

본명은 예길(禮吉)이고, 자가 치존(稚存)이니, 상주(常州) 무진(武進)[199] 사람이다. 건륭 경술년(1790)에 방안으로 뽑혀 편수를 지냈다. 경서와 역사서에 널리 통하였고, 지리학에 정밀하였다. 시는 한유(韓愈)와 두보

---

199 무진(武進): 강소성 무진현(武進縣)을 말한다.

(杜甫)에 가까워, 황경인(黃景仁)[200]과 더불어 이름이 나란하였으므로 홍황(洪黃)이라고 불렸다. 그 학문은 형부 손성연과 더불어 이름이 나란하여 손홍(孫洪)으로 일컬어졌다. 저서에 『삼국강역지』(三國疆域志), 『건륭부청주현지』(乾隆府廳州縣志), 『권시각시문집』(卷施閣詩文集) 등이 있다.

선군의 기록[201]은 이렇다.

"홍양길은 어려서 고아가 되어 외가에서 길러졌다. 모부인(母夫人) 장씨가 그를 가르치니 힘써 배웠다. 약관(弱冠)이 되기 전에 상서 문민공 전유성(錢維城, 1720~1772)이 전유성의 초명은 신래(辛來)였는데, 그 아버지가 신가헌(辛稼軒)[202]을 꿈에서 보고 낳았기 때문에 이렇게 이름을 지었다. 나중에 지금의 이름으로 고치고는 이에 자를 가헌이라 하여 꿈에서 본 징조에 부응하였다. 건륭 10년 을축년(1745)에 과거 시험이 있기 넉 달 전에 꿈속에서 천방(天榜)[203]에 갔는데, 장원은 금계(金溪) 이건중(李建中)이 되었고, 자신은 탐화(探花)가 되었으나 방안(榜眼)은 성명이 보이지 않았다. 나중에 방이 붙자, 공이 장원이 되고 이건중은 마침내 이갑(二甲)에 있었는데도 지현(知縣)으로 뽑혔으니 또한 알 수 없었다. 수찬(修撰)을 제수 받아 내정(內廷)에 들어가, 여러 번 옮겨 공부시랑(工部侍郎)에 이르렀고, 형부시랑(刑部侍郎)에 발탁되었다. 산수화를 잘 그렸는데 골짜기가 그윽이 깊은 데다 기운이 묵직하고 두터워 남과 같지 않았다. 그의 과거 시험관인 전향수(錢香樹)가 이렇게 말했다. "가헌은 어렸을 때부터 그림을 그리면 줄기가 노련하고 뼈대가 빼어나

---

200 황경인(黃景仁): 1749~1783. 청초의 시인. 자가 중칙(仲則), 호는 회존(悔存)·녹비자(鹿菲子)이다. 성당(盛唐)의 시풍을 본받았다. 저서에 『양당헌집』(兩當軒集), 『회존시초』(悔存詩鈔) 등이 있다.
201 선군의 기록: 이 글은 『정유각집』 문집 권3의 「홍양길전」(洪亮吉傳)에서 가져온 것으로, 여기에 박장암이 각각의 인물에 대한 주석을 덧붙였다.
202 신가헌(辛稼軒): 남송 시인 신기질(辛棄疾)이다. 본서 146면 각주 90번 참조.
203 천방(天榜): 대궐에서 치르는 시험, 즉 대과를 가리킨다.

저절로 이루어진 듯하였다." 벼슬에 오른 뒤로는 또 동산(東山)에게서 힘을 얻은 사람이니, 동산은 동방달204 공이다. 그가 지은 악부시(樂府詩) 100수를 보고는 도보로 찾아와 방문하니, 이름이 크게 일어났다.

사하(笥河)205 주균(朱筠, 1729~1781)이 주균은 자가 죽군(竹君)이며, 순천(順天) 대흥(大興) 사람이다. 한림원시독학사를 지냈다. 고거(考據)에 해박하였고, 시를 읊는 것은 그다지 좋아하지 않았다. 안휘성(安徽省)에서 시험을 주관하고는, 첨사 전대흔(錢大昕, 1728~1804)과 뒤에 보인다. 편수 정진방(程晉芳, 1718~1784)에게 정진방은 호가 어문(魚門)이고, 안휘 흡현(歙縣) 사람이다. 신묘년(1771)에 진사로 뽑혔는데, 주죽군(朱竹君)의 문하에서 나왔다. 나이 이미 60에 서길사로 뽑혔다가, 이부 험봉사주사(驗封司主事)로 옮겼다. 사람이 수염이 아름다워 아는 이건 모르는 이건 모두 수염을 가지고 일컬었다. 그 학문은 살피지 않은 분야가 없었고, 일생 동안 시에 더욱 능하였다. 섬서에서 순무(巡撫)로 있던 필원의 군서(軍署)에서 세상을 떴다. 편지를 보내 말했다. '강남에 부임하자마자 홍(洪)과 황(黃) 두 사람을 얻으니, 그 재주가 마치 용천검(龍泉劍)과 태아검(太阿劍)206 같아서 1만 사람을 대적할 수 있습니다.' 황은 현승(縣丞) 황경인을 말한다.

간재(簡齋) 원매(袁枚)가 앞에 나온다.207 말했다. '경전에 있어서는『춘추』에 조예가 깊다. 저서에『춘추삼전고의』(春秋三傳古義)가 있다. 역사에 있어서는 지리에 정통하여『삼국동진십육국강역삼지』(三國東晉十六國畺域三志)가 있고, 『사기이하사사류오』(史記以下四史謬誤) 12권을

204　동방달: 본서 124면 각주 19번 참조.
205　사하(笥河): 주균(朱筠)의 호.
206　용천검(龍泉劍)과 태아검(太阿劍): 고대 중국의 보검(寶劍) 이름. 춘추시대 초 소왕(楚昭王)이 월(越)나라의 구야자(歐冶子)와 오(吳)나라의 간장(干將)에게 만들게 하였다.
207　앞에 나온다: 본서 36면 '원매' 항목 참조.

간행하였다. 또 송나라 이계천(李繼遷)[208]이 나라를 전한 것이 백 년이 넘었음에도 사적이 빠지거나 소략하였으므로, 다시 『서하국지』(西夏國志) 16권을 완성하였다. 육서(六書)에 있어서는 해성(諧聲)[209]에 정통하여 『한위음』(漢魏音) 4권을 저술하였다. 이 밖에 시 2천 수와 산문 및 잡저(雜著) 수백 편을 지었다. 그가 편찬한 『건륭부청주현지』(乾隆府廳州縣志) 및 막부의 전주(牋奏)는 포함하지 않았다.'

내가 그의 『권시각을집』(卷施閣乙集)과 『오하영재집』 수 권을 한림 장문도(張問陶)[210]에게서 얻어 읽어 보고 훌륭하게 여겼다. 장문도가 말했다.

'이 사람이 차수 선생의 시를 보더니 입이 마르도록 칭찬하더군요. 지금 숭문문(崇文門) 밖에 살면서 가끔 내게 오곤 하니 기다려 보십시다.'

내가 마침 일이 있었기에 볼 수가 없다고 사양하고는, '권시각'(卷施閣)이라는 세 글자를 크게 써서 보냈다. 그 뒤에 공행장을 만나 보니 이렇게 말했다.

'치존태사(稚存太史)께서 차수가 왔단 말을 들으시고 반나절이나 기다렸는데, 그대가 때를 놓치는 바람에 서글퍼하며 가셨답니다.'

다시 장 한림을 통해 『삼국강역지』(三國疆域志) 및 『부청주현지』(府

208　이계천(李繼遷): 서하(西夏) 왕조의 기업을 닦은 인물이다. 각항족(覺項族) 출신으로, 선조의 성은 척발씨(拓拔氏)이다. 하주(夏州)에 웅거하여 세력을 키웠다. 송나라에 투항하여 '조보길'(趙保吉)이란 이름을 하사 받았다. 군벌로서 하주자사(夏州刺史)·정난군절도사(定難軍節度使)를 지냈다. 후에 서번(西藩)과의 싸움에서 전사하였다. 아들 덕명(德明)이 서하(西夏)를 건국하여 계천을 태조(太祖)로 추존하였다.

209　해성(諧聲): 형성(形聲). 한자의 여섯 가지 구성 원리 중 하나로, 둘 이상의 글자가 한 글자가 되어 한 부분은 뜻을, 다른 한 부분은 음을 나타내는 것이다.

210　장문도(張問陶): 1764~1814. 본서 217면 '장문도' 항목 참조.

廳州縣志)를 보내면서 직접 소전(小篆)으로 대련(對聯)을 써서 대련을 살펴보니 이렇다. '바다 같은 티끌 세상 뜻밖에 만나 보니, 무지개 같은 기운 그 누가 알아볼 꼬.'(意外相逢塵似海, 眼中誰識氣如虹.) 예물로 삼으니, 그 풍류의 드넓음이 이와 같았다. 홍양길의 문장은 변려문에 뛰어났는데, 일을 나란히 견주어 문장을 얽음이 찬란하여 볼만하였다. 그의 지금을 상심하고 옛날을 그리워하는 작품들은 종종 너무 서글퍼 차마 읽을 수가 없었고, 『이소』와 변아(變雅)[211]의 남은 음조가 있었다. 어찌 근심 걱정 속에 태어나고 빈천한 가운데 자란 사람이겠는가?

한번은 전계목(錢季木)[212]과 더불어 벗에 대해 논하여 말했다.

'근세의 선비들이 혹 벼슬의 지위를 가지고 서열을 정하고, 연배에 얽매여 차례를 정하니, 어찌 벗을 사귀는 것이 좌웅(左雄)이 나이로 제한하는 자격일 것이며,[213] 어찌 교우를 맺는 것이 정시(正始) 연간의 관리 명부처럼 될 수 있단 말인가?[214] 이것이 한 가지 폐단이다. 대저 법도를 벗어나 그 성품의 참됨을 구함 같은 것은, 잠깐 만나는 사귐이라도 귀신조차 그 은미함에 끼어들지 못하고, 한 마디의 진실함은 금석 또한 장차 그 열렬함에 지고 말 것이니, 우리 무리에서 이를 구한다면 그대가 바로

211　변아(變雅): 『시경』 소아(小雅)와 대아(大雅)의 작품 중 정아(正雅)의 상대 개념으로, 주나라 정치가 쇠했던 시기의 작품을 뜻한다. 정풍(正風)에 대해 변풍(變風)이 있는 것과 같다.
212　전계목(錢季木): 전유교(錢維喬, 1739~1806). 계목(季木)은 그의 자이다. 강소 무진(武進) 사람으로, 자는 죽초(竹初)·수삼(樹參)이다. 호는 반원일수(半園逸叟)이다. 건륭 연간의 거인으로, 은현지현사(鄞縣知縣事)를 지냈다. 시문(詩文)과 산수화에 뛰어났다.
213　좌웅(左雄)이…것이며: 한 순제(漢順帝) 때 상서령(尙書令)으로 있던 좌웅이 효렴과(孝廉科)의 천거 연령을 40세 이상으로 제한한 일을 이른다.
214　정시(正始)…말인가: 정시는 삼국시대 조위의 군주 위제왕(魏齊王) 조방(曹芳)의 첫 연호(240~249)이다. 이 시기에 대대적인 개혁이 이루어져 정시개혁(正始改革)이라 하는데, 이 때 관리 품계를 9품으로 나누었다. 여기서는 관리의 품계를 차이를 두고 엄격하게 구분한 것을 가리킨다.

그중 한 사람일 것이다. 그대는 낭야(琅琊)가 장가들지 않은 것을 본받고[215] 평양후(平陽侯)가 마치 세상에 잠시 부쳐 사는 것처럼 한 것을 배워,[216] 옥과 같이 고고하게 붉은 대문에 처하고, 달빛처럼 환하게 그 본바탕[217]을 이루었다. 자주 나무를 하면서 높은 벼슬아치의 자리에서 달아나고, 간혹 급한 휴가를 청하여 명산의 오두막에서 쉰다. 백로의 깃털을 보면서 티끌 묻은 모습을 더럽게 여기고, 푸른 솔가지의 가지를 당기면서 이같이 울적한 마음을 부친다. 내가 그대를 두고 또 장차 누구와 더불어 사귀겠는가?'

근포(菫浦) 항세준(杭世駿)[218]이 지은 『삼국지보주』(三國志補注)의 서문에서 말했다.[219]

'근래에 사학(史學)에는 두 가지 갈래가 있다. 하나는 서당의 훈장이 역사에 대해 논하면서, 선을 좋아하고 악을 미워하는 의리에 얽매여 비록 고금(古今)에 대해 잘 알지도 못하면서 포폄을 제멋대로 하는 것이

215 낭야(琅琊)가…본받고: 낭야는 산동성 제성현(諸城縣)의 동남쪽 지역으로, 진(晉)나라 왕헌지(王獻之)의 출신지이다. 왕헌지가 처를 버리고 공주에게 장가들라는 명을 받았으나, 자신의 발을 쑥뜸으로 지져 절름발이가 되면서까지 거부했다는 고사를 말한다.
216 평양후(平陽侯)가…배위: 평양후는 한나라 조참(曹參)을 가리킨다. 조참이 제(齊)를 다스릴 때 황로지술(黃老之術)을 써서 무위(無爲)한 자세로 휴식을 취하며 일이나 법령을 새로 벌이지 않았다고 한다.
217 본바탕: 원문은 "素履"이다. 『주역』 「이괘」(履卦) 초구(初九)에 "평소대로 행해 나가면 허물이 없으리라"(素履往, 无咎.)라고 하였고, 「상」(象)에, "평소의 본분을 편안히 행하여 가는 것은 오로지 마음에 원하는 것을 행하는 것이다"(素履之往, 獨行願也.)라고 한 데서 왔다.
218 항세준(杭世駿): 1696~1773. 청대의 학자로, 자는 대종(大宗), 호는 근포(菫浦)이다. 절강 인화(仁和) 사람이다. 옹정 2년(1724) 거인이 되었고, 훗날 삼례관(三禮館)에 들어가 『삼례의소』(三禮義疏)를 찬수하였다. 서법(書法)에 능하였고 매화와 대나무를 잘 그렸으며, 시로 여악(厲鶚)과 이름이 나란했다. 『십삼경』(十三經), 『이십사사』(二十四史)를 교감했으며, 저서에 『도고당집』(道古堂集)·『양절경적지』(兩浙經籍志)·『용성시화』(榕城詩話) 등이 있다.
219 근포(菫浦)…말했다: 이하 내용은 홍양길의 『권시각집』(卷施閣集)에 실린 항근포의 『삼국지보주』 서문의 일부분이다.

다. 자운(子雲) 양웅(揚雄)을 신망(新莽)으로 덧대고,[220] 정중(鄭衆)[221]
을 시인(寺人)의 명부에서 삭제하여, 한 가지 뜻으로 가져다 붙여 스스
로 내가 성인이라고 말한다. 이를 궁구하여 확대하면, 한(漢)나라 경제
(景帝)의 역년(歷年)이 일식(日食)조차 알지 못하고,[222] 북제(北齊)가
나라를 세움에 끝내 사방의 경계에 어두웠던 것과 같으니, 그 연원이 송
(宋)나라 조사연(趙師淵)[223]에게서 나왔다. 그 뒤에 이르러 명(明)나라
때 하상(賀祥)과 장대령(張大齡)이 혹 아울러 성인은 족히 본받을 것이
못 된다고 여긴 것과 같다.

다른 하나는 이렇다. 사인(詞人)들이 역사를 읽을 때 한 글자 한 구절
의 사이에서 의미를 찾아, 여러 사람의 말에 따라 사마천을 칭송하고, 한
차례 읽고 나서는 반고(班固)[224]를 비웃는다. 그리하여 문사(文士)를 위
해 전(傳)을 지을 때면 반드시 굴원(屈原)에다 견주고, 대장(隊長)을 위
하여 비석을 세울 때는 또한 항우(項羽)에 비견하곤 한다. 이는 『사기』

---

220 자운(子雲)…덧대고: 한나라 때 문장가 양웅(揚雄)이 뒷날 한나라를 찬탈하여 신(新)을
세운 왕망(王莽)을 섬겼던 일로 지탄 받은 일을 가리킨다.
221 정중(鄭衆): 후한 때의 환관으로, 자는 계산(季産)이다. 화제(和帝) 때 두헌(竇憲) 형제
의 불궤(不軌)를 꺾어 그 일당을 몰살한 공으로 대장추(大將秋)로 영진(榮進)하여 국정에 참여
하였다. 후한의 환관이 권세를 잡게 된 것은 정중에서 비롯되었다. 『후한서』(後漢書) 「정중전」
(鄭衆傳)에 자세하다.
222 한(漢)나라…알지 못하고: 송나라 주밀(周密)의 「계신잡지」(癸辛雜識)에서 "『통감』에는
한(漢) 경제(景帝)가 즉위한 후 4년 동안의 일식을 모두 7월 초하루로 잘못 적었다"라 하였다.
223 조사연(趙師淵): 주희(朱熹)의 제자로, 자는 기도(幾道)이다. 주희가 사마광(司馬光)의
『자치통감』을 근거로 하여 강목체(綱目體)로 편찬한 『자치통감강목』(資治通鑑綱目)의 많은 부
분이 조사연의 손에서 이루어졌다. 이때 주자가 이미 쇠약해져 다시 필삭(筆削)하지 못해 의심
스러운 부분이 많다.
224 반고(班固): 원문은 "白虎觀"인데, 후한 장제(章帝)의 궁전 이름이다. 장제는 여러 학자
를 백호관에 모아 놓고 오경의 같고 다름을 변별하고 토론했는데, 그 내용이 반고가 명을 받아
편찬한 『백호통의』(白虎通義)에 집약되어 있으므로 여기서는 반고의 별칭으로 썼다.

몇 편을 읽고서 온 세상의 역사책을 산삭(刪削)하고, 사마천의 한 귀퉁이를 얻고는 나머지는 논할 것이 없다고 여기는 격이니, 그 근원이 송나라 구양수(歐陽脩)가 『오대사』(五代史)[225]를 지은 것에서 비롯되었다. 그 뒤에 이르러 명나라 장지상(張之象)[226]과 웅상문(熊尙文)[227]이 곧장 팔고문 짓는 방법을 가지고 이를 행한 것과 같다. 대저 다만 훈고에 통달하면 서당 훈장의 잘못을 바로잡을 수 있으니, 복건(服虔)[228] 등 21가(家)가 『한서』(漢書)에 주를 낸 것[229]이 이것이다. 또한 고사를 익히기만 하면 사인의 실수를 구할 수 있으니, 배송지(裴松之)[230]가 『삼국지』에 주를 단 것이 바로 이것이다.'

그는 「순화현지서록」(淳化縣志敍錄)[231]에서 이렇게 썼다.

---

225 『오대사』(五代史): 후량(後梁)부터 후주(後周)까지 중국 오대(五代, 907~960)의 역사를 기전체(紀傳體)로 서술한 역사서. 설거정(薛居正) 등이 편찬한 관찬『오대사』(五代史)와 구분하기 위해 흔히『신오대사』(新五代史)라고 한다. 당대(唐代) 이후 정사(正史) 중에 유일하게 개인이 편찬하였다.

226 장지상(張之象): 1496~1577. 명나라 송강(松江) 화정(華亭) 사람. 자는 월록(月鹿) 또는 현초(玄超)이다. 저술과 편찬, 고서적 수집에 전념했다. 서재인 '의란당'(猗蘭堂)이 유명하다. 저서로는『사성운보』(四聲韻補)·『운학통종』(韻學統宗)·『시학지남』(詩學指南) 등이 있다.

227 웅상문(熊尙文): 명나라 강서(江西) 풍성(豐城) 사람. 자는 익중(益中), 호는 사성(思城)이다. 만력 23년(1595)에 진사가 되어 벼슬이 공부우시랑(工部右侍郎)에 이르렀다. 저서에『난조독사일기』(蘭曹讀史日記)·『어록』(語錄)·『주역가훈』(周易家訓) 등이 있다.

228 복건(服虔): 후한 말기의 경학가. 자는 자신(子愼)이며, 하남(河南) 영양(滎陽) 사람이다. 벼슬이 상서시랑(尙書侍郎), 고평현령(高平縣令), 구강태수(九江太守)에 이르렀다. 『한서』에 주석했고, 『춘추좌씨전해』(春秋左氏傳解)를 찬술했다.

229 『한서』(漢書)에 주를 낸 것: 『한서』는 난해한 문장이 많아 한대부터 많은 주석이 있었는데, 후한 말부터 수당(隋唐) 시대까지의 많은 주석서를 집대성한 안사고(顔師古)의 「한서서례」(漢書敍例)에 복건을 비롯하여『한서』에 주를 단 24명의 목록이 보인다. 본문의 21인은 이 24명 중의 일부를 뜻하는 것으로 보인다.

230 배송지(裴松之): 372~451. 동진 말~남조 송(宋)의 문인으로, 자는 세기(世期). 하동군(河東郡) 문희현(聞喜縣) 출신이다. 진수의 『삼국지』에 주석을 달았다.

231 「순화현지서록」(淳化縣志敍錄): 홍양길이 찬술한 지리서『순화현지』(淳化縣志)의 서문으로, 『권시각을집』(卷施閣乙集)에 수록되어 있다.

'신축년(1781)에 관(關)에 들어가서 방지(方志)[232]를 찬정한 것이 셋인데, 동주(同州)의 『징성현지』(澄城縣志)와 빈주(邠州)의 『순화현지』(淳化縣志), 『장무현지』(長武縣志)가 이것이다. 관중은 땅이 크고 사물이 많아, 여러 기록 중 한나라 때의 『삼보황도』(三輔黃圖)[233]로부터 후대로 내려와 당나라 위술(韋述)[234]의 『관중기』(關中記), 송나라 송민구(宋敏求)[235]의 『장안지』(長安志), 정대창(程大昌)[236]의 『옹승략』(雍勝略) 등에 이르기까지 모두 준거로 삼을 만하다. 하지만 부(府)나 주(州), 현(縣)의 방지는 채록할 만한 것이 적다. 대개 명나라의 제현들이 옛것을 본받지 않는 것을 일삼아 진실로 간략하게 만들어서, 옛 성이나 오래된 도랑을 버려두고 거들떠보지 않았기 때문이다. 오늘날 성대하게 전해지는 『무공지』(武功志)나 『조읍지』(朝邑志)를 두고, 잘 알지 못하는 자들이 실로 옛사람보다 낫다고들 여기지만, 올바른 논의는 아니다. 내가 이 지방지를 만들면서 한결같이 예전 어진 이의 작업을 기준으로 삼아 진실로 이론(異論)을 세우지 않았으니, 이것에 힘입어 법도로 삼아 후세에게 보이고자 하였기 때문이다. 대저 기(記)가 8권, 부(簿)가 2권, 지(志)가 5권, 약(略)이 3권으로, 모두 30권인데, 다섯 달이 걸려 완성하였다.

232　방지(方志): 한 지방의 지리지.
233　『삼보황도』(三輔黃圖): 한나라 때 장안의 지리지로, 궁궐과 근기의 고적을 주로 기술하였다.
234　위술(韋述): ?~757. 당나라 때의 문인 학자로, 몹시 해박하여 다양한 저술을 남겼다. 안원손(顏元孫), 하지장(賀知章) 등과 함께 오총(五摠)이라 불린다.
235　송민구(宋敏求): 1019~1079. 북송의 학자. 자는 차도(次道)로, 송수(宋綬)의 아들이다. 지리지(地理誌)인 『장안지』(長安志)를 지어 장안의 성곽·궁실에 관해 고증하였다. 다른 저서에 『춘명퇴조록』(春明退朝錄), 『당대조령집』(唐大詔令集) 등이 있다.
236　정대창(程大昌): 1123~1195. 남송 때 경학자로 지리학에 뛰어났다. 저서에 『역원』(易原), 『산천지리도』(山川地理圖) 등이 있다.

그 차례는 이렇다. 옛 현과 지금의 현, 새 성과 옛 성, 옛 진(鎭)과 옛 향(鄉)에 교량을 덧붙이고, 진(晉)나라 주육(朱育)의 『회계토지기』(會稽土地記)를 본떠서 '토지(土地) 제1'을 기술하였다. 사서의 감천(甘泉)과 전지(傳志)의 석문(石門)에서 야곡(冶谷)²³⁷에서 물길을 끌어오고 형산(荊山)에서 강물을 대어 관개(灌漑)의 이로움을 끝없이 받았다고 하였으므로, 제(齊)나라 유징(劉澄)이 쓴 『송초산천고금기』(宋初山川古今記) 등을 본떠서 '산천(山川) 제2'를 기술하였다. 역사가들이 남긴 법에 먼저 대사(大事)를 기록하므로, 한(漢)나라 사마천(司馬遷) 등의 『대사기』(大事記)를 본떠서 '대사(大事) 제3'을 기술하였다. 옛날에 '길행(吉行)²³⁸은 하루에 30리를 간다'고 하니 여러 도경(圖經)을 펼쳐 보고 그 남긴 뜻을 본받아 수(隋)나라 『서역도리기』(西域道里記) 등을 모방하여 '도리(道理) 제4'를 기술하였다. 진시황이 궁궐을 지어 5만의 가호(家戶)를 옮기고 한나라가 시원(始元) 연간에 백성을 삼보(三輔)²³⁹로 이주시킨 것은 그 차고 빈 것을 헤아린 것이었기에, 송(宋)나라 『원강(元康) 6년 호구부기』(元康六年戶口簿記) 등을 본떠, '호구(戶口) 제5'를 기술하였다. 다만 백성들의 풍속은 백 리마다 같지가 않으므로 이에 사녀에 대해 기록하고 농공상(農工商)에까지 미쳤으니, 진(晉)나라 주처(周處)의 『풍토기』(風土記) 등을 모방하여 '풍토(風土) 제6'을 기술하였다. 옹주(雍州)는 지역이 높아서 신명이 있는 구역이고,²⁴⁰ 운양현(雲陽縣)의

237 야곡(冶谷): 섬서성 경양현(涇陽縣) 북서쪽에 있는 골짜기이다.
238 길행(吉行): 혼인과 같은 경사스러운 일로 떠나는 길을 말한다.
239 삼보(三輔): 한대에 장안에서 동쪽을 경조(京兆)·장릉(長陵), 북쪽을 빙익(馮翊)·위성(渭城), 서쪽을 부풍(扶風)이라 했는데 그 후 장안 인접지(隣接地)를 삼보(三輔)라 하였다.
240 옹주(雍州)는…구역이고: 『사기』「봉선서」(封禪書)에 "옛부터 옹주는 지극히 높아서 신명의 지역이다"(自古以雍州積高, 神明之隩.)라고 하였다.

감천궁(甘泉宮)²⁴¹ 또한 황제가 거처했던 곳인데 아래로 소귀(小鬼)²⁴²
에 미쳐서도 신령스러워 업신여기지 못하였으므로, 제(齊)나라의『사묘
기』(祠廟記) 등을 본떠 '사묘(祠廟) 제7'을 기술하였다. 세대가 멀어져서
좇을 수는 없지만 금천씨(金天氏)²⁴³의 능과 청조씨(靑鳥氏)²⁴⁴의 무덤
은 책 속에서 찾아볼 수가 있는지라, 송나라 이동(李彤)의『성현총묘기』
(聖賢塚墓記) 등을 모방하여 '총묘(塚墓) 제8'을 기술하였다. 진시황과
한무제는 궁을 쌓고 신선 되기를 기원하여 홍애궁(洪崖宮)과 노거궁(弩
阹宮)²⁴⁵을 성(城)에 더하여 두었으므로, 진(晉)나라『낙양궁전부』(洛陽
宮殿簿) 등을 모방하여 '궁전(宮殿) 제9'를 기술하였다. 세금을 거두는
장부는 전대(前代)에는 없던 것인데 농상사속(農桑絲粟)으로 시조(市
租)²⁴⁶에 충당하였기에, 송나라 이상(李常)의『원우회계록』(元祐會計錄)
등을 모방하여 '회계(會計) 제10'을 기술하였다.

반궁(泮宮)²⁴⁷은 앞쪽에 있고 총사(叢祠)²⁴⁸가 뒤에 늘어서 있어 훌륭

---

241 운양현(雲陽縣)의 감천궁(甘泉宮):『괄지지』(括地志)에 "운양성은 옹주 운양현 서쪽 80
리에 있는데, 진시황의 감천궁이 있다"(雲陽城在雍州雲陽縣西八十里, 秦始皇甘泉宮在焉.)고
하였다.

242 소귀(小鬼): 옛날에 사람이 죽어 음(陰)에 들어가면, 그 위치가 낮은 자는 소귀가 된다고
한다.『사기』「봉선서」에서 "두주(杜主)는 본래 주나라의 우장군이었는데, 진중(秦中)에서는
가장 작은 귀신으로서 신령함을 지녔다"(杜主, 故周之右將軍, 其在秦中, 最小鬼之神者.)라 했
는데, 주(注)에서 사마정(司馬貞)은 "그 귀신이 비록 작기는 하나 신령함이 있음을 이른다"(謂
其小鬼雖小, 而有神靈.)라 하였다.

243 금천씨(金天氏): 삼황오제(三皇五帝)의 하나인 소호금천씨(少昊金天氏). 황제(黃帝)의
아들로, 어머니는 유조(嫘祖). 태호포희씨(太昊包犧氏)의 법을 닦아 소호라 한다.

244 청조씨(靑鳥氏): 옛날 소호씨(少皞氏) 때 봉황(鳳凰)이 나타나자 벼슬 이름을 청조씨라
고 했다고 하는데, 월력(月曆)을 맡아보던 벼슬아치이다.『좌전』(左傳) 소공(昭公) 17년조에
"청조씨는 입춘과 입추를 알린다"(靑鳥氏, 司啓者也.)라고 하였다.

245 홍애궁(洪崖宮)과 노거궁(弩阹宮): 모두 장안의 감천궁(甘泉宮)에 있다.

246 시조(市租): 상인들이 내는 세금.

247 반궁(泮宮): 반수(泮水)에 자리한 학궁(學宮)이라는 뜻으로, 제후국의 국학(國學)을 이

한 여러 어진 이가 우리의 사당을 빛내니, 송나라 때『숭녕학교신법지』(崇寧學校新法志)[249] 등을 본떠 '학교(學校) 제11'을 기술하였다. 관직 생활에 재주가 남으면 시를 읊조리는 것을 그만두지 않으니, 송나라 무명씨(無名氏)의『아서지』(衙署志)[250] 등을 모방하여 '아서(衙署) 제12'를 기술하였다. 백공(白公)[251]과 정국(鄭國)[252]을 칭송하는 백성들의 노래가 이제껏 전해져서, 그 남은 자취를 채록하여 관리의 잠언에 대신하니, 당나라 두우(杜佑)의『통전』(通典)「직관지」(職官志) 등을 본떠 '직관(職官) 제13'을 기술하였다. 세상은 훌륭한 선비를 필요로 하고, 선비는 경서에 통달한 것을 귀하게 여기므로, 송나라 최씨(崔氏)의『등과기』(登科記)[253] 등을 모방하여 '등과(登科) 제14'를 기술하였다. 광릉(廣陵)의 여러 선비와 회계(會稽)의 선현, 여러 여성의 후전(後傳)을 안원(顏原)[254]이 편찬하니, 진(晉)나라 상거(常璩)[255]의『화양국사녀지』(華陽國

른다. 공자의 위패를 모신 문묘(文廟)를 포함한다. 우리나라에서는 성균관의 이칭으로 쓰인다.
248 총사(叢祠): 돌멩이를 쌓아 올려 만든 사당이라는 뜻으로, 잡신을 제사하는 서낭당을 이른다.
249 『숭녕학교신법지』(崇寧學校新法志): 송사에 실린 참고 서목 중에『휘종학교신법』(徽宗學校新法)이라는 책이 보이는데, 원표제가 숭녕학제(崇寧學制)로 나오므로 이 책을 말한 듯하다.
250 『아서지』(衙署志): 미상.
251 백공(白公): 한나라 무제(武帝) 때의 수리(水利) 전문가로, 태시(太始) 2년 경수(涇水)를 끌어와 곡구(谷口)와 역양(櫟陽)을 거쳐 위수(渭水)에 다다르는 200여 리에 달하는 관개수로 설치를 건의하였다. 백성들이 풍요로움을 얻자 그의 공덕을 칭송하며 그의 이름을 따서 수로를 백거(白渠)라 불렀다.
252 정국(鄭國): 전국시대 한(韓)나라의 수공(水工)으로, 치수에 능하였다. 진시황 원년에 진나라의 국력을 소모시켜 동진을 막고자, 진시황에게 사신으로 가 300여 리에 달하는 수로를 파도록 권하였다. 이후에 음모가 발각되었으나 도리어 이로써 진나라가 부유해져 천하를 제패하게 되었다. 그 관개수로를 정국거(鄭國渠)라 이른다.
253 『등과기』(登科記): 전시(殿試) 관련 문건을 집대성한 서적으로, 과거 시험 과목, 문제지, 시험지, 급제자 성명, 조령(詔令), 주소(奏疏) 등을 실었다. 등과록(登科錄), 전시록(殿試錄)이라고도 한다.
254 안원(顏原):『구당서』에「열녀후전」10권의 저자로 나온다.

士女志)²⁵⁶ 등을 본떠 '사녀(士女) 제15'를 기술하였다. 금석(金石)에 새긴 글은 옛날에도 썩지 않는다고 하였기에, 송나라 정초(鄭樵)의 『통지』(通志) 「금석략」(金石略) 등을 모방하여 '금석(金石) 제16'을 기술하였다. 왕포(王褒)와 양웅(揚雄)²⁵⁷의 작품은 간결하면서도 단정하기가 으뜸인지라, 국사(國師)로 기림을 받았고 또한 「감천부」(甘泉賦)²⁵⁸를 지었으니, 한나라 유향(劉向)의 『칠략』(七略) 중 「사부략」(詞賦略)을 본떠 '사부(詞賦) 제17'을 기술하였다. 무릇 방지에서 구석진 곳은 반드시 지금과 옛날을 미루어 옛 지도로 상고하고, 지금의 잣대로 가늠해야 하나, 다만 이 한 편은 그 차례를 뒤섞어서는 안 되겠기에,²⁵⁹ 상거의 『화양국지』 서록(序錄)²⁶⁰ 등을 본떠 '서록(序錄) 제18'을 기술하였다.'

이 책은 여지서(輿地書) 중에서도 해박하고도 자세한 것이라 하겠다."

---

255 상거(常璩): 동진(東晉)의 촉군(蜀郡) 출신으로, 자는 도장(道將)이다. 오호십육국 시대 성한(成漢)에서 산기상시(散騎常侍)를 역임하며 서적을 관장하였다. 대표 저서인 『화양국지』(華陽國志)는 총 12권, 부록 1권으로 고대부터 동진 시대까지 파촉(巴蜀) 지방의 역사와 지리, 풍속을 다루고 있다.

256 『화양국사녀지』(華陽國士女志): 『화양국지』 권10의 「선현사녀총찬론」(先賢士女総賛論)을 이른다.

257 왕포(王褒)와 양웅(揚雄): 전한(前漢) 시대를 대표하는 문장가들로 모두 부(賦)에 능하였다. 원문의 "淵雲"은 왕포의 자 자연(子淵)과 양웅의 자 자운(子雲)을 합쳐 부르는 말이다. 『한서』에는 '揚雄'으로 되어 있으나, 청나라 고증학자인 단옥재(段玉裁)의 주장에 따라 '楊雄'으로 쓰기도 한다.

258 「감천부」(甘泉賦): 양웅이 한나라 성제(成帝)의 감천궁 행행(行幸)을 수행하고 돌아와, 그 지나치게 화려하고 사치스러움을 경계할 것을 간하기 위하여 지은 글이다.

259 다만…안 되겠기에: 『권시각을집』에서는 이 문장이 좀 더 자세하다. "다만 이 한 편은 모두 옛날에 들은 것을 기술한 것이니 그 차례를 뒤섞지 말고 후세 사람의 판단을 기다려야 한다."(惟茲一編, 咸述舊聞, 勿淆其次, 以俟後人.)

260 『화양국지』 서록(序錄): 『화양국지』는 동진 시대 상거가 저술한 지방지(地方志)로, 파·촉과 한중 지방의 역사·지리·인물을 다루었다. 여기서 말하는 '서록'이란 마지막 권인 '서지(序志) 및 사녀명목록(士女名目錄)'을 함께 가리키는 듯하다.

선군이 쓴「치존을 그리며」²⁶¹라는 시는 이렇다.

치존은 학문 변설 해박하여서	稚存學辯博
입 열면 변려문을 이루었다네.	矢口成駢儷
아득히 넓은 세상 뜻을 두고서	茫茫志廣輪
옛일 살핌 추호인 듯 세밀하였지.	考古秋毫細
『영재집』을 한 차례 살펴보고는	一覽英才集
하늘가서 마땅히 소매 잡았네.²⁶²	天涯當把袂

또「속회인시」²⁶³는 이렇다.

고로(菰蘆)²⁶⁴의 인물이요 육조의 문장이라	菰蘆人物六朝文
생긴 모습 훤칠하여 무리에서 빼어났네.	眉宇靑霞迥出群
예학은 천추에 큰 공²⁶⁵을 논하리니	禮學千秋論配食
정현(鄭玄)²⁶⁶의 집 아래에 으뜸가는 공신일세.	康成廡下策元勳

또「연경잡절」에서 이렇게 말했다. "거룩 땅 북강(北江)의 홍양길일

---

261 「치존을 그리며」: 『정유각집』「회인시. 장심여의 시를 본떠 짓다」 중 제15수「홍한림 양길」(洪翰林亮吉)이다.

262 소매 잡았네: 원문은 "把袂"로, 서로 친근하게 사귐을 뜻한다.

263 「속회인시」: 『정유각집』「속회인시」 중 제11수「홍치존 양길」(洪稚存亮吉)이다.

264 고로(菰蘆): 갈대숲이라는 뜻으로 은자의 거처를 비유한다.

265 큰 공: 원문의 "配食"은 배향(配享)과 같은 말로, 학덕 있는 학자나 공신의 위패를 종묘나 사당에 모셔 부제(祔祭)하는 일을 가리킨다.

266 정현(鄭玄): 127~200. 한나라의 대학자(大學者)로 경학을 집대성하였다. 원문은 "康成"으로, 정현의 자(字)이다.

세."267(鉅鹿北江洪)

本名禮吉, 字稚存, 常州武進人. 乾隆庚戌榜眼, 官編修. 博通經史, 精于
地理之學. 詩近韓杜, 與黃景仁齊名, 號洪黃, 學與刑部孫星衍齊名, 號孫
洪. 著三國疆域志, 乾隆府廳州縣志, 卷施閣詩文集. 先君記曰："亮吉幼
孤, 育於外家. 蔣母夫人訓之力學. 未弱冠, 尙書錢文敏公維城 錢維城初名辛
來. 其父夢辛稼軒而生, 故名. 後改命名, 乃字稼軒, 以應夢兆. 乾隆十年乙丑, 科前四月, 夢行天
榜, 狀元爲金溪李建中, 己爲探花, 榜眼不著姓名. 後榜發, 公爲狀元, 而李建中竟在二甲. 以知縣
用, 亦不可解. 授修撰, 入直內廷, 累遷至工部侍郞, 調刑部侍郞. 工山水, 邱壑幽深, 氣韻沈厚,
迥不猶人. 其座主錢香樹云：'稼軒自幼出筆老幹, 秀骨天成. 通籍後又得力于東山者也.' 東山, 董
公邦達也. 見其樂府百首, 徒步訪之, 名大起. 朱筠河筠 朱筠, 字竹君, 順天大興
人. 官翰林院侍讀學士. 考據博雅, 不甚吟詩. 視學安徽, 致書于錢詹事大昕 見下. 程
編修晉芳 程晉芳, 號魚門. 安徽歙縣人. 中辛卯進士, 出朱竹君門下. 年已六十, 選庶吉士, 改
吏部驗封司主事. 爲人多髥, 識與不識, 皆以髥稱. 其學無所不窺, 而一生尤工于詩. 後歿于陝西
畢撫軍署. 曰：'甫蒞江南, 得洪黃二君, 其才如龍泉太阿, 皆萬人敵.'云. 黃
謂縣丞景仁也. 袁簡齋枚 見上. 曰：'于經深春秋. 所著有春秋三傳古義.
於史精地理, 有三國東晉十六國疆域三志, 刊史記以下四史謬誤十二卷.
又以宋李繼遷, 傳國逾百年, 而事跡闕略, 復成西夏國志十六卷. 于六書,
通諧聲, 著漢魏音四卷. 外爲詩二千首, 文及雜著數百篇, 而所修乾隆府廳
州縣志及幕府牋奏不與焉.' 余得其卷施閣乙集, 吳下英才集數卷於翰林張
問陶, 讀而善之. 張曰：'此人見次修先生詩, 稱之不容口, 方住崇文門外,

267 거록 땅 북강(北江)의 홍양길일세: 「연경잡절」 제22수의 한 구절이다.

間嘗來我, 可[268]候之也.' 余方有事謝不能, 書寄卷施閣三大字. 後見龔荐
莊曰:'稚存太史聞次修來, 委候半日, 以次修失期, 悵惘而去.' 復因張翰
林, 致三國疆域志及府廳州縣志, 自書小篆對聯, 案聯云:"意外相逢塵似海, 眼中
誰識氣如虹." 所以贊也. 其風流弘長如此. 亮吉爲文, 長於駢儷, 比事屬辭,
粲然可觀. 其傷今感古之作, 往往惻悢而不忍讀, 有離騷變雅之遺音. 豈生
於憂患, 而長於貧賤者歟? 嘗與錢季木論友曰:'近世之士, 或以爵秩敍雁
行, 拘年輩爲鱗次, 何云締交乃左雄限年之格, 何云結友成正始服官之簿?
此一蔽也. 若夫脫略繩檢, 求其性眞, 半面之雅, 鬼神無以間其隱, 片言之
誠, 金石亦將輸其烈. 求之吾黨, 足下卽其一也. 足下師琅琊之不娶, 學平
陽之若寄, 落落如玉, 處于朱門, 明明如月, 成其素履, 頻云釆薪, 逃簪笏
之席, 或乞急暇, 憩名山之廬, 覩白鷺之羽, 穢其塵容, 攀靑松之枝, 寄此
幽悁. 僕舍足下, 又將何與交哉?' 序杭董浦[269]世駿三國志補注曰:'近時
史學有二端. 一則塾師之論史, 拘于善善惡惡之經, 雖古今未通, 而褒貶
自與. 加子雲以新莽, 削鄭衆于寺人, 一義隅抒, 自謂予聖, 究之而大者,
如漢景歷年, 不知日食, 北齊建國, 終昧方隅, 其源出于宋之趙師淵, 至其
後, 如明之賀祥·張大齡, 或幷以爲聖人不足法矣. 一則詞人之讀史. 求于
一字一句之間, 隨衆口而譽龍門, 讀一通而嗤虎觀. 于是爲文士作傳, 必
倣屈原, 爲隊長立碑, 亦摩項籍. 此則讀史記數首, 而世史可刪, 得馬遷一
隅, 而餘子無論. 其源出于宋歐陽氏之作五代史. 至其後, 如明張之象熊
尙文, 而直以制藝之法, 行之矣. 夫惟通訓詁, 則可救塾師之失, 服虔等
二十一家之注漢書, 是也. 亦惟隸故事, 則可救詞人之失, 裴松之註三國志

268　可:『호저집』 원문에는 "何"로 되어 있으나, 『정유각집』에 따라 바로잡는다.
269　浦:『호저집』 원문에는 "蒲"로 되어 있으나, 『권시각집』에 따라 "浦"로 바로잡는다.

之類, 是也.' 其淳化縣志敍錄曰:'辛丑入關, 撰定方志者三, 同州之澄城,
邠州之淳化長武, 是也. 關中地大物博, 諸紀錄, 自漢三輔黄圖以降, 暨唐
韋述關中記, 宋宋敏求長安志, 程大昌雍勝略等, 咸可準繩, 而府州縣志可
采者寡. 蓋明代諸賢, 事非師古, 苟爲簡略, 卽古城舊瀆, 棄之如遺. 今所
盛傳, 武功朝邑二志, 不知者以爲實過古人, 非篤論也. 予爲此志, 一準昔
賢, 非苟爲立異, 欲藉玆成規, 示諸來禩. 凡爲記八爲簿二爲志五爲略三,
共三十卷. 五閱月而成. 曰: 古縣今縣, 新城古城, 舊鎭昔鄕, 附之橋梁, 倣
晉朱育會稽土地記, 述土地第一. 史言甘泉, 傳志石門, 冶谷引涇, 荆山導
汧, 灌漑之利, 被于無邊, 倣齊劉澄宋初山川古今記等, 述山川第二. 倣齊
劉澄宋初山川古今記等, 述山川第二. 史家遺法, 首記大事, 倣漢司馬遷等
大事記, 述大事第三. 古云吉行日三十里, 披諸圖經, 式其遺意, 倣隋西域
道里記等, 述道里第四. 嬴秦築宮, 遷五萬家, 粵漢始元, 徙民三輔, 稽其
盈虛, 倣宋元康六年戶口簿記等, 述戶口第五. 惟民之俗, 百里不同, 爰志
士女, 逮農工商, 倣晉周處風土記等, 述風土第六. 雍州積高, 神明之區,
雲陽甘泉, 又帝所居, 下曁小鬼, 靈而不誣, 倣齊祠廟記等, 述祠廟第七.
世遠莫追, 金天有陵, 靑鳥之冢, 圖書可徵, 倣宋李彤聖賢塚墓記等, 述冢
墓第八. 秦皇漢武, 築宮祈仙, 洪崖弩阹, 增城在焉. 倣晉洛陽宮殿簿等,
述宮殿第九. 征輸之簿, 前代所無, 農桑絲粟, 以迄市租, 倣宋李常元祐會
計錄等, 述會計第十. 泮宮居前, 叢祠列[270]後, 英英群賢, 光我俎豆, 倣宋
崇寧學校新法志等, 述學校第十一. 才餘于官, 不廢嘯歌, 倣宋無名氏衙署
志等, 述衙署第十二. 白公鄭國, 民歌至今, 采其遺蹟, 以代吏箴, 倣唐杜

270 列:『호저집』원문에는 "居"로 되어 있으나,『정유각집』·『홍북강시문집』(洪北江詩文集)·『권시각집』(卷施閣集) 등에 따라 "列"로 바로잡는다.

佑通典職官志等, 述職官第十三. 世需多士, 士貴通經, 倣宋崔氏登科記
等, 述登科第十四. 廣陵列[271]士, 會稽先賢, 列[272]女後傳, 撰于顏原, 倣晉
常璩華陽國士女志等, 述士女第十五. 金石之文, 古稱不朽, 倣宋鄭樵通志
金石略等, 述金石第十六. 淵雲之作, 冠于簡端, 國師峩峩, 亦賦甘泉, 倣
漢劉向七略詞賦略等, 述詞賦第十七. 凡志方隅, 必推今昔, 稽乎古圖, 準
以今尺, 惟茲一編, 勿淆其次, 倣常璩華陽國志序錄等, 述序錄第十八. 其
於輿地也, 蓋博而覈矣."先君懷稚存詩曰:"稚存學辯博, 矢口成駢儷. 茫
茫志廣輪, 考古秋毫細. 一覽英才集, 天涯當把袂."又續懷詩曰:"菰蘆人
物六朝文, 眉宇青霞迥出群, 禮學千秋論[273]配食, 康成廡下策元勲."又燕
京雜絶云:"鉅鹿北江洪."

만응형

萬應馨, ?~?

자는 서유(黍維), 호가 화정(華亭)이니, 상주(常州) 의흥(宜興) 사람이
다. 건륭 병오년(1786)에 거인, 기유년(1789)에 진사가 되었다. 포선태

271 　列:『호저집』 원문에는 "烈"로 되어 있으나,『정유각집』·『홍북강시문집』·『권시각집』 등
에 따라 "列"로 바로잡는다.
272 　列:『호저집』 원문과『정유각집』에는 "烈"로 되어 있으나,『정유각집』·『홍북강시문집』·
『권시각집』 등에 따라 "列"로 바로잡는다.
273 　論:『호저집』 원문에는 "記"로 되어 있으나,『정유각집』에 따라 "論"으로 바로잡는다.

사(蒲仙太史)274의 손자이다. 벼슬은 광동지현(廣東知縣)을 지냈다. 글을 잘 엮었고 시는 더욱 빼어났다.

선군의 「화정을 그리며」275는 다음과 같다.

만화정(萬華廷)은 노숙한 문장가로서	華廷老詞匠
대대로 홍박과에 추대되었지.	家世推鴻博
선남방(宣南坊)276서 마음 놓고 술 마실 적에	縱酒宣南坊
신발들 어지러이 널려 있었네.	履舃紛交錯
이별 회포 갑자기 일어나는지	離懷忽根觸
뿌리던 비 그쳤다간 다시 내렸네.	瀟雨止還作

字黍維, 號華亭,277 常州宜興人. 乾隆丙午擧人, 己酉進士. 蒲仙太史之孫. 官廣東知縣. 善屬文, 尤工詩. 先君懷華廷詩曰: "華廷老詞匠, 家世推鴻博. 縱酒宣南坊, 履舃紛交錯. 離懷忽根觸, 瀟雨止還作."

274 포선태사(蒲仙太史): 의흥(宜興) 만씨 종보(宗譜)에 만응형(萬應馨)의 조부뻘로 만수(萬樹)라는 인물이 있으나 확실치 않다.
275 「화정을 그리며」: 『정유각집』「회인시. 장심여의 시를 본떠 짓다」중 제19수 「만화정 응형」(萬華廷應馨)이다.
276 선남방(宣南坊): 북경의 남문인 선무문(宣武門)의 바깥으로, 오성(五城) 중 남성(南城)에 위치한 구역이다. 청대 만주족과 한족의 분리 거주 정책에 따라 이곳에는 한족 사대부들이 거주하였다. 과거 응시를 위해 상경한 선비들이 머물러 지낸 까닭에 '사향'(士鄕)으로 일컬어졌다. 또 정남문인 정양문(正陽門)과 선무문 사이 거리에는 유리창(琉璃廠)이 있었다.
277 亭: 문헌에 따라 정(亭), 정(廷), 정(庭) 등 다양한 표기가 보인다. 『호저집』원문을 따른다.

풍응류

馮應榴, 1741~1800

자가 성실(星實)로, 절강 동향현(桐鄕縣) 사람이니, 맹정(孟亭) 풍호(馮浩)의 아들이다. 맹정은 『이옥계시주』(李玉溪詩註)를 지었고, 성실은 『동파시주』(東坡詩註)를 저술하였다. 벼슬은 급사(給事)를 지냈고, 건륭 신묘년(1771)에 제학(提學)으로 촉 땅에 들어갔다.

　선군의 「성실을 그리며」[278]라는 시는 이렇다.

중원의 논의를 진작 들으니　　　　　夙聞中朝論

풍공의 학문이 가장 넓다고.　　　　馮公學最淹

앞서는 옥계 시에 주를 내었고　　　先功注玉溪

뒤에서는 동파 시를 풀이하였네.　　後責箋子瞻

동파의 문하에서 모정(毛鄭)[279] 얻으니　坡門得毛鄭

내 장차 글쓰기를 그만두리라.　　　吾將廢施椠

字星實, 浙江桐鄕縣人. 馮孟亭浩子, 孟亭著李玉溪詩註, 星實著東坡詩註. 官給事, 乾隆辛卯, 提學入蜀. 先君懷星實詩曰: "夙聞中朝論, 馮公學

278　「성실을 그리며」:『정유각집』「회인시. 장심여의 시를 본떠 짓다」 중 제20수 「풍급사 응류」(馮給事應榴)이다.
279　모정(毛鄭): 시경에 전(傳)을 쓴 한대(漢代) 대·소모공(大小毛公)과 정현(鄭玄)을 아울러 일컫는 말. 여기서는 동파 시를 풀이한 풍응류를 이에 빗대어 한 말이다.

最淹. 先功注玉溪, 後責箋子瞻. 坡門得毛鄭, 吾將廢施槧."

강덕량

江德量, 1752~1793

자가 추사(秋史)이니, 스스로 강남자(江南子)라 일컬었다. 강소 의징(儀
徵) 사람이다. 일찍이 소미재(蘇米齋) 가운데서 선군과 만났을 때, 송
나라 때 명현(名賢)의 진적을 보여 준 것이 몹시 많았다. 건륭 경자년
(1780)에 방안(榜眼)으로 급제하여 관직이 어사를 지냈다. 금석문(金石
文)을 좋아하여 양한 이상의 석각(石刻)들을 모두 보았으므로, 그의 예
서(隸書)는 우뚝이 일가를 이루었다. 그가 쓴 「무안왕묘비」(武安王廟碑)
는 필력이 힘차고도 굳셌다. 인물화를 잘 그려 옛 법을 얻었다. 세상을
뜨기 한 해 전에 갑자기 몇 치가량의 단계석(端溪石)을 가지고 한나라
때 비의 모양으로 만들어서는 아우인 묵군(墨君)을 시켜 자신의 성씨와
벼슬, 고향 등을 새기게 하였는데 필획이 정묘하였다. 당시에 자신의 죽음
을 예견한 것으로 여겨졌다. 강덕지(江德地)는 자가 묵군인데, 포의였다.

  선군의 「추사에게 부치다」[280]는 이렇다.

---

280 「추사에게 부치다」: 『정유각집』 시집 권3의 「강추사에게 부쳐 드리다」(寄贈江秋史)이다.

찬집

가슴속의 『고고도』(考古圖)[281]를 스스로 믿어서　　　　自信胸中考古圖

거리 가득 가짜 화첩 근심스레 보았었지.　　　　愁看贋帖遍街衢

정녕코 강추사 그대에게 말 부치니　　　　丁寧寄語江秋史

원우 시절 글씨를 다시 볼 수 없을지요?　　　　元祐人書再覯無

또 「추사를 그리며」[282]는 이렇다.

예전에 강추사와 함께 어울려　　　　昔與江秋史

옹방강의 집에서 자주 만났네.　　　　數晤覃溪室

기이한 문장과 희귀한 일들　　　　奇文與僻事

열 개 찾아 한 개도 안 놓쳤었지.　　　　十徵不一失

원우(元祐) 적 사람을 가장 아끼니　　　　最愛元祐人

진적이 물고기보다 많다네.　　　　眞蹟多於鯽

또 「속회인시」[283]에서는 이렇게 말했다.

붓 받는 꿈[284] 꾸고서 성명을 드날리니　　　　姓字翩翩夢筆餘

281　『고고도』(考古圖): 북송의 여대림(呂大臨, 1040~1092)이 은대(殷代)부터 한대(漢代)
까지의 정(鼎)·역(鬲)·준(尊) 등의 청동기를 그림으로 그리고 소유자와 출토지 등을 기록한
책. 『박고도』(博古圖)·『고옥도』(古玉圖)와 함께 '삼고도'(三古圖)라고 한다.
282　「추사를 그리며」: 『정유각집』「회인시. 장심여의 시를 본떠 짓다」중 제21수「강추사 덕
량」(江秋史德量)이다.
283　「속회인시」: 『정유각집』「속회인시」중 제14수「강추사 덕량」(江秋史德量)이다.
284　붓 받는 꿈: 원문의 "夢筆"은 문재가 걸출함을 뜻한다. 『진서』(晉書) 권65「왕순열전」(王
珣列傳)에 "왕순이 꿈속에서 어떤 사람이 서까래만 한 큰 붓을 주자, 깨어난 뒤 옆 사람에게 말
하기를 '틀림없이 큰 문장을 지을 일이 있을 것이다'라고 하였는데, 얼마 뒤 황제가 붕어하여 애

시명(詩名)이 왕평(王苹)[285]과 나란히 높았다네.　　　詩名七十二泉如

수장함은 동기창(董其昌)의 발문을 이은 듯해　　　收藏擬續思翁跋

아계(鵝溪) 부자[286] 두 세대의 글씨를 감정했지.　　　鑑定鵝溪兩世書

또 「연경잡절」에서는 이렇게 말했다.

"다시금 강추사도 사랑하노니, 명현의 진적이 향기롭구나."[287](復愛江
秋史, 名賢眞蹟香.)

字秋史, 自稱江南子, 江蘇儀徵人. 嘗遇先君於蘇米齋中, 示以宋朝名賢眞
蹟甚多. 乾隆庚子榜眼, 官御史. 好金石, 盡閱兩漢以上石刻, 故其隷書卓
然成家. 所書武安王廟碑, 筆力遒勁. 善畫人物, 得古法. 死之前一年, 忽
以端石數寸許, 作漢碑式, 囑其弟墨君, 鐫其姓氏爵里, 筆畫精妙. 時以爲
讖. 德地字墨君, 布衣. 先君寄贈秋史詩曰: "自信胸中考古圖, 愁看贋帖
遍街衢. 丁寧寄語江秋史, 元祐人書再覿無." 又懷秋史詩曰: "昔與江秋
史, 數晤覃溪室. 奇文與僻事, 十徵不一失. 最愛元祐人, 眞蹟多於鯽." 又
續懷詩曰: "姓字翩翩夢筆餘, 詩名七十二泉如. 收藏擬續思翁跋, 鑑定鵝

책(哀冊)과 시의(諡議)를 모두 왕순이 초하였다"(珣夢人以大筆如椽與之, 旣覺, 語人云: 此當
有大手筆事. 俄而帝崩, 哀冊諡議, 皆珣所草.)라고 한 고사가 전한다.

285　왕평(王苹): 청나라 산동(山東) 역성(歷城) 사람. 자는 추사(秋史), 호는 요곡(蓼谷)이
다. 자칭 칠십이천주인(七十二泉主人)이라 했다. 왕사정과 동시대 인물로 시명(詩名)이 있었
다. "누런 잎이 수풀 속에 절로 글을 짓는도다"(黃葉林間自著書)라는 구절이 유명하여 일명 왕
황엽(王黃葉)으로 불렸다. 저서에 『이십사천초당집』(二十四泉草堂集)이 있다.

286　아계(鵝溪) 부자: 왕희지·왕헌지 부자를 가리킨다.

287　다시금…향기롭구나: 「연경잡절」 제37수의 구절이다.

　　　　　　　　　　　　　　　　　　　　　　　　찬집

溪兩世書." 又燕京雜絶云: "復愛江秋史, 名賢眞蹟香."

육비지

陸費墀, 1731~1790

자가 갱사(罄士)이니, 시랑(侍郞) 벼슬을 지냈고 서법(書法)에 능했다.

선군의 「갱사를 그리며」[288]는 이렇다.

당대의 이륙(二陸)[289]을 일컬을진대	當代稱二陸
이산(耳山)[290]과 갱사를 꼽을 수 있네.	耳山及罄士
진심으로 호저(縞紵)의 정을 가지고	良以縞紵情
나에게 편지 한 통 보내왔구나.	致我書一紙
명인의 필적 앞에 큰 한숨 쉬니	太息名人蹟
지금은 또한 모두 가고 없다네.	於今亦已矣

288 「갱사를 그리며」: 『정유각집』 「회인시. 장심여의 시를 본떠 짓다」 중 제22수 「육시랑 비지」(陸侍郞費墀)이다. 육비는 복성(複姓)인데, 당시에 첫 글자만 성처럼 쓰는 관습이 있었다.
289 이륙(二陸): 진(晉)나라의 육기(陸機)와 육운(陸雲) 형제. 본서 32면 각주 21번 참조.
290 이산(耳山): 육석웅(陸錫雄)의 호. 자는 건남(健南)이고, 강소성 상해 사람이다. 1761년에 진사가 되었고, 내각중서(內閣中書)에 제수되었다. 기윤과 함께 사고전서총찬수관이 되었다. 두 사람의 우정이 매우 깊었으나 육석웅의 벼슬살이는 기윤에 비해 평탄치 못했다. 일찍이 여러 차례 귀양을 살다가 만년에 『사고전서』를 수찬하던 당시에야 비로소 안정되었고, 기윤과 함께 고종의 우대를 받아 관직이 형부낭중에 이른다. 그들은 책을 펴는 한편으로 서로 수창하여 작품을 남기기도 하였다.

字礐士, 官侍郎, 善書法. 先君懷礐士詩曰: "當代稱二陸, 耳山及礐士. 良以縞紵情, 致我書一紙. 太息名人蹟, 於今亦已矣."

송명가
宋鳴珂, 1742~1791

자는 담사(澹思)이니, 강서(江西) 봉신(奉新) 사람이다. 벼슬은 형부주사(刑部主事)를 지냈다.

　선군의 「담사를 그리며」[291]는 이렇다.

구구소한(九九消寒)[292]의 모임 있으니,	九九消寒社
담사는 그중의 한 사람일세.	澹思卽其一
〈귀취도〉 가운데 지은 작품은	鬼趣圖中作
강서파(江西派)[293]의 서실에 들고도 남지.	優入江西室
사람을 놀라게 할 말이 있대도	詎有驚人語

---

291 「담사를 그리며」:『정유각집』「회인시. 장심여의 시를 본떠 짓다」중 제23수 「송주사 명가」(宋主事鳴珂)다.

292 구구소한(九九消寒): 본서 179면 각주 189번 참조.

293 강서파(江西派): 송(宋)나라 황정견(黃庭堅, 1045~1105) 일파를 말한다. 황정견은 소식의 후계자로, 두보(杜甫)를 배우고 여기에 도잠(陶潛)·한유(韓愈) 등의 장점을 취하여 일파를 세웠다. 그 영향은 남송(南宋)의 육유(陸游), 양만리(楊萬里), 범성대(范成大) 등에 미쳤다. 황정견이 강서(江西) 사람이므로 그의 시풍을 따르는 자들을 강서파라 명명하였다.

그대의 옥당 붓에 어이 보태리. 　　　　　　　　　添君玉堂筆

字澹思, 江西奉新人. 官刑部主事. 先君懷澹思詩曰: "九九消寒社, 澹思
卽其一. 鬼趣圖中作, 優入江西室. 詎有驚人語,[294] 添君玉堂筆."

오정섭
吳廷燮, ?~?

호는 매원(梅原)이니, 여고(如皐) 사람이다. 서법에 능했다.

선군의 「매원을 그리며」[295]는 이렇다.

매원이 지은 시는 절로 좋은데	梅原詩自好
날 칭찬해 내버려 두지를 않네.	獎余還不置
진서(眞書)[296]로 십여 폭 글씨를 쓰니	眞書十數幅
오흥(吳興)[297]의 운치가 크게 있구나.	大有吳興致

294　語:『호저집』에는 '作'으로 되어 있으나,『정유각집』을 따라 바로잡는다.
295　「매원을 그리며」:『정유각집』「회인시. 장심여의 시를 본떠 짓다」 중 제24수 「오매원 정
섭」(吳梅原廷燮)이다.
296　진서(眞書): 서체(書體)의 하나인 해서(楷書)를 이르는 말이다.
297　오흥(吳興): 절강의 옛 지명이다. 오정섭이 절강 출신임을 두고 한 말이다. 왕헌지가 오
흥태수를 지냈는데, 왕헌지와 관련된 것으로 보인다.

부끄럽다, 내 언제나 너무 바빠서   愧余長忽忽

오히려 그 경지에 도달 못했네.   猶未窮其邃

號梅原, 如皐人. 善書法. 先君懷梅原詩曰:"梅原詩自好, 獎余還不置. 眞書十數幅, 大有吳興致. 愧余長忽忽, 猶未窮其邃."

오조

吳照, 1755~1811

선군의 기록은 이렇다.

"호가 백암(白庵)이니, 강서(江西)의 남성(南城) 사람이다. 『설문편방고』(說文偏傍考), 『남조사정어』(南朝史精語) 등의 책을 저술하여 세상에 간행하였다. 시에 능하고 묵죽도를 잘 그려 기운이 생동하였으므로 사람들이 그를 '강서묵죽'(江西墨竹)으로 일컬었다. 스스로 '석호어은'(石湖漁隱)298이라 서명하였는데 특별히 서법이 훌륭하였다. 그의 〈석호도〉(石湖圖)는 나양봉(羅兩峯)의 작품이다. 내게 '석호어은' 네 글자를 두루마리 앞에 크게 써 줄 것을 청했는데, 옹담계(翁覃溪)가 이를

---

298 석호어은(石湖漁隱): 석호(石湖)는 강소 소주시 서남쪽에 있는 호수이고, 어은(漁隱)은 고기 잡는 은자라는 뜻이다. 오조가 석호에 은둔하여 살고 있었으므로 이렇게 자호한 것이다.

보더니 '성대(聖代)인데 은(隱)이라 일컬음은 합당치 않다'고 하였다. 백암이 급히 고쳐서 '과경'(課耕)이란 두 글자를 써 달라고 청하고, 붙여서 표구하였다."

선군의 「〈과경도〉에 제한 시」[299]는 이렇다.

오가만은 범가만과 연이어 붙어 있어	吳家灣接范家灣
예로부터 시인들이 이 사이를 오갔다네.	終古詩人此往還
다만 하나 푸른 산을 내 홀로 즐기지만	只一靑峯吾自樂
백안으로 티끌세상 내려 봄은 아니라오.	非關白眼傲塵寰

구름 산의 쓸쓸한 절 남조 시절 기억하고	雲山蕭寺記南朝
호숫가 인가는 그림 속에 아득하다.	湖上人家畫裏遙
설령 십 년간을 티끌세상 산다 해도	縱使十年趨紫陌
가슴속의 강호야 없애기가 어려우리.	胸中邱壑定難消

또 선군의 「백암을 그리며」[300]는 이렇다.

| 소남(昭南)[301]은 육서에 두루 통하여 | 昭南通六書 |
| 기이한 기운으로 묵죽 그렸네. | 奇氣寫墨竹 |

---

299 「〈과경도〉에 제한 시」:『정유각집』권3에 「백암 오조의 석호과경도 두루마리에 제하다」(題白菴吳照石湖課耕圖卷)라는 제목으로 수록되어 있다.
300 「백암을 그리며」:『정유각집』「회인시. 장심여의 시를 본떠 짓다」중 제25수 「오백암 조」(吳白菴照)이다.
301 소남(昭南): 오조의 자(字)이다.

손끝에서 비바람 일어나더니   風雨隨指發

잎새마다 마치 서로 쫓아가는 듯.   葉葉如相逐

내세엔 석호의 곁에 태어나   他生石湖傍

어부의 도롱이로 이틀 묵으리.   漁簑期信宿

또 「속회인시」302에서 이렇게 말했다.

강서묵죽 오조가 중흥의 때를 맞아   江西墨竹中興年

사해에 삼창(三蒼)303의 일맥을 전했구나.   四海三蒼一脈傳

청삼(靑衫)304을 안 입고도 그가 또한 얻었으니   不着靑衫他亦得

석호의 봄물에서 고깃배로 낚시하네.   石湖春水釣魚船

또 「연경잡절」305에서는 이렇게 말했다.

쓸쓸히 성근 묵죽도 보니   蕭疎墨竹圖

아득한 남성 땅의 오조 솜씨라.   縹緲南城照

머리 들어 서풍을 향해 서자니   矯首向西風

---

302 「속회인시」: 『정유각집』 「속회인시」 중 제17수 「오백암 조」(吳白菴照)이다.
303 삼창(三蒼): 삼창은 진(秦)나라 때 자서(字書)인 이사(李斯)의 『창힐편』(蒼詰篇), 조고
(趙高)의 『원력편』(爰歷篇), 호모경(胡母敬)의 『박학편』(博學篇)을 말한다. 이사의 『창힐편』과
더불어 한(漢) 초 양웅의 『훈찬편』(訓纂篇), 위진(魏晉) 시대 가방(賈訪)의 『방희편』(滂喜篇)
을 말하기도 한다. 오조의 『설문편방고』와 『남조사정어』 등이 자서이므로 이렇게 말했다.
304 청삼(靑衫): 예전 관리의 복장이다. 여기서는 오조가 벼슬살이를 하지 않았다는 의미인
듯하다.
305 「연경잡절」: 『정유각집』 「연경잡절」 중 제33수이다.

달빛 속 피리 소리 들려오는 듯.　　　　　　　　如聞月裏嘯

先君記曰：“號白庵, 江西南城人. 著說文偏傍考, 南朝史精語等書, 行於
世. 能詩善墨竹, 氣韻生動, 人稱江西墨竹. 自署曰石湖漁隱, 尤解書法.
其石湖圖, 羅兩峯作也, 請余書石湖漁隱四大字於卷首. 翁覃溪見之曰：
‘聖世不合稱隱.’白庵遽改請書課耕二字, 付裝.”先君題其課耕圖詩曰：
“吳家灣接范家灣, 終古詩人此往還. 只一靑峯吾自樂, 非關白眼傲塵寰.
雲山蕭寺記南朝, 湖上人家畫裏遙. 縱使十年趨紫陌, 胸中邱壑定難消.”
又懷白菴詩曰：“昭南通六書, 奇氣寫墨竹. 風雨隨指發, 葉葉如相逐. 他
生石湖傍, 漁簑期信宿.”又續懷詩曰：“江西墨竹中興年, 四海三蒼一脈
傳. 不着靑衫他亦得, 石湖春水釣魚船.”又燕京雜絶云：“蕭疎墨竹圖, 縹
緲南城照. 矯首向西風, 如聞月裏嘯.”

장도악
張道渥, 1757~1829

자가 죽휴(竹畦)이니 수옥(水屋)이라고도 하고, 스스로는 풍자(風子)라
일컬었다. 부산(浮山) 사람이다. 시에 능하고 그림을 잘 그렸다. 사람됨
이 뻣뻣하여 시속에 얽매이지 않았다.

　선군의 「수옥을 그리며」[306]는 이렇다.

장도악은 광인의 부류일러니　　　　　　　　水屋狂者流

스스로 칭찬하다 욕도 한다네.　　　　　　　自贊復自罵

하지만 악착같은 사람 만나면　　　　　　　但逢齷齪人

가차 없이 비웃고 침을 뱉었지.　　　　　　嘲唾不少借

세상에서 시화로 말들 하지만　　　　　　　世以詩畫云

진실하여 거짓 없음 사랑한다네.　　　　　　我愛眞無假

또 「속회인시」[307]는 이렇다.

풍자 없는 세상은 또한 쓸쓸하리니　　　　　　世無風子亦寥寥

화의(畫意)와 시정(詩情) 모두 뽐내지를 못하리.　　畫意詩情未是驕

근래에 가난이 사무친다 말을 마오.　　　　　　莫道近來貧到骨

천금도 오늘 밤엔 내기하기 쉬울 걸세.　　　　　千金容易博今宵

또 「연경잡절」[308]은 이렇다.

수레 편에 소문이 들리어 오니　　　　　　　輶軒聞所聞

풍자가 벼슬 얻어 떠났다 하네.　　　　　　　風子得官去

오만한 관리라 세정 없으니　　　　　　　　　傲吏無世情

미친 이름 어느 곳에 떨어질는지.　　　　　　狂名落何處

306　「수옥을 그리며」:『정유각집』「회인시. 장심여의 시를 본떠 짓다」 중 제26수 「장수옥 도
악」(張水屋道渥)이다.
307　「속회인시」:『정유각집』「속회인시」 중 제5수 「장수옥 도악」(張水屋道渥)이다.
308　「연경잡절」: 아래는 『정유각집』「연경잡절」 중 제31수이다.

字竹畦, 一字水屋, 自稱風子. 浮山人. 工詩善畫, 爲人傲岸不羈. 先君懷
水屋詩曰: "水屋狂者流, 自贊復自罵. 但逢齷齪人, 嘲唾不少借. 世以詩
畫云, 我愛眞無假." 又續懷詩曰: "世無風子亦寥寥, 畫意詩情未是驕. 莫
道近來貧到骨, 千金容易博今宵." 又燕京雜絶云: "輶軒聞所聞, 風子得官
去. 傲吏無世情, 狂名落何處."

장화[309]

蔣和, 1734~1808?

자가 취봉(醉峯)이며, 스스로는 강남소장(江南小蔣)으로 일컬었다. 졸노
인(拙老人) 장형(蔣衡, 1672~1742)의 손자이다. 장형은 자가 상번(湘繁)이니,
호신(虎臣) 장초(蔣超)[310]의 조카이다. 일찍이 번리관(蕃釐觀)에서 십삼경(十三經)을 베껴 썼

---

309 장화(蔣和): 1734~1808? 『호저집』의 설명과 달리, 일반적으로는 자는 중화(仲和), 호
가 취봉(醉峯)으로 알려져 있다. 자호 또한 조부 장형(蔣衡)의 호인 졸노인(拙老人)을 좇아 강
남소졸(江南小拙)이라 하였다고 전한다. 건륭 연간 사고관전례총교(四庫館篆隷總校)에 충원
되어 거인(擧人)이 되었으며, 국자감학정(國子監學正)을 지냈다. 그림과 글씨에 뛰어나 〈매죽
도〉(梅竹圖)와 〈죽보〉(竹譜) 각본이 전한다. 저서에 『사죽간명법』(寫竹簡明法), 『서학정종』(書
學正宗), 『한비예체거요』(漢碑隷體擧要), 『설문집해』(說文集解) 등이 있다.
310 장초(蔣超): 1624~1673. 명말청초의 문인으로, 자가 호신(虎臣), 호는 수암(綏菴)·무
진도인(無嗔道人)·화양산인(華陽山人)이다. 강남(江南) 금단(金壇) 사람이다. 순치(順治) 연
간에 진사가 되어 편수(編修)·수찬(修撰)을 지냈다. 병으로 벼슬에서 물러난 뒤 명산(名山)을
유람하며 여생을 보냈다. 시문(詩文)과 행서(行書), 해서(楷書)에 뛰어났다. 저서에 『수암시문
집』(綏菴詩文集), 『아미지여』(峨眉志餘) 등이 있다.

는데, 마일로(馬日璐)[311]가 표구하였다. 태학사(太學士) 고빈(高斌)[312]이 이를 황제에게 바치자, 명을 받들어 벽옹(辟雍)[313]에서 간행하였다. 학정(學正) 벼슬을 내리고 번리관 안에 사경루(寫經樓)를 세웠다. 법정사(法淨寺) 곁의 '회동제일관'(淮東第一觀)이라는 현판은 그가 쓴 것이다.

완원(阮元)이 「석거기」(石渠記)에서 말했다. "장형이 십삼경책(十三經冊)을 썼는데 무릇 12년 만에 비로소 완성하였다. 장형은 건륭 초년(1736)에 일찍이 양주(揚州) 땅을 가볍게 유람하였으므로 이 십삼경의 절반이 양주에 있었다. 그 책을 베껴 쓴 것을 먼저 양회운사(兩淮運使) 노견증이 감상하여 총독(總督) 고빈에게 말을 하고, 마침내 표구를 하여 바치자 국자감학정(國子監學正) 벼슬을 내렸다. 한림(翰林) 여종만(勵宗萬)[314]은 석경(石經)에 서문을 쓰고 한 차례 교감한 후 그 같고 다름을 기록하여 써서 한 권의 책을 만들었다. 지금 무근전(懋勤殿)의 서각(書閣) 위에 놓아두었다. 건륭 57년(1792)에 칙교(飭敎)에 따라 『석거보급』(石渠寶笈)을 편찬할 때, 이 책에 대해서는 특별히 명하여 돌에 새겨 학궁(學宮)에 세워 두게 하였다."

서화에 능하였고, 『설문집해』(說文集解)를 저술하여 사고관(四庫館)에 서임되었으며 효렴(孝廉)[315]에 뽑혔다. 또, 삼가 황제가 고람(考覽)한 태학의 「석고문」(石鼓文) 축소본을 모사하여 돌에 새겼다.[316] 또, 황제의

---

311 마일로(馬日璐): 1701~1761. 자가 패혜(佩兮), 호는 반사(半槎)이다. 안휘(安徽) 기문(祁門) 사람이다. 시에 뛰어나 형 마일관(馬日琯)과 더불어 '양주이마'(揚州二馬)로 불렸다. 저서에 『총서루서목』(叢書樓書目), 『남재집』(南齋集)이 있다.
312 고빈(高斌): 1683~1755. 자가 우문(右文), 호는 동헌(東軒)이다. 봉천(奉天) 요양(遼陽) 사람이다. 혜현황귀비(慧賢皇貴妃) 고가(高佳)씨의 아버지이다.
313 벽옹(辟雍): 주나라 때 도성에 세운 최고 교육기관. 이후 태학(太學)을 지칭한다. 주위의 형상이 벽(璧)과 같이 둥글고 물이 둘러져 있어 벽옹이라 불렸다.
314 여종만(勵宗萬): 1705~1759. 자가 자대(滋大), 호는 의원(衣園)이다. 서예로 명성을 얻었다. 저서에 『경성고적고』(京城古跡考), 『의원유고』(衣園遺稿) 등이 있다.
315 효렴(孝廉): 효행(孝行)이나 청렴(淸廉)으로 추천된 거인(擧人)을 이르는 말이다. 한나라 때 각 지방마다 효행이나 청렴한 자질을 갖춘 자들을 과거 시험의 응시자로 천거케 한 데서 유래하였다.
316 서화에…새겼다: 1795년(건륭 60)에 편찬된 이두(李斗)의 『양주화방록』(揚州畫舫錄)에

시의(詩意)를 가지고 대나무 그림 10여 폭을 그리고 판목에 새겨 올려 여러 번 상을 받았다. 그 선대로부터 장화에 이르기까지 무릇 5세(世) 아래로 서향(書香)이 끊어지지 않았다.

선군께서 「취봉을 그리며」[317]라는 시에서 말했다.

풍도가 우아한 젊은 장생(蔣生)은	翩翩少蔣生
시화(詩畫)로 천자를 기쁘게 했네.	詩畫動天笑
창아(蒼雅)[318]는 진실로 가풍이러니	蒼雅固家風
졸박함에 힘을 씀 이어받았지.	用拙惟克肖
서화 실은 배에다 술병 싣고서	載酒書畫舫
찾아가 『자원표』(字原表)[319]를 물어보리라.	來問字原表

또 「속회인시」[320]에서 말했다.

졸노인의 손자가 지금껏 모범 되니	拙老人孫尙典型
어지러운 세상[321]서도 옷깃 여태 푸르도다.	鷄鳴風雨子衿青

수록된 「초하록」(草河錄)을 참고한 것으로 보인다.

317 「취봉을 그리며」: 『정유각집』의 「회인시. 장심여의 시를 본떠 짓다」 중 제27수 「장취봉 화」(蔣醉峰和)이다.

318 창아(蒼雅): 삼창(三蒼)과 『이아』(爾雅)를 아울러 이르는 말로, 자서(字書)를 뜻한다. 삼 창은 본서 210면 각주 303번 참조.

319 자원표(字原表): 『속수사고전서』(續修四庫全書)에 실린 장화의 『설문자원표』(說文字原 表)를 이른다.

320 「속회인시」: 『정유각집』 「속회인시」 중 제16수 「장취봉 화」(蔣醉峰和)이다.

321 어지러운 세상: 원문의 "鷄鳴風雨"는 『시경』 「풍우」(風雨)에 "쓸쓸한 비바람에 꼬끼오 닭이 우네"(風雨凄凄, 雞鳴喈喈)라고 한 데서 온 말로, 난세에 살고 있더라도 그 법도를 고치지 않는 군자의 모습을 그리는 의미를 담고 있다.

서생이라 공명이 박한 것은 아닐러니 　　　　　書生不是功名薄

궁포(宮袍) 다시 하사 받아 황제를 알현하네. 　　　再錫宮袍覲帝庭

또 「연경잡절」[322]에서는 이렇게 말했다.

소장(小蔣)은 재주가 무적이거니 　　　　　　小蔣才無敵

공봉(供奉)[323]의 반열 올라 여유롭다네. 　　　閑居供奉班

황제의 시 화의(畫意)에 담아 전하여 　　　　御詩傳畫意

풍죽(風竹) 그림 세상에 가득하구나. 　　　　風竹滿人間

字醉峯, 自稱江南小蔣. 拙老人衡 蔣衡字湘繁, 虎臣之佺. 嘗於蕃釐觀寫十三經, 馬日
璐裝潢. 大學士高斌進之, 奉命刊於辟雍. 授官學正. 觀中建寫經樓. 法淨寺旁淮東第一觀, 是所
書也. 阮元石渠記云: "蔣衡書十三經冊, 凡十二年始成. 衡於乾隆初年嘗薄遊揚州, 故此經半在
揚州. 所寫其書, 先歸於兩淮運使盧見曾所賞, 言之總督高斌, 遂裝潢以進, 賜國子監學正. 翰林
勵宗萬, 以序石經, 校勘一過, 記其異同, 書成一冊. 今度之懋勤殿書閣上. 乾隆五十七年, 因敕
纂石渠寶笈, 及于此冊, 特命刊石立學宮." 之孫. 工書畫, 著說文集解, 四庫館議敍,
成孝廉. 又恭摹御考太學石鼓文縮[324]小本, 刻石. 又以皇帝詩意, 作畫竹
十餘幅, 刻板以進, 多蒙賞賜. 自其先代至和, 凡五世以下, 書香不絶. 先

322 「연경잡절」:『정유각집』「연경잡절」중 제28수이다.
323 공봉(供奉): 당나라 때 한림원을 설치하며 두었던 관직인 한림공봉(翰林供奉)을 이른다.
이후 한림학사(翰林學士)로 개칭되었다. 여기서는 장화가 사고관과 국자감에서 예문(藝文)에
관한 업무에 종사하였음을 이른다.
324 縮:『호저집』원문에는 "續"으로 되어 있으나,『양주화방록』(揚州畫舫錄)에 따라 "縮"으
로 바로잡는다.

君懷醉峯詩曰：“翩翩少蔣生, 詩畫動天笑. 蒼雅固家風, 用拙惟克肖. 載酒書畫舫, 來問字原表.” 又續懷詩曰：“拙老人孫尚典型, 鷄鳴風雨子衿靑. 書生不是功名薄, 再錫宮袍覲帝庭.” 又燕京雜絶云：“小蔣才無敵, 閑居供奉班. 御詩傳畫意, 風竹滿人間.”

장문도[325]
張問陶, 1764~1814

호가 선산(船山)이니, 사천(泗川) 수녕(遂寧) 사람이다. 벼슬은 한림원 서길사(翰林院庶吉士)를 지냈다. 그 형 장문안(張問安, 1757~1815)은 자가 해백(亥白)이다. 문단공(文端公) 장붕핵(張鵬翮, 1649~1725)의 증손으로 대대로 청백(淸白)의 가풍이 전해진다.

선군의 기록[326]에 이렇게 말했다.

“한번은 나를 초대해 한림관 안에서 게를 대접하였다. 진사 남덕신(南德新, 1749~?)이 가장 잘 먹었고, 십삼(十三)[327] 이희경(李喜經)이 그 다음이었다. 내가 글씨를 써서 보여 주며 말했다. ‘오늘 남덕신이 해원

---

325 장문도(張問陶): 1764~1814.『호저집』원문 상단에 “장문도는 자가 중야(仲冶)이다. 건 륭 29년 갑신년(1764)에 태어나, 가경 19년 갑술년(1814)에 사망하니, 51세였다”(張問陶字仲 冶. 生乾隆二十九年甲申, 卒嘉慶十九年甲戌, 年五十一.)라는 후지쓰카의 메모가 있다.
326 선군의 기록:『정유각집』에 수록된「연경잡절」140수 중, 장문도에 관한 시구 아래에 이 날의 기억을 주석으로 달아 놓았다.
327 십삼(十三): 조선 문인 이희경(李喜經, 1745~?)의 호(號). 십삼경(十三經)에서 취하였다.

(蟹元)이 되고, 이희경이 방안(螃眼)이 되며, 나는 팔고(八股)의 밖에 있도다.'328 선산이 손뼉을 치며 크게 웃었다."

스스로 말하기를 자신의 집에 우리 숙종 임금의 어휘첩(御諱帖)329이 있다고 하는데, 아마도 문단공 장붕핵이 예부상서에 임명되었을 때의 일인 듯하다.

선군께서 「한림관에서 장선산과 같이 게를 먹다가 함께 짓다」330라는 시에서 말했다.

갈대밭 꿈을 깨어 문득 놀라니	忽驚蒲葦夢
공관의 술자리는 가을이로다.	公館酒帆秋
무장객(無腸客)331을 좋아한다 자신하지만	自信無腸客
감주(監州)가 있는 것은 걱정스럽네.332	翻愁有監州
석류 껍질 절반을 쌓아 놓은 듯	榴房推半殼

---

328 오늘…있도다: '해원'(蟹元)은 즉 '해원'(解元)으로 과거 시험의 장원을, '방안'(螃眼)은 즉 '방안'(榜眼)으로 차석을 의미한다. 팔고(八股)는 게의 다리 여덟 개를 의미하는 동시에, 과거 시험의 문체인 팔고문을 이르는 말이기도 하다. 이는 게를 잘 먹는 순서를 과거의 등수에 비겨 설명한 것으로, 게를 가장 많이 먹은 남덕신은 장원으로 게의 머리에 해당하고, 그다음으로 많이 먹은 이희경은 차석으로 게의 눈에 해당하며, 게를 거의 먹지 않은 박제가 자신은 낙제로 게의 다리에도 미치지 못한다며 농을 한 것이다.

329 어휘첩(御諱帖): 임금의 이름이 적힌 어첩(御帖)을 말한다.

330 「한림관에서…짓다」:『정유각집』시집 권3에 「한림관에서 선산 장문도·한림서길사 개자 옹방수·수찬 탁암 석온옥·단림 장상지와 게를 먹고 함께 짓다」(翰林館同張船山問陶·熊吉士介玆方受·石修撰琢菴韞玉·蔣丹林祥墀食蟹共賦)라는 제목으로 수록되어 있다.

331 무장객(無腸客): 글자 그대로 풀면 '창자 없는 손님'으로, 게의 별칭이다. 보통 무장공자(無腸公子)라고 한다.

332 감주(監州)가…걱정스럽네: 감주는 통판(通判)의 이칭으로, 송나라 때 주(州)의 장관 격인 지주(知州)의 권한을 분산시키는 역할을 했다. 당시 항주의 전곤(錢昆)이 게를 무척 좋아하였는데, 외직을 구하면서 사람들에게 "다만 게가 나되 통판은 없는 데라면 좋겠다"(但得有螃蟹, 無通判處則可矣)라고 하였다.

두 눈에선 참새 똥이 일어나누나.[333]　　　　　雀矢起雙眸

가짜 게인 팽기(彭蜞)[334]는 분명 아니니　　　　不是彭蜞誤

먹을지 말지는 뜻대로 하게.　　　　　　　　須君任去留

또「선산이 글씨를 써서 보내 준 부채에 적다」[335]는 이렇다.

아름다운 선산자(船山子) 장문도 공이　　　　有美船山子

검각(劍閣)의 서쪽에서 찾아왔다네.　　　　　來從劍閣西

재주는 양신(楊愼)과 맞겨루겠고　　　　　　才堪用脩敵

시구는 우집(虞集)[336]과 나란할 듯해.　　　　句欲道園齊

사람에게 기댄 새[337]를 홀로 아끼고　　　　　自愛依人鳥

제 그림자 보는 산계(山鷄)[338] 어여뻐하네.　　偏憐照影鷄

강남에서 올라온 취두선(聚頭扇)[339] 있어　　江南聚頭扇

---

333 석류 껍질…일어나누나: 게의 생김새를 표현한 것이다. 석류 껍질은 게의 등딱지를, 참새 똥은 허공으로 솟은 게의 동글동글한 눈을 가리킨다.

334 팽기(彭蜞): 방게[螃]의 일종이다. 일반적인 게보다는 크기가 작고, 독성이 있어서 먹지는 않는다. 동진(東晉) 때 채모(蔡謨, 281~356)가 외지로 부임하는 길에 방게를 게로 착각하고 기뻐하며 삶아 먹고는 구토가 극심하여 혼났다는 일화가 있다. 『진서』(晉書) 「채모전」(蔡謨傳)에 보인다.

335 「선산이…적다」: 『정유각집』 시집 권3에 수록되어 있다.

336 우집(虞集): 1272~1348. 자가 도원(道園)으로, 규장각시서학사(奎章閣侍書學士)를 지냈다. 원시 사대가(元詩四大家) 중에서도 으뜸으로 꼽혔다. 저서에 『도원학고록』(道園學古錄) 등이 있다.

337 사람에게 기댄 새: 원문의 "依人鳥"는 사람에게 붙어 애교를 떠는 작은 새란 뜻이다.

338 제…산계(山鷄): 산계는 꿩을 가리킨다. 꿩이 수면에 비친 자신의 아름다운 모습에 도취되어 계속 춤을 추다가 탈진해 물에 빠져 죽었다는 고사를 가져온 것이다. 명나라 때 작자 미상의 『비사적록』(比事摘錄)에 관련 내용이 보인다.

339 취두선(聚頭扇): 쥘부채. 절선(折扇), 접첩선(摺疊扇)이라고도 한다.

귀히 여겨 몇 줄 시 적어 보노라.　　　　　　　　　珍重數行題

또 「사천으로 돌아가는 선산에게 주다」340는 이렇다.

촉객(蜀客)은 시를 지어 벽계방(碧鷄坊)341을 묻는데　　蜀客題詩問碧鷄

나그네 말을 몰아 점제현(黏蟬縣)342으로 가네.　　　　行人驅馬出黏蟬

돌아보는 곳곳에 그리운 맘 쌓였으니　　　　　　　相思摠有回頭處

강물은 동쪽으로 해는 서쪽 향해 가네.　　　　　　江水東流日向西

또 「선산의 〈설중광음도〉에 제하다」343는 이렇다.

술이란 잔 가운데 물이라지만　　　　　　　　　　酒卽杯中水

천지의 뜻을 능히 머금었구나.　　　　　　　　　　能含天地意

모르겠네, 눈이 무슨 힘이 있어서　　　　　　　　　不知雪何能

사람을 집 안에 숨게 하는가.　　　　　　　　　　使人堂戶邃

세인들 누운 것만 바라보고는　　　　　　　　　　世人見其臥

구태여 취했다고 말을 하겠지.　　　　　　　　　　强名謂之醉

340　「사천으로…주다」: 『정유각집』 시집 권3에 「사천으로 돌아가는 장선산에게 주다」(贈張船
山歸四川)라는 제목으로 수록되어 있다.
341　벽계방(碧鷄坊): 원문의 "碧鷄"는 사천 성도(成都)에 있는 마을이다. 당나라 때 시(詩)를
잘 짓던 기생 설도(薛濤)가 머물면서 해당화를 심었다는 일화가 유명하다.
342　점제현(黏蟬縣): 한나라 때 조선에 설치한 현의 이름으로, 평양 서남쪽에 위치하였다.
여기서는 박제가가 북경을 떠나 조선으로 돌아간다는 뜻으로 쓰였다. 또한 『정유각집』에서
"'선'(蟬)의 음은 '제'(提)이다. 왕어양이 압운을 잘못하여 '선'(先) 운을 따랐기 때문에 지금 이
를 바로잡는다"(蟬音提. 漁洋誤押先韻, 故今正之.)라고 하였으므로, '점제현'이라 읽는다.
343　「선산의 〈설중광음도〉에 제하다」: 『정유각집』 시집 권3에 수록되어 있다.

나무 끝 하얀빛을 바라보노니   試看樹頭白

아롱아롱 기이한 운치 있구나.   玲瓏有奇致

또 「선산을 그리며」(懷船山)라는 시는 이렇다.

장문도의 풍모는 아낄 만하니   船山貐可狎

올곧은 가운데 굳셈 있었네.   介然中有鐵

초산사(椒山寺)[344]에서 고요함을 익히 공부해   習靜椒山寺

가만히 참선 기쁨 음미한다네.   蕭然味禪悅

청백의 정신이 집에 전해져   傳家有清白

기약함 언제나 명절(名節)에 있네.   相期在名節

또 「속회인시」는 이렇다.

매번 맑은 태도 보면 장문단을 생각터니 每因清範想文端

이 바로 선생께서 예전 심은 난초로세. 此是先生舊種蘭

시인이 불후하다 보지를 마시게나   莫把詩人看不朽

명절(名節)은 끝까지 지키기 어렵거니. 須知名節到頭難

---

344 초산사(椒山寺): 명나라 세종(世宗) 대의 문신인 양계성(楊繼盛, 1516~1555)의 옛집. 지금의 양초산사(楊椒山祠)로 북경 선무문 밖에 있다. 송균암(松筠庵)으로도 불린다. 장문도는 1790년 9월 3일에 이곳으로 이사하였는데, 자세한 내용이 장문도의 『선산시초』(船山詩草) 권5에 수록된 「경술년 9월 3일에 송균암으로 이거하다」(庚戌九月三日, 移居松筠菴)라는 시에 보인다.

또 「연경잡절」[345]에서는 이렇게 말했다.

아득히 장선산을 떠올리자니	遙憶張船山
지금에 그의 시는 더욱 좋으리.	如今詩更好
게 누렇고 술동이 익어 갈 적에	蟹黃酒熟時
꿈길은 점제현 길 헤매 돈다네.	夢落黏蟬道

號船山, 泗川遂寧人. 官翰林庶吉士. 其兄問安, 字亥白. 文端公鵬翮曾孫, 世傳淸白. 先君記曰: "嘗邀余食蟹于翰林館中. 南進士德新最嗜食, 李十三次之. 余書示云: '今日南爲蟹元, 李爲螃眼, 余卻在八股外也.' 船山拊掌大笑." 自言其家有我肅考御諱帖, 蓋文端公任禮部尙書時也. 先君翰林館同張船山食蠏共賦詩曰: "忽驚蒲葦夢, 公館酒帆秋. 自信無腸客, 翻愁有監州. 榴房推半殼, 雀矢起雙眸. 不是彭蜞誤, 須君任去留." 又題船山書扇見贈詩曰: "有美船山子, 來從劍閣西. 才堪用脩敵, 句欲道園齊. 自愛依人鳥, 偏憐照影鷄. 江南聚頭扇, 珍重數行題." 又贈船山歸四川詩曰: "蜀客題詩問碧鷄, 行人驅馬出黏蟬. 相思摠有回頭處, 江水東流日向西." 又題船山雪中狂飮圖詩曰: "酒卽杯中水, 能含天地意. 不知雪何能, 使人堂戶邃. 世人見其臥, 强名謂之醉. 試看樹頭白, 玲瓏有奇致." 又懷船山詩曰: "船山貌可狎, 介然中有鐵. 習靜椒山寺, 蕭然味禪悅. 傳家有淸白, 相期在名節." 又續懷詩曰: "每因淸範想文端, 此是先生舊種蘭. 莫把詩人看[346]不朽, 須知名節到頭難." 又燕京雜絶云: "遙憶張船山, 如今

---

345 「연경잡절」: 『정유각집』「연경잡절」 중 제30수이다.

詩更好. 蟹黃酒熟時, 夢落黏蟬道."

웅방수
熊方受, 1761~1825

자가 개자(介玆)이고, 호는 정봉(定峯)이다. 광서(廣西) 영강(永江) 사람이다. 벼슬은 한림원서길사를 지냈다.

웅방수가 선군께서 소실(小室)[347]을 얻었다는 말을 듣고 장난삼아 써준 시의 한 연[348]은 이렇다.

예전에 그대 이름 해와 같다 들었는데　　　　　　舊聞才子名如日
새로 얻은 가인은 이름이 막수(莫愁)[349]라지.　　　新得佳人字莫愁

346　看:『호저집』원문에는 "論"으로 되어 있으나,『정유각집』에 따라 바로잡는다
347　소실(小室): 원문은 "小星"으로, 적처가 아닌 첩을 가리킨다.『시경』「소성」에 "희미한 저 작은 별, 셋 다섯이 동천에 있도다"(嘒彼小星 , 三五在東)라 하였다. 후궁이 임금의 사랑을 받아 별이 보이기 시작하는 초저녁부터 임금의 침실에 들어간다는 의미다.
348　웅방수…한 연: 해당 연(聯)은『정유각집』「연경잡절」중 제34수에 세주(細注)로 붙어 있다. 전문은 이렇다. "熊方受翰林聞余卜小星, 贈一聯云: '舊聞才子名如日, 新得佳人字莫愁.'"
349　막수(莫愁): 중국 옛 악부(樂府)에 등장하는 여인의 이름. 또『구당서』(舊唐書)「음악지」(音樂志)에 "석성에 막수라는 여자가 있는데 노래를 잘했다"(石城有女子名莫愁, 善歌謠.)라고 하였다. 여기서는 박제가의 소실을 빗대어 말한 것이다.

그의 아우 웅방훈(熊方訓)은 자가 소자(紹玆)로, 효렴(孝廉)에 뽑혔다.

선군께서 쓰신 「한림 웅방수 효렴 웅방훈 형제와 헤어지며 주다」[350]는 이렇다.

자금성 남쪽으로 아침 햇살 비치자　　　　　　　　　紫禁城南映早曦

조선관(朝鮮館) 밖 나무는 들쭉날쭉하구나.　　　　　朝鮮館外樹參差

화로 잿불 꺼지고 찻잔도 식었으니　　　　　　　　　爐滅自陷茶杯冷

이는 정녕 그리움에 말을 잊은 때라오.　　　　　　　正是懷人不語時

동서로 따로따로 떨어져서 지내니　　　　　　　　　一東頭住一西頭

쓸쓸타 기운(機雲) 형제[351] 타지에서 지내누나.　　　蕭瑟機雲旅食秋

무슨 일로 효렴은 열흘간 바빴던고　　　　　　　　　何事孝廉忙十日

골동품 서화 일로 날 위해 애를 썼지.　　　　　　　鼎彝書畫爲人謀

또 「개자 선생을 그리며」[352]는 이렇다.

웅생(熊生)은 오만한 뼈 갖고 타고나　　　　　　　　熊生負傲骨

벗 사귐을 목숨처럼 중히 여겼지.　　　　　　　　　友朋爲性命

위타성(尉佗城)[353] 둘레에 풀이 돋으면　　　　　　　尉佗城邊草

---

350 「한림…주다」:『정유각집』시집 권3에 실려 있다.

351 기운(機雲) 형제: 서진(西晉)의 이름난 문장가인 형 육기(陸機)와 아우 육운(陸雲)을 합쳐 부르는 말이다. 여기서는 웅방수·웅방훈 형제를 육기·육운 형제에 견준 것이다.

352 「개자 선생을 그리며」:『정유각집』「회인시. 장심여의 시를 본떠 짓다」중 제31수「웅한림 방수」(熊翰林方受)이다.

353 위타성(尉佗城): 광동성(廣東省) 광주시(廣州市) 남부. 남월(南越) 도성(都城)의 이름

면면히 새 시에 담아 넣었네. 綿綿入新詠

수레 멈춰 서로를 그리워해도 停車一相憶

삼한(三韓)서는 그 길이 멀기만 해라. 三韓路脩夐

또 「연경잡절」[354]은 이렇다.

웅방수가 영첩(楹帖)을 보내왔는데 熊君送楹帖

"막수"(莫愁)라 한 것 두고 한참 웃었네. 蓋笑莫愁云

어찌하여 서양 베[355]를 손에 들고서 胡不持洋布

바람결에 완군(宛君)[356]에게 부치질 않나. 因風寄宛君

字介茲, 號定峯. 廣西永江人. 官翰林庶吉士. 聞先君葡小星, 戲贈一聯云: "舊聞才子名如日, 新得佳人字莫愁." 其弟方訓, 字紹茲, 孝廉. 先君贈別熊翰林方受, 孝廉方訓兄弟詩曰: "紫禁城南映早曦, 朝鮮館外樹參差. 爐滅自陷茶杯冷, 正是懷人不語時. 一東頭住一西頭, 蕭瑟機雲旅食秋. 何事孝廉忙十日, 鼎彝書畫爲人謀." 又懷介茲詩曰: "熊生負傲骨, 友

으로, 진시황 때 남해위(南海尉)를 지낸 남월왕(南越王) 조타(趙佗)가 세웠다.

354 「연경잡절」: 『정유각집』 「연경잡절」 중 제34수다.

355 서양 베: 손으로 짜지 않고 기계로 짠 직물로, 서양포(西洋布)를 말한다.

356 완군(宛君): 명나라 때 여류 시인 심의수(沈宜修, 1590~1635)를 이른다. 완군은 그의 자다. 오강(吳江) 사람이다. 산동부사(山東副使) 심충(沈珫)의 장녀로, 공부낭중(工部郎中) 엽소원(葉紹袁)과 혼인하였다. 딸 셋을 낳았는데, 모두 아름답고 시를 잘했다. 셋째 딸과 큰딸이 연이어 죽자 이를 괴로워하다가 따라 죽었다. 남편 엽소원이 아내와 딸의 작품을 모아 『오몽당집』(午夢堂集) 10권을 펴냈다.

朋爲性命. 尉佗城邊草, 綿綿入新詠. 停車一相憶, 三韓路修夐."又燕京
雜絶云:"熊君送楹帖, 蓋笑莫愁云. 胡不持洋布, 因風寄宛君."

석온옥[357]
石韞玉, 1756~1837

자가 집여(執如)이고, 호는 탁당(琢堂)이니, 장주(長洲) 사람이다. 건륭
경술년(1790) 전시(殿試)에서 제일갑(第一甲) 제일명(第一名)으로 진
사에 급제하여 수찬(修撰)에 제수되었다. 이에 앞서 석온옥은 문장으로
이름이 성대하고, 특히 도학(道學)을 붙들어 세우는 것을 자부하여, 집
에 종이 창고 하나를 두고서 그 이름을 '얼해'(孽海)[358]라 하였다. 무릇
명교(名敎)에 죄가 되는 글을 얻을 때마다 즉시 태워서 창고 안에다 던
져 버렸다.

하루는 『사조문견록』(四朝聞見錄)[359]을 살펴보다가 주문공(朱文

---

357 석온옥(石韞玉): 1756~1837. 자가 집여(執如)이고, 호는 탁당(琢堂)·화운암주인(花韻
庵主人)·독학노인(獨學老人)이다. 강소(江蘇) 오현(吳縣) 사람이다. 1790년(건륭 55) 진사에
급제하여 한림원수찬(翰林院修撰)·복건향시정고관(福建鄉試正考官)·사천중경부지부(四川重
慶府知府)·산동안찰사(山東按察使) 등을 지냈다. 소주(蘇州) 자양서원(紫陽書院)에서 20여
년 동안 학생들을 가르쳤으며, 일찍이 『소주부지』(蘇州府志)를 편수했다. 과거에 급제하기 전
에 자택에 얼해(孽海)라는 이름의 서고(書庫)를 두어 책 수만 권을 소장했다. 저서에 『독학려
시문집』(獨學廬詩文集), 『만향루집』(晚香樓集), 『화운암시여』(花韻庵詩餘), 『화간구진악부』
(花間九奏樂府) 등이 있다.
358 얼해(孽海): 본래 불교에서 업보의 원인이 되는 죄를 말한다. 업해(業海)라고도 한다.

찬집

公)[360]을 탄핵한 상소문이 있는 것을 보았다. 거기에선 어미에게 거역하고, 임금을 속였으며, 권력을 훔치고, 당여(黨與)를 세운 것과 함께 집안에서 행한 더러운 일까지 말하였다. 이는 소인조차 결단코 하지 않을 일인데, 감히 임금께 올리는 글로 드러내어 망령된 뜻으로 헐뜯어 모욕하였으며, 책에다 싣기까지 한 것이다. 또 후세 사람들이 믿지 않을까 봐 주문공이 사죄한 한 편의 표문을 수록하여 채워 놓았다.

이에 책상을 치며 크게 노하여 급히 아내와 상의하여, 팔꿈치에 차고 있던 황금 팔찌를 벗겨 내고, 5만 전(錢)에 저당을 잡혀서는 책방을 두루 뒤져 370여 부를 얻었다. 장차 이를 불에다 던지려 하니, 대동(大同) 심기봉(沈起鳳)[361]이 말리며 말했다.

"이 일은 천하 만세에 절로 공론(公論)이 있을 것이오. 비유컨대 길 가는 사람을 붙잡고서 눈[雪]을 가리켜 검다고 하고, 옻칠을 가리켜 희다고 하면 아무리 어리석은 자라도 또한 그것이 잘못인 줄을 아는 것과 같소. 어찌 시끄럽게 떠들기를 기다려 변론을 하려 하오?"

석온옥이 말했다.

"그 말이 진실로 옳기는 합니다. 하지만 지혜로운 자들에게는 말할 수

---

359 『사조문견록』(四朝聞見錄): 남송(南宋)의 섭소옹(葉紹翁)이 고종(高宗)·효종(孝宗)·광종(光宗)·영종(寧宗) 네 황제 연간에 보고 들은 바를 기록한 책이다.

360 주문공(朱文公): 남송의 유학자 주희(朱熹, 1130~1200)를 일컫는 말이다. 문공(文公)은 주희의 시호(諡號)이다.

361 심기봉(沈起鳳): 1741~1802. 자가 동위(桐威), 호는 빈어(蘋漁)·홍심사객(紅心詞客)이다. 강소 오현 사람이다. 28세에 거인이 되었으나, 누차 과거 시험에 합격하지 못하다 50세 전후에야 안휘성(安徽省) 기문현(祁門縣)과 전초현(全椒縣)의 훈도(訓導)를 지냈다. 이러한 까닭에 일생을 궁벽하게 살았다. 대신 글재주가 뛰어나 사곡(詞曲)으로 오(吳) 땅에서 제법 이름을 얻었다. 여러 잡극(雜劇)을 지었으며, 『해탁』(諧鐸) 등이 전한다. 진사 출신의 관리이자 작가인 심청단(沈淸瑞, 1758~1791)이 그의 아우이다.

있어도, 세속 사람들과는 말하기가 어렵습니다."[362]

그러더니 기어이 이를 태워 버렸다. 이때 남경에서 향시(鄕試)[363]가 열려 석온옥이 마침내 장원으로 뽑혔다. 얼마 지나지 않아 대과에 급제하니, 사람들이 명교를 붙들어 세운 보답이라 여겼다고 한다.

선군께서 「탁당을 그리며」[364]라는 시에서 말했다.

석탁당은 담박하고 순후하여서	琢堂淡且淳
사람 사귐 속인과는 같지 않다네.	結交非俗人
나아가 식해(食蟹)의 시를 지으니	賦就食蟹詩
글을 쓰자 천진함이 드러나누나.	落筆見天眞
도장 새김[365] 명예를 구함 아니니	鐵筆不求名
애오라지 정신을 부친 것일세.	聊以寄精神

字執如, 號琢堂, 長洲人. 乾隆庚戌殿試, 第一甲第一名, 進士及第, 授修撰. 初輨玉負文章盛名, 而尤扶翼道學, 家置一紙庫, 名曰擘海. 凡遇得罪名敎之書, 卽燒而投于庫中. 一日閱四朝聞見錄, 見有劾朱文公一疏. 其言

362 하지만…어렵습니다: 『한서』 「사마천전」(司馬遷傳)의 "이것은 지혜로운 자에게는 말할 수 있어도, 속인에게는 말하기 어렵다"(此可爲智者道, 難爲俗人言也.)는 문구를 옮은 것이다.
363 남경에서 향시(鄕試): 원문의 "南闈"는 명청 시대 남경에서 열린 강남 지역 최대 규모의 향시를 이르던 말이다. 반대로 북위(北闈)는 북경 순천(順天)에서 열린 향시를 이른다.
364 「탁당을 그리며」: 『정유각집』의 「회인시. 장심여의 시를 본떠 짓다」 중 제32수 「석수찬 온옥」(石修撰輨玉)이다.
365 도장 새김: 원문의 "鐵筆"은 도장을 새기는 새김칼로, 여기서는 석온옥의 장서(藏書)를 가리킨다. 장서에 주인의 인장을 찍기 때문에 이렇게 썼다.

逆母·欺君·竊權·樹黨, 竝及闈中穢事. 有小人所斷不爲者, 乃敢形諸奏
牘, 妄意誣蔑, 且編于書. 又料後人不信, 載文公謝罪一表以實之. 乃拍案
大怒, 急謀諸婦, 脫臂[366]上金條脫, 質錢五十千, 遍搜坊肆, 得三百七十餘
部. 將投之火,[367] 大同沈起鳳止之曰: "此事天下萬世自有公論. 譬執道人
而指雪爲黑, 指漆爲白, 雖愚者亦知其謬. 何待曉曉置辨乎?" 石曰: "此言
誠然. 可爲智者道, 難與俗人言也." 卒燒之. 是科南闈, 石竟發解. 未幾大
魁, 人以爲扶持名敎之報云. 先君懷琢堂詩曰: "琢堂淡且淳, 結交非俗人.
賦就食蟹詩, 落筆見天眞. 鐵筆不求名, 聊以寄精神."

장상지[368]
蔣祥墀, 1761~1840

호가 단림(丹林)이니, 벼슬은 한림서상(翰林庶常)[369]을 지냈다. 부친이

---

366 臂: 『호저집』 원문에는 "背"로 되어 있으나, 이조원의 『담묵록』(淡墨錄)에 따라 "臂"로
바로잡는다.
367 將投之火: 『호저집』 원문에는 "將投之"로 되어 있으나, 이조원의 『담묵록』에 따라 끝에
"火"자를 추가하였다.
368 장상지(蔣祥墀): 1761~1840. 자가 영계(盈階) 혹은 장백(長白)이고, 호는 단림(丹林)
이다. 호북(湖北) 천문(天門) 사람이다. 건륭 55년(1790)에 진사에 급제하여 서길사에 임명되
고, 이어 편수에 제수되었다. 일찍이 절강향시(浙江鄕試)의 부주고관(副主考官)에 임명된 이
래, 국자감좨주(國子監祭酒)·봉천부승(奉天府丞)·홍려시경(鴻臚寺卿) 등을 역임하였다. 만
년에 사직하고 금태서원(金台書院)에서 주강(主講)하였다. 서법에 능하여 구양순(歐陽詢)과
우세남(虞世南)의 풍모가 있었다.
369 한림서상(翰林庶常): 한림원서길사와 같은 말이다.

청봉(晴峯) 장기훤(蔣其暄)[370]으로, 집은 호북(湖北)에 있었다. 원림(園林)이 빼어났는데 이름을 '설동'(雪洞)이라 하였다. 안에는 정자가 있고 바위가 구불구불 놓여 왔다 갔다 하곤 했다. 원림을 온통 희게 칠한 담장으로 둘러 설동이라 한 것이다. 여기에 더해 시원함을 취한 것이기도 하다.

부친 청봉이 「설동」 시를 지었는데, 천하에서 이 시에 화답한 사람이 천여 명이었다. 그 시는 이렇다.

무성한 대나무에 바위 구름 고장인데	離離竹樹石雲鄉
맨발 맨머리에 여름에도 시원하다.	跣足科頭暑亦凉
조그만 망천(輞川)[371] 있어 그림에 맑게 들고	小有輞川淸入畫
반곡(盤谷)[372]을 찾아가니 즐거움 끝없구나.	言尋盤谷樂無央
연전(硯田)[373]에는 나라 세금 내지를 않으니	硯田休納公家賦
시벽(詩癖)에 주후방(肘後方)[374]을 어이해 기다리리.	詩癖何須肘後方
난간에 취해 기대 자주 먼 데 바라보니	醉倚欄干頻眺望
호수 위 안개비를 어부와 함께하네.	一湖煙雨共漁郎

---

370 청봉(晴峯) 장기훤(蔣其暄): 『호저집』 원문에는 "晴峯"으로만 나와 있으나, 『간진역향사지』(幹鎭驛鄕土志)에 "장상지의 부친 장기훤은 효우·인자하다"(蔣祥墀其父蔣其暄, 孝友仁慈.)는 기록이 있어 그 이름을 짐작할 수 있다. 다만, 청봉이 자인지 호인지는 알 수가 없다.
371 망천(輞川): 본서 28면 각주 2번 참조.
372 반곡(盤谷): 하남성(河南省) 제원현(濟源縣) 북쪽에 위치한 골짜기이다. 당나라 때 무녕절도사(武寧節度使) 이원(李愿)이 죄를 얻어 파직된 후 벼슬에 나아가지 않고 반곡으로 돌아가 은거한 이래, 은자가 사는 곳을 뜻하는 말로 쓰였다. 반아(盤阿)라고도 한다.
373 연전(硯田): 벼루를 전지(田地)에 빗대어, 문필로 생활함을 이르는 말.
374 주후방(肘後方): 진(晉)나라 때 갈홍(葛洪)이 펴낸 의서 『주후비급방』(肘後備急方)을 가리킨다. 팔꿈치 뒤에 매달고 다닐 수 있을 정도로 분량과 내용이 요긴하였다.

선군의 「서길사 단림을 위하여 그 대인의 설동 시에 차운하다」[375]에서는 이렇게 말했다.

한가로이 나 홀로 내 고장을 즐기나니	蕭閑吾自樂吾鄉
누대에서 평호(平湖) 보면 만곡 물결 서늘하리.	樓瞰平湖萬斛涼
하늘가의 외론 구름 길게 노래 읊조리며	長嘯孤雲天一握
물 가운데 흰 이슬이 내림을 그리누나.	相思白露水中央
백 이랑의 유란(幽蘭)은 「이소경」의 가락이요[376]	幽蘭百畝離騷譜
『참동계』(參同契)[377]의 단약이 장생의 비방이라.	大藥參同壽世方
갈매기와 맹세 이뤄 노인 이미 늙었으니[378]	鷗鷺盟成翁老矣
봉황지(鳳凰池)[379]는 앞으로 아드님께 맡기소서.	鳳凰池且付兒郎

또 「단림을 그리며」[380]에서는 이렇게 말했다.

---

375 「서길사…차운하다」: 『정유각집』 시집 권3에 수록된 「서길사 단림을 위하여 그 아버지의 설동 시에 차운하다. 설동은 호북에 있는데 원림의 승경이 있어 천하에서 그 시에 화운한 자가 천 명이 넘는다」(爲丹林庶常, 次其大人雪洞詩韻. 雪洞在湖北, 有林園之勝, 天下和之者千有餘人矣)이다.

376 백 이랑의…가락이요: 원문의 "幽蘭"은 난초를 말한다. 전국시대 문인 굴원(屈原)의 「이소경」(離騷經)에 "내 이미 난초를 구원에 기르고, 또 혜초를 백무의 땅에 심었다"(余旣滋蘭之九畹兮, 又樹蕙之百畝)라는 구절이 보인다.

377 『참동계』(參同契): 동한 때 위백양(魏伯陽)의 저서. 도가의 연단술(鍊丹術)에 대한 내용이 담겨 있다.

378 갈매기와…늙었으니: 원문의 "鷗鷺盟"은 갈매기와 백로를 벗 삼아 은거하는 삶을 일컫는다.

379 봉황지(鳳凰池): 재상의 직위를 이르는 말로, 본래는 궁궐의 금원(禁苑)에 있는 연못 이름이다. 남북조시대 봉황지 옆에 중서성(中書省)을 설치한 데서 연유하였다.

380 「단림을 그리며」: 『정유각집』의 「회인시. 장심여의 시를 본떠 짓다」 중 제33수 「장단림상지」(蔣丹林祥墀)이다.

장단림은 경릉 땅 출신이지만　　　　　　　　丹林出竟陵

시 지음은 종성(鍾惺)[381]에 물들잖았네.　　　　詩不染鍾惺

날 위해 부채에다 글씨 써 주니　　　　　　爲人寫便面

작은 해서(楷書)『황정경』(黃庭經)[382]과 다름이 없네.　細楷如黃庭

저 멀리 「설동」 시에 화답하면서　　　　　遙和雪洞什

그대가 이를 얻음 축하한다오.　　　　　　賀子得寧馨

號丹林, 官翰林庶常. 其父晴峯, 家在湖北. 有林園之勝, 名曰雪洞. 中有
亭榭, 山石曲折, 爲往而復. 周園皆粉牆, 故曰雪洞. 且取其凉也. 晴峯作
雪洞詩, 天下和之者, 千有餘人. 其詩曰: "離離竹樹石雲鄕, 跣足科頭暑
亦凉. 小有輞川淸入畵, 言尋盤谷樂無央. 硯田休納公家賦, 詩癖何須肘后
方. 醉倚欄干頻眺望, 一湖煙雨其魚郞." 先君爲丹林庶常次其大人雪洞詩
韻詩曰: "蕭閑吾自樂吾鄕, 樓瞰平湖萬斛凉. 長嘯孤雲天一握, 相思白露
水中央. 幽蘭百畝離騷譜, 大葯參同壽世方. 鷗鷺盟成翁老矣, 鳳凰池且付
兒郞." 又懷丹林詩曰: "丹林出竟陵, 詩不染鍾惺. 爲人寫便面, 細楷如黃
庭. 遙和雪洞什, 賀子得寧馨."

381　종성(鍾惺): 1574~1625. 명나라 말기의 문인으로, 자가 백경(伯敬), 호는 퇴곡(退谷)
이다. 호북(湖北) 경릉(竟陵) 사람이다. 만력 연간에 진사가 되어 예부주사(禮部主事)·복건제
학첨사(福建提學僉事) 등을 지냈다. 동향인 담원춘(譚元春)과 함께 경릉파(竟陵派)를 이끌어
『고시귀』(古詩歸)·『당시귀』(唐詩歸)를 편찬하였다. 시에 있어서 감정의 솔직한 표현을 중요시
했으나, 기교를 지나치게 강조한 나머지 현실성이 결여되었다는 평가를 받았다. 저서에 『은수
헌집』(隱秀軒集) 등이 있다.
382　『황정경』(黃庭經): 위진 시대의 도교 경전. 도가의 수양법을 담고 있다.

증욱383

曾燠, 1759~1830

호가 빈곡(賓谷)이니, 강서(江西) 남성(南城) 사람이다.

선군의 기록에 이렇게 말했다.

"〈서계어은도〉(西溪漁隱圖)를 가지고 내게 시를 청하며, 스스로 언제나 그 형과 더불어 서호(西湖)를 유람하면서 함께 숨어 의탁하기를 약속했다고 말했다. 만상린(萬上遴)384이 그를 위해 그림을 그려 주고, 미곡(未谷) 계복(桂馥, 1736~1805)은 계복은 자가 미곡이니, 곡부(曲阜) 사람이다. 건륭 경술년(1790)에 진사가 되어 교수로 나아갔고, 현령에 뽑혔다. 성품이 술을 즐겨 술 취한 뒤에 쓴 시가 많다. 예서를 아주 잘 써서 쓰기만 하면 사람들이 가져갔는데, 술이 깬 뒤에는 시를 전혀 기억하지 못했다.385 다행히 그의 손자 현취(顯就)가 그 남은 기록을 수습해 『동래초』(東萊草)를 만들었다. 책의 첫머리에 큰 글자로 제목을 써 주었다. 또 허조계(許兆桂) 등 여러 명사가 써 준 시발(詩跋)이 있었다. 하지만 갑작스레 형의 상(喪)을 만나자, 직접 그 두루마리에 쓰기를 사람과 거문고의 애통함386

---

383 증욱(曾燠): 1759~1830. 『호저집』 원문 상단에 다음과 같은 후지쓰카의 메모가 있다. "자가 서번(庶蕃)이니, 건륭 연간의 진사로 간상(邗上)에서 제금관(題襟館)을 열고 손님과 더불어 시 짓는 것을 즐거움으로 삼았다. 뒤에 귀주순무(貴州巡撫)로 부모 봉양을 청하고 돌아와서 세상을 떴다. 그 시는 맑고도 화려하고 오묘하였고, 글은 육조(六朝)와 초당(初唐) 시절의 빼어남을 다하였다. 저서에 『상우모옥집』(賞雨茅屋集)이 있다."(字庶蕃, 乾隆進士, 闢題襟館於邗上, 與賓從賦詩爲樂, 後以貴州巡撫, 乞養歸卒. 其詩淸轉華妙, 文擅六朝初唐之勝. 有賞雨茅屋集.)

384 만상린(萬上遴): 1739~1813. 청나라의 화가. 자는 전경(殿卿), 호는 망강(輞岡)이다. 강서 분의(分宜). 청나라 황실의 화가로 그림을 전담하여 그렸다. 왕유의 시화(詩畵)를 매우 좋아하였으며, 산수(山水) 그림과 지묵화(指墨畵)에 능했다.

385 성품이…못했다: 계복의 『미곡시집』(未谷詩集) 서문을 간추린 것이다.

이 있다고 하였다."

선군께서 「빈곡의 〈서계어은도〉에 제하다」[387]라는 시에서 말했다.

얕은 물에 가죽신 같은 작은 배를 띄워 보니	淺水纔浮革履船
갈대 사이 바람 햇빛 연이어 지나누나.	葦間風日去延緣
조정[388]에서 한 조각 도롱이를 꿈꾸면서	巖廊一片蓑衣夢
그림만 펼쳐 보기 벌써 다섯 해로구나.	忽漫披圖已五年

가슴속에 한 자락 장취원(將就園)[389]을 담아 두고	一副胸中將就園
구파정(鷗波亭)[390]에서 척령(鶺鴒)[391] 들판 마주하네.	鷗波亭對鶺鴒原

386 사람과 거문고의 애통함: 진(晉)나라 때 왕휘지(王徽之)의 고사를 인용한 것이다. 『세설
신어』(世說新語)에 따르면, 왕휘지는 평소 정이 매우 두터웠던 아우 왕헌지(王獻之)가 병으로
죽자, 아우가 즐겨 탔던 거문고를 꺼내 시신 곁에서 연주하려 하였다. 하지만 그 음조가 맞지 않
자 거문고를 내던지며 "자경(子敬)아, 자경아, 너와 거문고가 함께 죽었구나"라며 애통해하였
다고 한다.
387 「빈곡의 〈서계어은도〉에 제하다」: 『정유각집』 시집 권3의 「빈곡 증욱의 〈서계어은도〉 두
루마리에 제하다」(題曾賓谷煜西溪漁隱卷)이다.
388 조정: 원문의 "巖廊"은 궁전의 높은 낭하(廊下)를 가리키는 말로 조정을 의미한다.
389 장취원(將就園): 명나라 말기의 문인 황주성(黃周星, 1611~1680)이 구상한 이상향이
다. 그는 명말에 진사에 급제하고 호부주사(戶部主事)를 지냈으나, 명나라가 멸망하자 호주(湖
州)에 은거하였고, 삼번(三藩)의 난이 평정되자 강물에 투신하였다. 이러한 현실 속에서 그는
「장취원기」(將就園記)를 지어 현실과 타협을 거부하고 이상적인 삶의 공간으로서 장취원을 구
상하였다.
390 구파정(鷗波亭): 원나라 화가이자 서예가인 조맹부(趙孟頫, 1254~1322)의 호. 자는 자
앙(子昻)이고, 시호는 문민(文敏)이다. 당나라 안진경(顏眞卿) 이래 송나라에서 성행했던 서풍
을 배격하고, 왕희지의 전형(典型)으로 복귀할 것을 주장하였다. 그림에 있어서도 남송의 원체
(院體) 화풍을 타파하고, 당나라와 북송 대의 화풍으로 되돌아갈 것을 주장하였다.
391 척령(鶺鴒): 할미새. 위급한 일의 비유이다. 형제간에 위급한 일이 닥치면 서로 돕는다는
의미로 쓰여, 우애를 뜻한다. 『시경』 「상체」(常棣)에 "할미새 들판에서 호들갑 떨 듯, 환난에는
형제들이 서로 돕는 법이라"(鶺鴒在原, 兄弟急難.)라고 한 데서 왔다.

왕어양 늙기 전에 왕서초(王西樵)[392] 떠나가니　　　　漁洋未老西樵逝

강남 땅 황엽촌(黃葉村)서 애간장만 끊겠구려.[393]　　　腸斷江南黃葉村

또 「빈곡을 그리며」[394]는 이렇다.

그대는 강호의 삶 계획해 놓고　　　　　　　以子江湖計

어쩌다 금문(金門)에 부쳐 사네.　　　　　　偶此金門寄

등나무 정자로 나를 청하여　　　　　　　　邀我紫藤榭

술상 차려 먹 장난 바라보았지.　　　　　　置酒看墨戲

〈어은도〉(漁隱圖)를 한 차례 읽어 보자니　　一讀漁隱圖

세한(歲寒)의 그 뜻이 진실하구나.　　　　　丁寧歲寒意

號賓谷, 江西南城人. 先君記曰:"持西溪漁隱圖, 徵詩於余. 自言, 常與其

兄, 作西湖之遊, 約偕隱托. 萬上遴爲之圖, 桂未谷馥, <small>桂馥字未谷, 曲阜人. 乾</small>

<small>隆庚戌進士就敎授, 選縣令. 性嗜酒, 詩多酒後作. 以最八分, 輒爲人持去. 比醒都不記憶. 幸其孫</small>

392　왕서초(王西樵): 왕사록(王士祿, 1626~1673)을 가리킨다. 자가 자저(子底)·백수(伯
受)이고, 호가 서초(西樵)이다. 순치(順治) 12년(1655) 진사에 급제하여, 국자감조교·이부주
사(吏部主事) 등을 지냈다. 시에 능했으며, 특히 맹호연(孟浩然)의 시풍을 따랐다. 그 동생 왕
사우(王士祐), 왕사진(王士禛)과 더불어 '삼왕'(三王)으로 일컬어졌다.

393　왕어양…끊겠구려: 큰형 왕사록이 요절하자, 동생 왕사진이 크게 슬퍼한 일을 시화한
것이다. 당시 "서초 왕사록은 완정 왕사진의 큰형으로, 완정의 시학(詩學)은 서초로부터 나왔
다"(西樵, 阮亭長兄, 阮亭詩學所從出也.)고 이를 정도로 왕사진은 큰형 왕사록에게 큰 영향을
받았다.

394　「빈곡을 그리며」: 『정유각집』「회인시. 장심여의 시를 본떠 짓다」 중 제35수 「증빈곡 욱」
(曾賓谷煜)이다.

顯就,[395] 拾其餘錄, 爲東萊草. 題卷首大字, 又有許兆桂等諸名士詩跋. 而遽遭兄之服, 自題其卷, 有人琴之慟云. 先君題賓谷西溪漁隱圖詩曰: "淺水纔浮革履船, 葦間風日去延緣. 巖廊一片蓑衣夢, 忽漫披圖已五年. 一副胸中將就園, 鷗波亭對鶺鴒原. 漁洋未老西樵逝, 腸斷江南黃葉村." 又懷賓谷詩曰: "以子江湖計, 偶此金門寄. 邀我紫藤樹, 置酒看墨戲. 一讀漁隱圖, 丁寧歲寒意."

조진용

曹振鏞, 1755~1835

호가 여생(儷笙)이니, 벼슬은 한림학사를 지냈다. 안휘(安徽) 흡현(歙縣) 사람이다. 부친 조문식(曹文埴)은 호가 죽허(竹虛)로, 강서(江西)의 고시를 주관하며 청렴하고 진실되게 인재를 뽑았다.

선군의 「여생을 그리며」[396]는 이렇다.

조진용이 자그만 종이 가져와   儷笙致小紙

시와 함께 내 글씨를 청하였었지.   乞詩兼乞字

395　就: 『호저집』 원문에는 "忱"으로 되어 있으나, 사실관계에 따라 "就"로 바로잡는다.
396　「여생을 그리며」: 『정유각집』 「회인시. 장심여의 시를 본떠 짓다」 중 제36수 「조한림 진용」(曹翰林 振鏞)이다.

내 직접 내 시구를 써서 주노니	我自書我句
그대의 일과는 상관없었네.	何與乃公事
나에게 먹을 하나 예물로 주니	贄我一函墨
넘치는 예 누림이 부끄러웠지.	多儀享可愧

號儼笙, 官翰林學士, 安徽歙縣人. 父文埴,[397] 號竹[398]虛, 典試江西, 以淸眞取士. 先君懷儼笙詩曰: "儼笙致小紙, 乞詩兼乞字. 我自書我句, 何與乃公事. 贄我一函墨, 多儀享可愧."

혜승군[399]
嵇承群, ?~?

지현(知縣) 벼슬을 지냈다.

397 埴:『호저집』원문에는 "墳"으로 되어 있으나, 중국의 문헌에 따라 "埴"으로 바로잡는다.
398 竹:『호저집』원문에는 "行"으로 되어 있으나, 중국의 문헌에 따라 "竹"으로 바로잡는다.
399 혜승군(嵇承群): ?~? 자가 구지(久之), 호는 성헌(誠軒)으로, 강소(江蘇) 무석(無錫) 사람이다. 청대 수리(水利) 전문가로 명성을 떨친 대학사(大學士) 혜황(嵇璜, 1711~1794)의 차남이다. 생애 전반에 대해 자세히 알려진 바는 없으나, 건륭 48년(1783) 산동(山東)의 자양현승(滋陽縣丞)을 거쳐 태안지현(泰安知縣)에 제수되어 건륭 54년(1789) 화성사(和聖祠)의 수리와 건륭 57년(1792) 대록서원(岱麓書院)의 건립을 담당하였으며, 이후 무정부동지(武定府同知)·동창부지부(東昌府知府)를 역임한 것으로 전한다.

선군의 「승군을 그리며」[400]는 이렇다.

도성문 많은 사람 가운데에서	都門人海中
저물녘에 나 홀로 서 있었다네.	日莫嘗獨立
웬일인지 자꾸 나를 훔쳐보더니	胡爲數眄我
느닷없이 수레 내려 읍을 하였네.	翻成下車揖
형제 모두[401] 청렴한 본보기 되고	苟龍足淸範
섭부(葉鳧)[402]는 이제 막 부임했다네.	葉鳧方下邑

官知縣. 先君懷承群詩曰: "都門人海中, 日莫嘗獨立. 胡爲數眄我, 翻成下車揖. 苟龍足淸範, 葉鳧方下邑."

---

400 「승군을 그리며」: 『정유각집』 「회인시. 장심여의 시를 본떠 짓다」 중 제37수 「혜지현 승군」(嵇知縣承羣)이다.

401 형제 모두: 원문의 "苟龍"은 '순씨팔용'(荀氏八龍)의 준말이다. 후한의 순상(荀爽) 8형제가 모두 뛰어났으므로 붙은 말이다. 혜승군의 부친 혜황은 모두 여덟 명의 아들을 두었다.

402 섭부(葉鳧): 섭현(葉縣)의 오리라는 뜻으로 지방관을 의미한다. 『후한서』(後漢書) 「왕교열전」(王喬列傳)에 따르면, 후한 명제(明帝) 때 섭현(葉縣)의 현령 왕교가 초하루와 보름마다 수레나 말도 타지 않고 먼 길을 와서 조회에 참석했다. 황제가 이를 괴이하게 여겨 살펴보게 하였는데, 그가 올 때마다 오리 두 마리가 동남쪽에서 날아오기에 그물로 잡고 보니, 그물 속에 신발 한 짝만 있었다고 한다. 여기서는 혜승군이 고을살이를 맡아 부임한 지 얼마 되지 않는다는 뜻으로 쓰였다.

송보순[403]
宋葆醇, 1748~1818?

자가 수초(帥初), 호는 지산(芝山)이다. 안읍(安邑) 사람이다. 시와 그림
으로 공경(公卿)들 사이에서 이름이 났다. 성품이 꼿꼿하고 거만하여 조
정의 귀인 보기를 마치 평교(平交) 간을 대하듯 하였다. 유유히 방랑하
며 세속의 태도에 얽매이지 않았다. 아버지 송감(宋鑑)은 호가 반당(半
堂)인데, 『상서고변』(尚書考辨)과 『진한분운』(秦漢分韻)을 저술하였다.

선군께서 지은 「지산에게 부쳐 보내다」[404]는 이렇다.

주고받은 시와 그림 세상에 가득한데	朅來詩畫滿人間
십 년을 집 떠나와 돌아가지 못했구려.	十載辭家遂不還
불우하게 묻혀 지냄 내 뜻에 다 맞으니	落拓沈冥都可意
송지산을 맞이하여 모름지기 취하리라.	政須邀醉宋芝山

또 선군의 「지산을 그리며」[405]는 이렇다.

---

403 송보순(宋葆醇): 1748~1818? 1786년(건륭 51) 거인이 되었으며, 해주학정(解州學正)
을 지냈다. 죽루(竹樓) 최경칭(崔景俑, 1769~1793)이 그의 처남이다. 이름의 마지막 자가 '淳'
으로 쓰인 중국 문헌도 다수 보인다.
404 「지산에게 부쳐 보내다」: 『정유각집』 시집 권3의 「지산 송보순에게 부치다」(寄贈宋芝山
葆淳)이다.
405 「지산을 그리며」: 『정유각집』 「회인시. 장심여의 시를 본떠 짓다」 중 제38수 「송지산 보
순」(宋芝山葆淳)이다.

송지산은 본래부터 뻣뻣하여서 芝山本骯髒

포의(布衣)로 경상(卿相)에게 읍을 하누나. 布衣揖卿相

어쩌다 장안(長安)의 객이 됐어도 偶作長安客

사람 물결 휩쓸려 따르지 않네. 不隨人波蕩

표연히 그림붓을 실어 두고서 飄然載畫筆

휘파람 길게 불며 상당(上黨)에 드네. 長歗入上黨

字帥初, 號芝山, 安邑人. 以詩畫名於公卿間, 性嶠岉, 視朝貴若平交. 放浪優遊, 不拘俗態. 父鑑, 號半堂, 著尙書考辨·秦漢分韻. 先君寄贈芝山詩曰: "竭來詩畫滿人間, 十載辭家遂不還. 落拓沈冥都可意, 政須邀醉宋芝山." 又懷芝山詩曰: "芝山本骯髒, 布衣揖卿相. 偶作長安客, 不隨人波蕩. 飄然載畫筆, 長歗入上黨."

왕영부[406]

王寧焯, ?~?

산동 사람이니, 벼슬은 고공(考功)을 지냈다.

---

406 왕영부(王寧焯): ?~? 자가 희보(熙甫), 호는 직암(直菴)이니, 고밀(高密) 사람이다. 1789년(건륭 54) 진사에 급제하고 주사(主事)에 제수되었으며, 어사(禦史)를 지냈다. 저서에

선군의「영부를 그리며」[407]는 이렇다.

왕영부는 산동에 살고 있는데	考功居山東
나는 동해 바다 너머에 있네.	我乃萊海外
뜻하잖게 아득한 어둠 속에서	不意杳冥中
우리 향한 그리움 맘에 품었지.	結想在吾輩
서로 만나 한번 느껴 눈물 흘리니	相逢一感涕
벗 있어도 스무 해를 저버렸도다.	有友負廿載

또「속회인시」[408]는 이렇다.

뜻밖에 현공(懸空)에서 묵은 인연 펼치니	分外懸空宿契申
통쾌하기 삼세의 전생을 깨친 듯해.	快如三世悟前因
영롱한 온갖 도리 서혈(書穴)을 꿰뚫어서	玲瓏百道穿書穴
한번 웃다『범아』(梵雅)[409]와 가까움에 놀라누나.	一笑還驚梵雅隣

山東人, 官考功. 先君懷寧燁詩曰: "考功居山東, 我乃萊海外. 不意杳冥
中, 結想在吾輩. 相逢一感涕, 有友負廿載." 又續懷詩曰: "分外懸空宿契

『재산고공』(在山考功),『서대』(西臺)가 있다.
407 「영부를 그리며」: 『정유각집』「회인시. 장심여의 시를 본떠 짓다」 중 제39수 「왕효공 영부」(王考功寧燁)이다.
408 「속회인시」: 『정유각집』「속회인시」 중 제18수 「왕효공 영부」(王考功寧燁)이다.
409 『범아』(梵雅): 불교 관련 저술로, 왕사정(王士禎)의 『지북우담』(池北偶談)에 그 서명이 보인다. 본서 94면 '반정균' 항목 필담 참조.

申, 快如三世悟前因. 玲瓏百道穿書穴, 一笑還驚梵雅隣."

장후
章煦, 1745~1824

호가 동문(桐門)이니, 절강 전당(錢塘) 사람이다.

　선군의 「〈동강어맥도〉(桐江魚麥圖)에 쓰다」[410]는 이렇다.

　　무리 지은 백로도 저마다 같지 않아　　　　白鷺成群也不同

　　함께 날다 동과 서로 짝지어 앉는구나.　　雙飛耦坐各西東

　　세간에는 더위 쫓는 나그네가 있건만　　　世間亦有乘涼客

　　수많은 벼슬아치 티끌 먼지 밟고 가네.　　多少烏紗踏軟紅

　또 「동문을 그리며」[411]는 이렇다.

410　「〈동강어맥도〉(桐江魚麥圖)에 쓰다」: 『정유각집』 시집 권4의 「〈동강전승어맥도〉에 제하
다」(題桐江殿丞魚麥圖)이다. 동강(桐江)은 후한의 은사(隱士) 엄광(嚴光)을 가리킨다. 어린
시절 광무제와 함께 공부하였으나, 광무제가 즉위하자 부춘산(富春山) 칠리탄(七里灘)에 은거
하였다. 어맥(魚麥)은 '어미지향'(魚米之鄉)과 같은 말로 어류와 곡물 생산이 풍부한 지역을 말
한다. 곧 동강어맥도란 엄광이 낚시하는 광경을 그린 그림인 듯하다.
411　「동문을 그리며」: 『정유각집』「회인시. 장심여의 시를 본떠 짓다」 중 제40수 「장동문 후」
(章桐門煦)이다.

열하 땅 군기방(軍機房) 그중에서도　　　　　熱河軍機房

중서(中書)엔 빼어난 인재가 많네.　　　　　中書多玉人

그 가운데 재빠르게 글씨 쓰는 이　　　　　就中疾書者

스스로 지은 호가 동문이라네.　　　　　　　自號爲桐門

연못가의 약속을 다시 맺으니　　　　　　　重訂池邊約

지는 달빛 깊은 술통 비추는도다.　　　　　落月映深尊

號桐門, 浙江錢塘人. 先君題桐門魚麥圖詩曰:"白鷺成群也不同, 雙飛耦
坐各西東. 世間亦有乘凉客, 多少烏紗踏軟紅." 又懷桐門詩曰:"熱河軍機
房, 中書多玉人. 就中疾書者, 自號爲桐門. 重訂池邊約, 落月映深尊."

장복단
莊復旦, ?~?

자가 식삼(植三)이고, 호는 택산(澤珊)이다. 강소(江蘇) 상주부(常州府)
무진현(武進縣) 사람이다. 벼슬은 중서사인(中書舍人)을 지냈다.

　선군의 「복단을 그리며」[412]는 이렇다.

412 「복단을 그리며」: 『정유각집』「회인시. 장심여의 시를 본떠 짓다」 중 제42수 「장중서 복
단」(莊中書復旦)이다.

배두전(拜斗殿)[413] 비스듬히 지나쳐 가면 　　　迤過拜斗殿

곧바로 장군의 집이 나오지. 　　　便是莊君宅

고운 모습 서재 휘장 사이로 비쳐 　　　玉貌映書幃

조천하던 나그네가 놀라 물었네. 　　　驚問朝天客

훗날 멀리 떨어져 꿈을 꿀 제면[414] 　　　他年雲樹夢

편지하라던 부탁 진중했었지. 　　　珍重雙魚托

字植三, 號澤珊. 江蘇常州府武進縣人. 官中書舍人. 先君懷復旦詩曰:
"迤過拜斗殿, 便是莊君宅. 玉貌映書幃, 驚問朝天客. 他年雲樹夢, 珍重
雙魚托."

왕조가

王肇嘉, ?~?

자가 우신(右申)이고, 호는 평계(苹溪)이다. 강소(江蘇) 송강부(松江府)
청포현(靑浦縣) 사람이다. 시랑(侍郞) 왕창(王昶, 1724~1806)의 아들

413 　배두전(拜斗殿): 자금성에 위치한 전각으로, 북두성(北斗星)에 대한 제사를 담당하는 곳
이다.
414 　훗날…제면: 원문의 "雲樹"는 벗과 멀리 이별함을 뜻한다. 본서 97면 각주 113번 참조.

이다. 왕창은 호가 난천(蘭泉)이다. 전서와 예서를 잘 썼다.

선군의 「평계에게 보내다. 그와는 일면식도 없었는데 이름과 자를 새긴 작은 도장 두 개를 보내면서 글씨 쓴 부채를 구하였다. 뒤에 나양봉의 화실에서 교분을 맺었다」[415]에서 말했다.

공령문(功令文)을 배우지 아니했으니	所學非功令
그 사람 군자라 할 만하도다.	其人君子哉
풍류스런 생각은 수줍음 타도	恥作風流想
문자에 밝은 재주 유독 아끼네.	偏憐爾雅才
사방 한 치 양지옥(羊脂玉)[416]에 새기는 동안	羊脂方寸印
파초 잎 작은 술잔 몇 번 돌렸네.	蕉葉數巡杯
노안도(蘆雁圖) 그림 속에 적은 글자를	蘆雁圖中字
등불 밝혀 몇 번이나 펼쳐 보았나.	籌燈展幾回

인장 새겨[417] 주시매 느낌 깊으니	感深貼鐵筆
풍류 운치 왕랑(王郎)[418] 같음 기뻐하였네.	風致說王郎

---

415 「평계에게…맺었다」: 『정유각집』 시집 권3의 「평계 왕수재에게 보냄. 평계는 일면식이 없는 나에게 내 이름과 자를 새긴 작은 도장 두 개를 보내 주고, 내 글씨를 쓴 부채를 요구하였다. 뒤에 나양봉의 화실에서 교분을 맺었다」(寄王萃溪秀才. 萃溪爲余未面而刻寄姓名表德二小印, 求余書扇. 後定交於兩峯畵所)이다.

416 양지옥(羊脂玉): 고급 인장석으로 백옥의 일종이다. 빛깔이 반투명하고 석질이 꾸덕꾸덕한 것이 양의 기름덩이와 비슷하여 붙여진 이름이다.

417 인장 새겨: 원문의 "鐵筆"은 도장을 새기는 새김칼로, 여기서는 박제가에게 새겨 준 도장을 의미하는 것으로 보인다.

418 왕랑(王郎): 후한 때 채옹(蔡邕)이 그 재주를 극찬했던 건안칠자(建安七子)의 필두(筆頭) 왕찬(王粲, 177~217)을 가리킨다. 여기서는 왕조가와 왕찬이 같은 왕씨임을 들어 칭송한 것이다.

시문 재주[419] 장초(章草)[420]에 남아 있으니 　　　　畫卧留章草

청담은 죽림칠현[421] 연상케 하네. 　　　　　　　清談憶晉裝

일은 모두 그림의 뜻 담기어 있고 　　　　　　事皆存畫意

말마다 글 향기를 띠고 있구나. 　　　　　　　語輒帶書香

보배롭고 소중한 시인의 마음 　　　　　　　珍重詩人旨

진령(榛苓)[422]에 흥 의탁함 유장하구나. 　　　　榛苓托興長

정을 위해 죽으려고 작정했는데 　　　　　　　我定爲情死

그댈 만나 단번에 아득해졌네. 　　　　　　　逢君一惘然

시절 명성 까치처럼 막 일어나니[423] 　　　　時名方鵲起

좋은 집안 끊임없이 이어지누나.[424] 　　　　美胄本蟬聯

육예가 오늘날에 돌아왔으니 　　　　　　　六藝還今日

어린 나이 삼창(三蒼)[425]에 조숙하도다. 　　　　三蒼熟早年

419　시문 재주: 원문의 "畫卧"는 낮잠이라는 뜻이나, 여기서는 시문의 재주를 함축하고 있는
것으로 보인다. 진(晉)나라 때 나함(羅含)이 낮잠을 자다가 꿈에 이상한 새를 보고 문장이 크게
진전했다는 이야기가 『진서』(晉書) 「나함전」(羅含傳)에 보인다.
420　장초(章草): 한대(漢代)에 성행했던 서법. 초서의 일종이나 한 글자 한 글자가 떨어져 있
다. 전한(前漢) 원제(元帝) 때 나왔다는 설과 후한(後漢) 장제(章帝) 때 나왔다는 설 등이 있다.
421　죽림칠현: 원문의 "晉裝"은 진나라 때의 복장이란 의미로, 여기서는 진나라 때 죽림에서
청담을 일삼던 죽림칠현을 가리키는 의미로 보았다.
422　진령(榛苓): 개암나무와 감초를 이른다. 『시경』 「간혜」(簡兮)에 "산에는 개암나무 진펄
엔 감초, 그 누가 그리운가 서쪽의 미인이로세"(山有榛, 隰有苓, 云誰之思 西方美人.)라는 문
구가 보인다. 현자가 쇠락한 시대의 변두리 지역에서 포부를 발휘할 수 없자 융성한 시절의 빛
나는 임금을 생각한다는 뜻이다.
423　시절…일어나니: 원문의 "鵲起"는 명성이 흥기함을 비유적으로 드러낸 말이다. 『태평어
람』(太平御覽)에 관련 구절이 보인다.
424　좋은…이어지누나: 원문의 "蟬聯"은 벼슬이나 명성이 끊어지지 않고 계속 이어졌다는 뜻이
다. 여기서는 왕조가와 그의 아버지 왕창을 비롯해 집안 대대로 명성이 이어져 왔음을 의미한다.
425　삼창(三蒼): 본서 210면 각주 303번 참조.

| 지난번 벗님을 찾아갈 적에 | 憶曾尋友處 |
| 옥하관 물가에서 손을 잡았지.[426] | 携手玉河沿 |

또 「우신을 그리는 시」[427]는 이렇다.

우신은 재예가 풍부한데도	右申多才藝
감춰 두고 겉으론 안 드러냈지.	內蘊不外颺
오래도록 앉았을 때 살피어 보니	觀其坐頗久
눈은 봐도 눈동자를 굴림 없었네.	目視無轉向
덕기(德器)[428]의 이루어짐 가만히 보매	佇看德器成
먼 사람의 바람을 배반치 않네.	毋孤遠人望

字右申, 號苹[429]溪, 江蘇松江府靑浦縣人. 侍郞昶 王昶號蘭泉. 子. 善篆隸.
先君寄苹溪, 末面而刻寄姓名表德二小印求書扇, 後定交於兩峯畵所詩
曰: "所學非功令, 其人君子哉. 恥作風流想, 偏憐爾雅才. 羊脂方寸印, 蕉
葉數巡杯. 蘆雁圖中字, 篝燈展幾回. 感深貼鐵筆, 風致說王郞. 畵臥留章
草, 淸談憶晉裝. 事皆存畵意, 語輒帶書香. 珍[430]重詩人旨, 榛苓托興長.

426 옥하관…잡았지: 박제가가 왕조가와 함께 오조(吳照)와 증욱(曾燠)을 만나기 위해 옥하
(玉河) 서쪽 편의 자등사(紫藤榭)를 방문한 일을 말한다.
427 「우신을 그리는 시」: 『정유각집』 「회인시. 장심여의 시를 본떠 짓다」 중 제48수 「왕평계
조가」(王苹溪肇嘉)이다.
428 덕기(德器): 덕행(德行)과 기국(器局), 즉 착한 행실과 뛰어난 재능을 가리킨다. 행(行)
을 이룸을 덕(德)이라 하고, 재(才)를 이룸을 기(器)라 한다.
429 苹: 『호저집』 원문에는 "萍"으로 되어 있으나, 오기로 보아 "苹"으로 바로잡는다.

我定爲情死, 逢君一惘然. 時名方鵲起, 美冑本蟬聯. 六藝還今日, 三蒼熟早年. 憶曾尋友處, 携手玉河沿." 又懷右申詩曰: "右申多才藝, 內蘊不外颺. 觀其坐頗久, 目視無轉向. 佇看德器成, 毋孤遠人望."

전동벽

錢東壁, 1766~1818

자가 성백(星伯)이니, 첨사(詹事) 벼슬을 지낸 신미(辛楣) 전대흔(錢大昕)의 아들이다. 아래에 나온다.

선군께서 지은 「나양봉이 매화를 그린 부채에 제하여 가정(嘉定)으로 돌아가는 수재 전동벽에게 주다」[431]는 이렇다.

우연히 그림 보러 길 나섰다가	偶爲看畫出
사찰[432]에서 좋은 벗을 만나 보았네.	蕭寺得佳朋
사람은 하나같이 옥골 재사요	人是家家玉
꽃잎도 송이송이 빙옥 같구나.	花仍箇箇氷
한 가지로 서글픈 작별 이루매	一枝成惆悵

---

430 珍: 『호저집』원문에는 "軫"으로 되어 있으나, 『정유각집』에 따라 "珍"으로 바로잡는다.
431 「나양봉이…주다」: 『정유각집』시집 권3에 수록되어 있다.
432 사찰: 원문의 "蕭寺"는 사찰이란 뜻으로, 남조 양(梁)나라 무제(武帝)가 사원을 짓고 자신의 소(蕭)씨 성을 따 이름한 데서 유래했다.

작은 이별 애석해 마음 상하네.　　　　　　小別惜曺騰

가정 땅은 풍류의 고장이거니　　　　　　嘉定風流地

고운 그대 중흥을 이루시구려.　　　　　　多君屬中興

또 「동벽을 그리며」[433]에서는 이렇게 말했다.

음석(飮石)[434]은 명가의 자손으로서　　　飮石名家子

젊은 나이 이기(利器)를 품고 있다네.　　　妙年懷利器

애오라지 비단 바지 글씨를 받아[435]　　　聊將練裙書

잠시 매화 그림도 부쳐 왔다네.　　　　　　暫當梅花寄

내 비록 관상쟁이 아니지마는　　　　　　我雖未相人

이 사람은 분명 일찍 크게 되겠네.　　　　斯人當早貴

字星伯, 辛楣詹事大昕子. 見下. 先君題羅兩峯畫梅扇面, 贈錢秀才東壁歸
嘉定詩曰: "偶爲看畫出, 蕭寺得佳朋. 人是家家玉, 花仍箇箇氷. 一枝成
惆悵,[436] 小別惜曺騰. 嘉定風流地, 多君屬中興." 又懷東壁詩曰: "飮石名

433　「동벽을 그리며」: 『정유각집』「회인시. 장심여의 시를 본떠 짓다」 중 제49수 「전수재 동
벽」(錢秀才東壁)이다.

434　음석(飮石): 전동벽의 다른 자(字)이다.

435　비단…받아: 원문의 "練裙書"란 비단 바지에 쓴 글씨로, 젊은이를 총애함을 의미한다. 남
송 때 왕헌지가 오흥태수(吳興太守)가 되었을 때 양불의(羊不疑)의 아들 양흔(羊欣)을 몹시 아
꼈다. 한번은 왕헌지가 현(縣)에 들어갔는데, 양흔이 새 비단 바지를 입고 낮잠을 자는 것을 보
고 장난삼아 그 바지에 글씨를 써 놓고 돌아왔다는 고사가 전한다. 『남사』(南史)「양흔열전」(羊
欣列傳)에 보인다.

436　惆悵: 『호저집』 원문에는 "悵惆"으로 되어 있으나, 『정유각집』을 따라 "惆悵"으로 바로잡

家子, 妙年懷利器. 聊將練裙書, 暫當梅花寄. 我雖未相人, 斯人當早貴."

반유위
潘有爲, 1744~1821

호가 의당(毅堂)이니, 벼슬은 중서사인(中書舍人)을 지냈다. 아우(雅雨) 노견증(盧見曾)[437]의 물건과 옛 기물을 모두 사들여 천하에 으뜸이었다. 저서에 『반의당인보』(潘毅堂印譜)가 있다.

선군께서 「연경잡절」에서 말했다.

"반의당을 내 정말 사랑하노니, 옛 인장 1천 개도 더 된다 하네."[438] (吾憐潘毅堂, 古印逾千方.)

號毅堂, 官中書舍人. 悉買雅雨盧氏物古器, 甲於天下. 著有潘毅堂印譜.
先君燕京雜絶云:"吾憐潘毅堂, 古印逾千方."

는다.
437 노견증(盧見曾): 1690~1768. 자가 포손(抱孫), 호는 아우(雅雨)·담원(澹園)이다. 산동(山東) 덕주(德州) 사람이다. 강희 60년(1721) 진사에 급제하여, 양회염운사(兩淮鹽運使) 등을 지냈다. 고종(高宗) 때 염정(鹽政) 담당 관리에 대한 비리 조사에 걸려 죽임을 당하였다. 평소 재사(才士)와 객을 좋아하여, 사방의 명사들과 교유하였다. 저서에 『아우당총서』(雅雨堂叢書), 『금석삼예』(金石三例) 등이 있다.
438 반의당을…된다 하네:「연경잡절」 중 제37수의 구절이다.

손형

孫衡, ?~?

자가 운록(雲麓)이니, 절강 인화 사람이다. 태자태보(太子太保)·병부상
서(兵部尙書)·세습일등경거도위(世襲一等輕車都尉)·서리사천총독(署
理四川總督)을 지낸 손사의(孫士毅)[439]의 아들이다. 예서를 잘 썼다.

　선군의 「운록을 그리며」[440]는 이렇다.

손사인은 지극한 성품이 있어	舍人有至性
이따금 손님 잡아 머물게 했지.	往往苦留客
하인들은 수레 소리 기다리는데	僮僕候車音
등잔불 깊은 밤을 비추었다네.	籌燈照深夕
서로 품에 지닌 것 죄다 내와도	相贈輒傾橐
어이해 괴이한 빛 있었으리오.	何曾有怪色

　또 「속회인시」[441]에서 이렇게 말했다.

439　손사의(孫士毅): 1720~1796. 자가 지야(智冶)·보선(補山)이니, 절강 인화 사람이다.
건륭 52년(1787)에 태자태보(太子太保)에 임명되고, 건륭 54년(1789)에 병부상서(兵部尙書)
와 함께 서리사천총독(署理四川總督)에 올랐다. 이듬해 서리(署理)에서 정식으로 사천총독에
제수되었다.
440　「운록을 그리며」:『정유각집』「회인시. 장심여의 시를 본떠 짓다」 중 제29수 「손운록 형」
(孫雲麓衡)이다.
441　「속회인시」:『정유각집』「속회인시」 중 제8수 「손운록 형」(孫雲麓衡)이다.

어여뻐라 손랑의 멋진 풍류 생각하나 　　　　　　　媚嫵孫郞憶采風

압록강 천 리 길에 우편통이 막혔구나. 　　　　　　　鴨江千里阻郵筒

집닭이든 들오리든[442] 원래 일이 많은 법 　　　　　　　家鷄野鶩元多事

기자(箕子) 구주(九疇)[443] 베껴 써서 한 통 부쳐 주시게나.

　　　　　　　　　　　　　　　　　　　　　　倩寫箕疇付一通

또 「연경잡절」[444]에서는 이렇게 말했다.

손사인은 자태가 순아하여서 　　　　　　　　　　舍人醇雅姿

도무지 재상 집안 같지 않았지. 　　　　　　　　　　都無相門氣

아내 잃은 나의 슬픔[445] 어이 알아서 　　　　　　　知我叩盆情

만 리 길에 시를 보내 위로하였네. 　　　　　　　　緘詩萬里慰

字雲麓, 浙江仁和人. 太子太保, 兵部尙書, 世襲一等輕車都尉, 署理四川

442　집닭이든 들오리든: 원문의 "家鷄野鶩"은 신기한 것만 좋아하고 일상의 평범한 것을 대
수롭지 않게 여김을 뜻한다. 진(晉)나라 때 서가(書家)였던 유익(庾翼)이 왕희지와 명성을 겨
루던 때에 자기의 서법을 우세하게 여겨 집닭에 비유하고, 왕희지의 서법을 경멸하여 들꿩에 비
유했던 데서 온 말이다. 소식(蘇軾)의 「서유경문좌장소장왕자경첩」(書劉景文左藏所藏王子敬
帖) 시에 "집닭과 들꿩은 똑같이 제기에 올랐거니와, 봄 지렁이 가을 뱀은 다 화장대로 들어갔
는데, 그대 집에 소장한 글씨 두 줄에 열두 자는, 그 기개가 업후의 삼만 축을 압도하다마다"(家
鷄野鶩同登俎, 春蚓秋蛇總入奩. 君家兩行十二字, 氣壓鄴侯三萬籤.)라고 하였다. 『소동파시
집』(蘇東坡詩集) 권32에 보인다.
443　기자(箕子) 구주(九疇): 『서경』「홍범」(洪範)에 실린 「구주」를 가리킨다. 주나라 무왕(武
王)이 기자에게 선정의 방안을 묻자 기자가 이를 지어 올렸다고 한다.
444　「연경잡절」: 『정유각집』「연경잡절」 중 제29수다.
445　아내…슬픔: 원문의 "叩盆情"은 장자(莊子)가 아내를 잃고 동이를 두드리며 노래했다는
고사에서 가져온 말이다.

總督士毅之子. 善八分. 先君懷雲麓詩曰: "舍人有至性, 往往苦留客. 僮
僕候車音, 籌燈照深夕. 相贈輒傾橐, 何曾有怪色." 又續懷詩曰: "媚嫵孫
郎憶采風, 鴨江千里阻郵筒. 家鷄野鶩元多事, 倩寫箕疇付一通." 又燕京
雜絶云: "舍人醇雅姿, 都無相門氣. 知我叩盆情, 緘詩萬里慰."

장백괴
張伯魁, 1764~?

호가 춘계(春溪)이다.

선군께서 쓰신 「춘계를 그리며」[446]는 이렇다.

장군은 과거 공부 피곤했지만	張君困公車
시 얘기만 나오면 힘이 난다지.	談詩語頗壯
미리부터 벼슬길에 오르는 그날	預愁作官日
고혈 빨아 제 몸 위함 근심했었네.	浚民以自養
이 뜻만도 이미 벌써 고인(高人)이거니	此意已高人
진계(秦溪)[447]를 찾아가는 배를 사리라.	定買秦溪舫

---

446 「춘계를 그리며」: 『정유각집』「회인시. 장심여의 시를 본떠 짓다」중 제50수「장춘계 백
괴」(張春溪伯魁)이다.
447 진계(秦溪): 장백괴의 고향인 해염(海鹽)을 흐르는 옛 물길의 이름이다.

號春溪. 先君懷春溪詩曰: "張君困公車, 談詩語頗壯. 預愁作官日, 浚民
以自養. 此意已高人, 定買秦溪舫."

최경칭
崔景偁, 1769~1793

자가 우양(禹揚), 호는 죽루(竹樓)이니, 산서(山西) 포주부(蒲州府) 영
제(永濟) 사람이다. 부친이 절강항주총사마(浙江杭摠司馬)가 되었을
때, 관청 안에 층루(層樓)를 세우고 둘레에는 대나무를 심었다. 우연히
벗에게 이렇게 말했다. "인생에 누각이 없다면 어떻게 먼 곳을 바라보고,
대나무가 없다면 어떻게 시를 읊조리겠는가." 인하여 호를 죽루자(竹樓
子)라고 하였다.

선군의 기록에 이렇게 말했다.

"지산(芝山) 송보순(宋葆醇)의 처남이다. 지산이 최경칭을 위하여
〈죽루도〉(竹樓圖)를 그렸는데 장문도(張問陶)가 시를 지었다. 나양봉(羅
兩峯)도 또한 그림 한 폭을 그리니 송보순의 그림과는 배치가 서로 같지
않았다. 최경칭은 나이가 젊은데도 시에 능하였으므로, 한림(翰林) 홍양
길(洪亮吉)이 그가 훗날 시로 이름나겠다고 칭찬했다."

선군의 「최경칭의 〈죽루도〉 두루마리에 제하다」[448]는 이렇다.

---

448 「최경칭의…제하다」: 『정유각집』 시집 권3에 수록되어 있다.

대숲 속의 생각을 상상하자니	我有竹裏想
하루에도 백 번 천 번 바뀌는구나.	一日千百幻
빼곡히 일만 개를 잠깐 심어서	乍願密萬个
처자가 저편에서 불러 줬으면.	妻子隔呼喚
한쪽 면을 열어서 틔워 두고서	乍願開一面
구름 위로 누각 반쯤 솟아났으면.	層樓出雲半
여름에는 만발한 눈꽃의 생각	夏念雪離披
한낮에는 부서지는 달빛의 상상.	晝思月凌亂
다시금 어린 죽순 맛있게 먹고	復欲噉穉笋
내장에서 곧은 줄기 꺼내고 싶네.	臟腑出修幹
최군(崔君)은 죽루(竹樓)를 생각해 내어	崔君擬竹樓
그림으로 그려서 감상케 했네.	畫圖供把玩
지산 송보순과 양봉 나빙은	芝山及兩峯
뜻과 솜씨 모두가 거나했었지.	意匠悉瀾漫
누대의 배치는 같지 않아도	起樓各不同
대나무 사랑일랑 다를 바 없네.	愛竹兩無間
뜻에 맞는 인물은 왕자유[449]일 뿐	可人王子猷
나머지 사람들은 무시했다네.	餘子如旣灌
그림의 바깥으로 몸을 빼내면	將身出畫外
머물 곳은 오로지 궤안[450]뿐이라.	所留惟几案

---

449 왕자유(王子猷): 왕휘지(王徽之, 338~386). 그는 평소 대나무를 애호하여 "어찌 하루
라도 이 사람[此君]이 없을 수 있겠는가"(何可一日無此君邪)라고 하였다. 이후 '차군'(此君)은
대나무의 별칭이 되었다. 『진서』(晉書) 「왕휘지전」(王徽之傳)에 보인다.

450 궤안(几案): 의자와 책상을 아울러 이르는 말이다. 하찮은 것 혹은 공무(公務)를 뜻하는

다시금 그 가운데 들어가서는	復欲入其中
둥근 바위 곁에서 시를 지으리.451	屢咳卷石畔
문동(文同)의 묵군당(墨君堂)452에 오른 듯하니	如登墨君堂
가을 소리 들으며 웃고 말하네.	笑唔秋聲觀
맑은 바람 살랑 불어 부드러운데	淸風旣流利
먼 데 안개 다시금 가로 걸리네.	遠煙復橫斷
하늘 스친 기운 돌연 흔들리더니	捎空氣忽奮
비 오려고 빛이 먼저 바뀌는구나.	將雨色先換
대나무 쪼개지는 소리 들은 듯	彷彿聞解籜
자던 참새 빈 탄환에 깜짝 놀라네.	睡雀驚虛彈
황강(黃岡) 땅 사람을 배우지 않아	不學黃岡人
초록 마디 멋대로 쪼개 가르네.453	綠節恣剖判
그대의 죽루시를 계기 삼아서	系君竹樓詩
한바탕 회포를 풀어 보누나.	風懷一蕭散

비유적인 표현으로도 쓰인다.

451 시를 지으리: 원문은 "累咳"이나, 『정유각집』에는 "屢欬"로 되어 있다. 누해(屢欬)는 해타성주(咳唾成珠), 즉 기침하여 뱉은 가래침이 주옥이 된다는 뜻으로, 일기가성(一氣呵成)의 시문(詩文)이 아주 교묘함을 비유한다. 『정유각집』을 따른다.

452 문동(文同)의 묵군당(墨君堂): 북송의 서화가 문동(文同, 1018~1079)은 묵죽(墨竹) 그림에 능하여 후세에 묵죽의 개조로 불렸다. 묵군당(墨君堂)은 그의 당호(堂號)다.

453 황강(黃岡) 땅…쪼개 가르네: 북송 문인 왕우칭(王禹偁, 954~1001)이 지은 「황주죽루기」(黃州竹樓記)의 서두에 "황강 땅에는 대나무가 많은데, 큰 것은 서까래만 하다. 대나무 다듬는 공장(工匠)이 이를 쪼개 막힌 마디를 긁어내고 기와 대신 쓴다"(黃岡之地多竹, 大者如椽. 竹工破之, 剟去其節, 用代陶瓦.)라고 한 것을 두고 말한 것이다. 왕우칭은 자가 원지(元之)로, 제주(濟州) 거야(巨野) 사람이다. 지제고(知制誥)·한림학사(翰林學士) 등을 역임하였다. 평소 직간을 잘해 자주 유배에 처해졌다. 저서에 『소축집』(小畜集)이 있다.

필담을 아래에 붙인다.

최경칭 저에게 〈죽루도〉가 있는데 양봉 나빙 선생께서 손수 그린 것입
니다. 삼가 그대의 시를 구합니다.

선군 시를 그다지 잘 짓지 못하니, 시간을 두고 엮어 보겠습니다.

최경칭 이 그림은 반드시 대작을 얻어야만 무게를 더할 것입니다.

선군 이 두 분은 모두 당대의 명사이니 감히 그 가운데에 참여하지
못하겠군요.

최경칭 이처럼 큰 재주를 지니신 분이 보잘것없는 그림에 시를 쓰는
것이 걸맞지 않아 보일 뿐입니다. 하지만 그대의 아낌을 받았
기에 감히 외람되지만 저를 위해 이 그림에 시를 써 주십시오.

선군 왕원지(王元之)[454]가 귀양 살던 곳에 대나무 누각이 있었지요.
선생은 나이가 젊고 솜씨가 뛰어난데도 어째서 여기에 가탁하
시는지요?

최경칭 '죽루자'(竹樓子)로 불렸기 때문에 제 뜻을 보인 것이지, 감히
높여 왕원지에게 견준 것은 아닙니다.

字禹揚, 號竹樓, 山西蒲州府永濟人. 父爲浙江杭摠司馬時, 於署中, 修起
層樓, 旁植竹木. 偶語親朋曰: "人生無樓, 何以遠眺望. 無竹, 何以供嘯
咏." 因號竹樓子. 先君記曰: "宋芝山葆醇內弟也. 芝山爲景俌作竹樓圖,
張問陶題詩. 羅兩峯又作一圖, 與芝山圖, 位置幷不同. 景俌年少能詩, 翰

---

454 왕원지(王元之): 본서 453번 각주 참조.

林洪亮吉稱其它日以詩鳴."先君題景俌竹樓圖卷詩曰:"我有竹裏想,一日千百幻. 乍願密萬个, 妻子隔呼喚. 乍願開一面, 層樓出雲半. 夏念雪離披, 晝思月凌亂. 復欲噉稺笋, 臟[455]腑出修幹. 崔君擬竹樓, 畫圖供把玩. 芝山及兩峯, 意匠悉瀾漫. 起樓各不同, 愛竹兩無間. 可人王子猷, 餘子如旣灌. 將身出畫外, 所留惟几案. 復欲入其中, 屢咳卷[456]石畔. 如登墨君堂, 笑唔秋聲觀. 淸風旣流利, 遠煙復橫斷. 捎空氣忽奮, 將雨色先換. 彷彿聞解籜, 睡雀驚虛彈. 不學黃岡人, 綠節恣剖判. 系君竹樓詩, 風懷一蕭散."筆談附下.

崔	景俌有竹樓圖, 係兩峯先生手筆, 敬祈尊詩.
先君	詩甚不工, 俟間當搆.
崔	此圖必得大作, 乃增重爾.
先君	此兩公皆當世名士, 不敢厠身其中.
崔	如此大才以之題小圖, 似不稱耳. 然承雅愛, 故敢奉瀆爲我題此圖.
先君	王元之謫居, 方有竹樓. 先生少年高步, 何以托此?
崔	因擬號竹樓子, 以見鄙志, 非敢高擬元之也.

455 臟:『정유각집』에는 "臘"으로 되어 있으나 문맥상『호저집』원문을 따른다.
456 卷:『호저집』원문에는 "拳"으로 되어 있으나, 문맥상『정유각집』을 따른다.

성책

成策, ?~?

만주인이다. 관직은 장군을 지냈다.

　선군의 「장군을 그리며」[457]는 이렇다.

만주 땅 부도통(副都統)[458]을 지낸 몸으로	滿洲副都統
삼 년간 성경을 다스렸다네.	三年鎭盛京
약만 남고 먹을 것은 남지 않으니	留藥不留餼
관직의 청렴함에 큰 한숨 쉬네.	太息官箴淸
수화로(水火爐)[459]에 차 끓여 대접하면서	饗之水火爐
평생 사귄 벗으로 허락했었지.	款我如平生

滿洲人. 官將軍. 先君懷將軍詩曰："滿洲副都統, 三年鎭盛京. 留藥不留餼, 太息官箴淸. 饗之水火爐, 款我如平生."

457　「장군을 그리며」:『정유각집』「회인시. 장심여의 시를 본떠 짓다」중 제45수 「성장군 책」(成將軍策)이다.
458　부도통(副都統): 청나라 때 팔기군장관(八旗軍長官) 다음의 차관(次官)을 이른다.
459　수화로(水火爐): 이동이 간편한 작은 금속제 화로를 이른다. 옆에 숯을 넣는 작은 문이 있고 위쪽에는 구멍 두 개가 있는데, 이곳에 다호나 작은 그릇을 올려 술이나 물을 끓인다.

홍서

興瑞, ?~?

만주인이다. 관직은 봉국장군(奉國將軍)[460]을 지냈다.

선군의 「장군을 그리며」[461]는 이렇다.

고황(高皇)의 자손에서 갈려 나오니	別支高皇孫
장군 지위 대대로 물려받았지.	將軍是世襲
입은 옷은 유생과 다름이 없고	被服如儒生
붓 휘두름 왕희지의 필법이 있네.	揮毫見晉法
속국의 반열이 깜짝 놀라니	驚動屬國班
무리들 찾아와 한번 읍하네.	衆中來一揖

滿洲人. 官奉國將軍. 先君懷將軍詩曰: "別支高皇孫, 將軍是世襲. 被服
如儒生, 揮毫見晉法. 驚動屬國班, 衆中來一揖."

---

460 봉국장군(奉國將軍): 청나라 때 종실(宗室)의 봉작(封爵) 12등 중 제11위이다.
461 「장군을 그리며」:『정유각집』「회인시. 장심여의 시를 본떠 짓다」중 제46수「홍장군 서」
(興將軍瑞)이다.

옥보[462]

玉保, 1759~1798

호가 낭봉(閬峯)인데, 낭풍(閬風)이라고도 한다. 관직은 내각학사겸예부시랑(內閣學士兼禮部侍郎)을 지냈다. 문학으로 이름이 났다. 야정 철보의 동생이다.

선군의 「낭봉을 그리며」[463]는 이렇다.

야정 철보와 낭봉 옥보는	冶亭及閬峯
소식 소철 형제에 견주어지네.	時論比軾轍
옹방강의 소미재에 초대되어서	招邀蘇米齋
그와 함께 술잔을 나누었었지.	共此杯酒設
전대(專對)함에 두 형제[464] 높이 올리니	專對推二難
조선 사신 부절을 멈추었다네.	東人佇玉節

462　옥보(玉保): 1759~1798. 자가 덕부(德符)이며, 호는 낭봉(閬峯)이다. 만주 정황기(正黃旗) 출신으로, 성은 동악씨(棟鄂氏)이다. 야정 철보의 동생으로 형제가 모두 문명(文名)이 높았다. 1781년(건륭 46)에 진사가 되었으며, 후에 병부시랑(兵部侍郎)을 지냈다. 저서에 『나월헌존고』(蘿月軒存稿)가 있다.
463　「낭봉을 그리며」: 『정유각집』「회인시. 장심여의 시를 본떠 짓다」 중 제5수 「옥낭봉 보」(玉閬峯保)이다.
464　두 형제: 원문의 "二難"은 우열을 가리기 어려운 훌륭한 형제를 이른다. 여기서는 철보와 옥보 형제를 가리킨다.

號閨峯, 或稱閨風. 官內閣學士兼禮部侍郎. 有文學名. 冶亭弟也. 先君懷閨峯詩曰: "冶亭及閨峯, 時論比軾轍. 招邀蘇米齋, 共此杯酒設. 專對推二難, 東人伫王節."

완안괴륜
完顔魁倫, ?~1800

자는 관보(官甫)이니, 금원(金元) 황족의 후예이다. 만주 정황기(正黃旗) 사람으로, 벼슬은 복건장군(福建將軍)을 지냈다. 만주의 법에 성씨를 일컬을 수 없었는데,[465] 괴륜은 금령을 어겼으므로 가경(嘉慶) 초년에 엄한 견책을 받았다. 얼마 안 있어 총독(總督)으로 사천(四川)의 비적 강족(姜族)을 토벌하였으니, 장수의 재능을 지닌 사람이었다.

선군의 「괴륜을 그리며」[466]는 이렇다.

해맑은 귀공자 괴륜 장군은　　　　　　　　　　白晳魁將軍
지두화(指頭畫)[467]를 즐기어 그린다 하네.　　　喜作指頭畫

465　만주의…없었는데: 만주인은 '칭명불거성'(稱名不擧姓), 즉 성을 외부에 알리지 않는 풍속이 있다. 오진역(吳振械)의 『양길재총록』(養吉齋叢錄)에 "凡公私文牘稱名不擧姓, 人則以其名之第一字稱之, 若姓然."이라고 하여 성 대신 이름의 첫 글자를 쓴다는 기록이 나온다.
466　「괴륜을 그리며」: 『정유각집』「회인시. 장심여의 시를 본떠 짓다」중 제44수 「완안장군괴륜」(完顔將軍魁倫)이다.
467　지두화(指頭畫): 붓 대신 손가락에 먹을 묻혀 그리는 화법이다. 지화(指畫)라고도 한다.

부채에 글씨 씀도 사양 않으니	題扇便不辭
거침없는 그 뜻이 상쾌하구나.	落落意殊快
궐문에서 낯빛을 살펴볼 적에	端門辨色時
조회 이어 함께 얘기하자 했었지.	約共連朝話

字官甫, 金元裔孫也. 滿洲正黃旗人, 官福建將軍. 滿洲法不得稱姓, 魁倫
冒禁, 嘉慶初, 被切責. 尋以總督, 討川匪姜, 有將才者也. 先君懷魁倫詩
曰: "白皙魁將軍, 喜作指頭畫. 題扇便不辭, 落落意殊快. 端門辨色時, 約
共連朝話."

풍신은덕
豊紳殷德, 1775~1810

자가 수자(樹滋)이니, 부마도위(駙馬都尉)이다.

조선에서는 18세기 중엽에 주윤한(朱倫瀚)·고기패(高其佩) 같은 청나라 화가의 작품이 유입
되어, 심사정(沈師正)·강세황(姜世晃)·김윤겸(金允謙) 등이 그렸다. 김정희가 19세기의 대표
적인 지두화가로 완안괴륜을 꼽은 바 있다. 1790년 박제가 유득공이 열하(熱河)를 방문했을
때, 완안괴륜은 박제가의 부채에 지두화로 국화를 그리고, 유득공의 부채에는 「꽃향기 옷에 가
득함을 희롱함」(弄花香滿衣) 1수를 적어 주었다. 『난양록』 권2 「복건장군」(福建將軍) 조에 자
세하다.

선군의 「수자를 그리며」⁴⁶⁸는 이렇다.

부마는 나이가 열여섯인데	駙馬年十六
빠른 성취 재주가 놀라웁구나.	才情驚夙就
높기는 황제의 사위가 되고	尊是今皇婿
귀함은 공후 집안 후손이라지.	貴爲侯家冑
문 앞에 먼 데서 온 손님 있으면	門前有遠客
뒤질세라 신발을 거꾸로 신네.	倒屣猶恐後

字樹滋, 駙馬都尉. 先君懷樹滋詩曰: "駙馬年十六, 才情驚夙就. 尊是今皇婿, 貴爲侯家冑. 門前有遠客, 倒屣猶恐後."

갈명양

葛鳴陽, ?~?

호가 운봉(雲峯)이니, 산서 안읍 사람이다. 벼슬은 어사를 지냈다.

468 「수자를 그리며」: 『정유각집』 「회인시. 장심여의 시를 본떠 짓다」 중 제43수 「풍신도위
은덕」(豊紳都尉殷德)이다.

선군의 「명양을 그리며」[469]는 이렇다.

예전에 일찍이 몽각당(夢覺堂)에서	曾於夢覺堂
갈 어사와 서로 함께 만났었다네.	相逢葛御史
질박하여 오나라 말[470] 쓰지 않으니	質朴無吳語
통성명에 기뻐하는 기색 있었네.	通名有色喜
『복고편』(復古編)을 교정하여 간행했으니	校刻復古編
이름난 선비라 칭할 만해라.	便可稱名士

號雲峯, 山西安邑人. 官御史. 先君懷鳴陽詩曰: "曾於夢覺堂, 相逢葛御史. 質朴無吳語, 通名有色喜. 校刻復古編, 便可稱名士."

---

469 「명양을 그리며」: 『정유각집』「회인시. 장심여의 시를 본떠 짓다」 중 제28수 「갈어사 명양」(葛御史鳴陽)이다.
470 오나라 말: 춘추시대 오나라 땅이었던 강소성과 절강성 일대의 방언으로, 북쪽 방언보다 소리가 작고 말투가 부드럽다. 말씨가 나긋나긋 간드러진다고 하여, 오농연어(吳儂軟語), 오농교어(吳儂嬌語)라고도 한다.

신종익

辛從益, 1760~1828

호는 균곡(筠穀), 혹 운곡(雲谷)이라고도 한다. 벼슬은 한림원서길사를 지냈다.

號筠穀, 或稱雲谷. 官翰林吉士.

추등표

鄒登標, ?~?

자가 상준(尙準)이고, 호는 하헌(霞軒)이다. 송강(松江) 청포(靑浦) 사람이다.

字尙準, 號霞軒. 松江靑浦人.

왕도

王濤, ?~?

자가 소행(素行)이며, 연수(練水)라고도 한다. 강남 사람인데, 양주(揚州)로 이사했다. 채색한 화훼영모화(花卉翎毛畵)를 그렸는데 원나라 사람의 필의(筆意)가 있었다.

字素行, 一字練水. 江南人, 移家揚州. 畵着色花卉翎毛, 有元人筆意.

채염림

蔡炎林, ?~?

자가 희조(曦照)로, 절강 호주(湖州) 사람이다. 영원부(寧遠府)의 막료가 되었을 때 선군께서 지나다가 그 고을에 묵었다. 채염림이 역승(驛丞) 영태(寧泰)와 더불어 수레를 나란히 하여 밤중에 찾아와, 근래에 지은 시고를 청하였다. 읽고 나서는 좋게 보아 이렇게 말했다.

"왕어양(王漁洋) 선배께서 만약 이 작품을 보았더라면 틀림없이 가장 훌륭한 작품으로 기록했을 겁니다. 아우 등은 초야의 수준 낮은 선비이니 어찌 족히 그대를 평가하겠습니까?"

인하여 절구 한 수를 짓고 떠나갔는데, 빼어나게 문장을 이루었다고
한다.[471]

字曦照, 浙江湖州人. 爲寧遠佐時, 先君過宿本州. 炎林與驛丞寧泰, 聯車
夜至. 索近稿, 讀而善之曰: "漁洋先輩若睹此作, 定錄上乘. 弟等草茅下
士, 何足重君?" 仍賦一絶而去, 楚楚成章云.

영태

寧泰, ?~?

자가 대첨(岱瞻)으로, 영원(寧遠)의 역승이다.

字岱瞻, 寧遠丞.

471 채염림이…한다: 당시 채염림이 청하여 읽은 박제가의 시는 『정유각집』 시집 권3에 실린
「가산의 시 쓰는 기생 육아가 시를 청하므로 붓을 내달리다」(嘉山詩姬六娥索詩, 走筆)이다. 위
의 시에 부(附)로 붙은 채염림의 시 「정유선생에게 화답하다」(和貞薤先生)가 더 있는데, 그 세
주(細注)에 당시의 상황이 자세하다.

탕조상

湯兆祥, ?~?

자가 오복(五福)이고, 호는 오괴(五魁)다. 강서 광신부(廣信府) 귀계(貴溪) 사람이다.

字五福, 號五魁. 江西廣信府貴溪人.

탕반

湯潘, ?~?

자가 개인(价人)이고, 호는 석재(碩齋)이다. 조상(兆祥)의 삼촌이다. 벼슬은 호부주사(戶部主事)를 지냈다.

字价人, 號碩齋. 兆祥叔. 官戶部主事.

악시

鄂時, ?~?

임천(臨川) 사람이다.

臨川人.

제패련[472]

齊佩蓮, ?~?

자가 자촌(紫村)이다.

字紫村.

---

472 제패련(齊佩蓮): ?~? 자가 자촌(紫村), 호는 황애산인(黃崖山人)이다. 유관(楡關) 출신
의 수재로, 조선 사신들이 이곳을 지나갈 때마다 이들과 필담을 나누며 교유한 인물이다.

주악

周鄂, ?~?

자가 춘전(春田), 호는 청운(聽雲)이다. 강남 사람이다. 벼슬은 귀주학정
(貴州學政)을 지냈다.

字春田, 號聽雲. 江南人. 官貴州學政.

진희렴[473]

陳希濂, ?~?

자가 병형(秉衡)이니, 절강 전당(錢塘) 사람이다. 저술에 「연대음고」(燕
臺吟稿) 여러 수가 있다.

字秉衡, 浙江錢塘人. 著燕臺吟稿若干首.

조일영

曹日瑛, ?~?

소진함

邵晉涵, 1749~1814

자가 이운(二雲)이다. 나이 열세 살 때 신동(神童)으로 지목 받았으니, 오경(五經)을 외우는데 한 글자도 틀리지 않았다. 건륭 신묘년(1771)에 일등으로 급제하여 한림(翰林)에 들어갔다.[474] 한쪽 눈이 나빴지만, 책을 읽을 때는 열 줄을 한꺼번에 보았다. 사고관(四庫館)의 찬교(纂校) 가운데 가장 박학하다고 일컬어졌다.

字二雲. 年甫十三, 有神童之目, 背誦五經, 一字不失. 乾隆辛卯中第一入翰林. 三十六年, 會試第一廷試二甲. 二雲一目有花, 而讀書十行俱下. 四庫館纂校中, 稱博學第一.

473 　진희렴(陳希濂): ?~? 자가 병형(秉衡)이고, 호는 곡수(濲水)이다. 절강 전당 사람으로, 가경 3년(1798)에 거인이 되었다. 화훼(花卉)를 잘 그리고 예서(隷書)에 능했다. 감식안이 뛰어났다고 전한다.

474 　건륭 신묘년(1771)에…들어갔다: 『호저집』 원문 우측에 "건륭 36년 회시 제일등, 정시 이갑"(三十六, 會試第一等, 廷試二甲.)이라는 후지쓰카의 메모가 있다.

진주

陳澍, ?~?

강서 사람으로, 대나무 그림을 잘 그렸다. 지현의 후보로 뽑혔다.

江西人, 善畫竹. 候選知縣.

유용

劉墉, 1720~1805

호는 석암(石菴)이며, 산동(山東) 제성(諸城) 사람이다. 벼슬은 예부좌시랑(禮部左侍郞)·순천학정(順天學政)을 지냈다. 서법(書法)에 뛰어났다. 성품이 강직하고 굳세어서 면전에서 직간하였다.

號石菴, 山東諸城人. 官禮部左侍郞順天學政. 工書法. 性剛毅, 犯顏直諫.

양심용

楊心鎔, ?~?

호가 서동(序東)이니, 하남 사람이다.

號序東, 河南人.

양소공

楊紹恭, ?~?

호는 홀림(笏林)이니, 절강 산음(山陰) 사람이다. 형부주사 양몽부(楊夢符)의 아들이다. 아우는 양소문(楊紹文)이며, 소문의 아들은 양섬(楊掞)이다.

號笏林, 浙江山陰人. 刑部主事夢符子. 其弟紹文, 紹文子掞.

여국관

余國觀, ?~?

호가 죽서(竹西)이다.

號竹西.

여유한

余維翰, ?~?

호가 대관재(大觀齋)이다. 죽서 여국관의 조카이다.

號大觀齋. 竹西侄.

주승환

周升桓, 1733~1801

자가 치규(稚圭)이니, 가선(嘉善) 사람이다. 벼슬은 시강을 지냈다. 사람됨이 영특하고 상쾌하며, 손님을 좋아하고 술 마시기를 즐겼다. 시는 초고를 구상하지 않았는데도 문득 생기가 있었다.

字稚圭, 嘉善人. 官侍講. 爲人英爽, 好客善飲. 詩不起稿, 輒有生氣.

오명황[475]

吳明煌, 1737~1821

호가 진암(振菴)이다.

號振菴.

오명언

吳明彥, ?~?

호가 욱당(旭堂)이니, 오명황의 동생이다. 그의 아들은 오방언(吳邦彦)
으로, 호가 지정(芝亭)이다.

號旭堂, 明煌弟. 其子邦彦, 號芝亭.

오명지

吳鳴篪, ?~?

오작

吳焯, ?~?

---

475 오명황(吳明煌): 1737~1821. 자가 성우(星宇)이고, 호는 진암(振菴)이다. 본관은 의징
(儀徵)이며, 집은 양주(揚州)에 있었다. 욱당(旭堂) 오명언(吳明彦)의 형이다. 포세신(包世臣)
이 쓴 「청고처사오성우묘표」(淸故處士吳星宇墓表)에 그 생애가 전하는데, 이는 그의 아들 오
희재(吳熙載)의 부탁으로 쓰인 것이다.

서원

徐元, ?~?

임요광

林瑤光, ?~?

탕석지

湯錫智, ?~?

호가 윤부(尹孚)로, 소주(蘇州) 사람이다. 국자사업(國子肆業)을 지냈다.

號尹孚, 蘇州人. 官國子肆業.

주유성

周有聲, 1749~1814

자는 희보(希甫)이다. 중서사인을 지냈다.

字希甫. 官中書舍人.

왕매

王枚, ?~?

호가 서림(西林)이다.

號西林.

이병예

李秉睿, ?~?

이추환

李樞煥, ?~?

자가 허균(虛筠)이다.

字虛筠.

장학렴

章學濂, ?~?

호가 석루(石樓)이다.

號石樓.

부태교

符泰交, ?~?

자가 협삼(協三)이고, 호는 제당(際堂)이다. 강서 무주부(撫州府) 의황
(宜黃) 사람이다.

字協三, 號際堂. 江西撫州府宜黃人.

주문한

朱文翰, ?~?

형부주사를 지냈다.

官刑部主事.

장문행

張問行, ?~?

강서 사람이다. 호는 시당(蒔塘)이다.

江西人. 號蒔塘.

정종[476]

程樅, ?~?

호가 관당(觀堂)이다. 선군께서 관당의 시를 평하여 이렇게 말했다. "『당시품휘』(唐詩品彙)[477]에 실린 '정종'(正宗)[478] 시의 울림을 힘껏 따랐다.

---

476 정종(程樅): ?~? 유득공의 『병세집』(竝世集) 권2에 "정종은 자가 문업(文業)이며, 호는 관당이다. 안휘(安徽) 흡현(歙縣) 사람이다"(程樅字文業, 號觀堂. 安徽歙縣人.)라는 기록이 있다. 『정유각집』에는 정종에 관한 기록이 보이지 않는다.

477 『당시품휘』(唐詩品彙): 명나라 초기인 1393년에 고병(高棅)이 편찬한 당시(唐詩) 선집이다. 당나라 시인 620명의 시 5,769수를 뽑아, 시형(詩形)과 시기에 따라 분류하고 해설을 달았다. 이 책은 성당(盛唐)의 시를 이상으로 삼은 까닭에, 당나라 시를 깊이 이해하는 데서 나아가 이를 숭상하는 기풍을 일으키기도 하였지만, 동시에 이를 모방하기만 하는 폐습을 야기하기도 하였다.

478 정종(正宗): 『당시품휘』에 보이는 창작 시기에 따른 아홉 가지 분류 기준 중 하나이다.

저 경릉파(竟陵派)[479]의 남은 의론이 민파(閩派)[480]를 가리켜 낮고 하찮게 여기는 것이 부끄러워 죽을 지경이 되지 않겠는가." 필담을 아래에 붙인다.

선군   근대의 명가들은 모두 '서화'(書畫)와 '이정'(彝鼎)[481] 등의 글자를 대구로 배열하여 그 빛깔과 자태를 꾸밉니다. 하지만 관당의 시는 마음에서 흘러나와 절로 천연(天然)의 가락을 지니고 있어, 귀하게 여깁니다.

정종   그대의 의론이 지극히 옳으나 저로서는 부끄러워 감히 감당하지 못하겠습니다.

선군   타고난 재능과 배워서 익힌 것은 서로 쓸모가 있지요.

정종   한쪽에 치우친 사람이 너무 많습니다.

선군   어양(漁洋) 왕사정(王士禎, 1634~1711)에게 보게 하였더라면 마땅히 공의 작품을 으뜸으로 밀었을 겝니다. 근세의 여러 작품들은 도리어 어양을 따르지 못한 데서 나온 폐단입니다.

정종   일생 동안 어양에 고개 숙인 것을 그대가 간파해 낼 줄은 생각

이 책은 각 권마다 성당(盛唐)·만당(晩唐) 등 창작 시기에 따라 목차를 나누고 있는데, 정종은 대가(大家)·명가(名家)·우익(羽翼)과 함께 성당 시기에 해당한다.

479   경릉파(竟陵派): 경릉은 호북(湖北)에 위치한 고을로, 명나라 후기에 이 지역 출신인 종성(鍾惺)과 담원춘(譚元春) 등이 개혁주의적 문학 유파인 경릉파를 창시했다. 이들은 의고주의(擬古主義)에 빠져 참신함을 잃은 당대의 시문을 비판하며 반의고(反擬古)의 입장을 취하였다.

480   민파(閩派): 민(閩)은 복건성(福建省)의 약칭으로, 당시 복건 지역을 중심으로 성당 시기의 이백·두보가 아닌 소식·황정견 등 송대의 시풍을 숭상한 문파를 이른다. 일반적으로는 19세기 말 동광체(同光體)를 제창한 진연(陳衍, 1856~1937)이 그 모체로 알려져 있으나, 이미 18세기 후반부에 이와 같은 성향의 유파가 복건 지역에 형성되어 있었음을 알 수 있다.

481   이정(彝鼎): 종묘의 제사에 쓰인 솥으로, 그 표면에 큰 공을 세운 자의 업적을 새겨 후세에 전하도록 하였다. 후한의 정현(鄭玄)은 '이'(彝)를 '준'(尊)의 뜻으로 해석하였으나, 혹자는 이와 정(鼎)이 각기 술동이와 세발솥을 의미하는 것으로 보기도 한다.

지 못했습니다.

선군　어양을 따른 일은 합당하나, 선생께서 비록 고명하여도 약간 미치지 못할까 염려됩니다.

정종　틀림없는 말씀입니다.

선군　금산(金山)에 제(題)한 '각대'(却大)와 또 '각진'(却陳)이라 한 그대 시의 한 연구(聯句)는 성색(聲色)을 움직이지 않고도 이기 (李頎)[482]와 이익(李益)[483]의 기운이 있으니 깊이 감탄합니다.

정종　이 종이에 그대의 글씨를 청합니다. 이 자리에서 좋은 글귀를 써 주시지요.

선군　시를 배우는 것은 모름지기 평탄한 데로부터 들어가야 합니다. 다만 한번 평범한 데로 떨어지면 문득 진부해지고 마니, 이 점을 가장 경계해야 합니다.

정종　다시 서권(書卷)이 더 많아져야 그 시가 크게 진보할 것입니다. 평탄한 좋은 시는 단지 8개의 단권(單圈)을 얻었는데, 권 점(圈點)이 연달아 붙으면서도 능히 평탄한 것은 많이 얻을 수 가 없습니다.[484]

482　이기(李頎): 690~751. 성당 시대의 시인이다. 현종(玄宗) 연간에 진사에 급제하였으나, 관직에 오래 머물지 못한 채 여생을 하남(河南) 영양(潁陽)의 산림에서 은거하였다. 이후 신선 세계를 동경한 까닭에 현언시(玄言詩)를 많이 남겼다. 어조는 호방하며, 악부체(樂府體)의 민 요적 어조를 많이 썼다.

483　이익(李益): 748~827. 중당 시대의 시인이다. 자가 군우(君虞)이며, 감숙(甘肅) 양주 (凉州) 사람이다. 대종(代宗) 연간에 진사에 급제한 후 유주절도사 유제(劉濟)의 막료가 되었 다가, 뛰어난 시문 덕분에 헌종(憲宗)에게 발탁되어 집현학사·태자빈객·예부상서 등을 역임하 였다. 비장하면서도 청기(淸奇)한 어조로 변새(邊塞)에 관한 작품을 많이 남겼다.

484　권점(圈點)이…없습니다: 권점은 글이 잘된 곳이나 중요한 곳 또는 글을 맺는 끝에 찍는 고리 모양의 둥근 점을 말한다. 특별히 좋은 시구에는 권점이 연달아 붙으므로 한 말이다.

號觀堂. 先君評觀堂詩曰: "力追品彙正宗之響. 彼竟陵餘論之指, 閩派爲卑界者, 得無愧死乎." _{筆談附下.}

先君	近代名家, 皆排比書畫彝鼎等字, 助其色態. 觀堂詩, 從心中流出, 自有天然音節, 所以爲貴也.
程	尊論極是, 我愧不敢當.
先君	天才學問, 交相爲用.
程	偏于一者, 多多矣.
先君	使漁洋見之, 當首推公作. 近世諸作, 反不漁洋之弊也.
程	一生低首漁洋, 不料爲君家看出.
先君	漁洋使事却當, 先生雖高, 恐微不及了.
程	確論.
先君	金山題'却大又却陳', 尊詩一聯, 不動聲色, 有李頎·李益之氣, 所以深歎.
程	此紙求法書, 卽求佳句.
先君	學詩, 須從平坦入. 但一落凡常, 便涉陳腐, 此最可戒.
程	再多書卷, 其詩仍大進, 平坦好詩, 只着得八個單圈. 連圈詩而能平坦, 不可多得.

고종태
顧宗泰, ?~?

호가 성교(星橋)이니, 강소(江蘇) 원화(元和) 사람이다. 벼슬은 중서사
인을 지냈다.

號星橋, 江蘇元和人. 官中書舍人.

엄위
嚴蔚, ?~?

『춘추고주』(春秋古註)를 지었다.

著春秋古註.

진회

陳淮, ?~?

『맹자논문』(孟子論文)을 지었다.

著孟子論文.

요우암

姚雨巖, ?~?

주이갱액

朱爾賡額, 1760~1824

만주 사람이다. 벼슬은 병부낭중을 지냈다. 부친이 주효순(朱孝純)[485]이다.

---

485 주효순(朱孝純): 1735~1801. 자가 자영(子穎), 호는 해우(海愚)이다. 건륭 27년(1762) 거인이 되어 사천서영현령(四川敍永縣令)에 올랐으며, 양회염운사(兩淮鹽運使) 등을 지냈다.

滿洲人. 官兵部郎中. 其父孝純.

회회왕자
回回王子, ?~?

선군의 「왕자를 그리며」[486]는 이렇다.

왕자는 숙위(宿衛)로 오래 있어서	王子宿衛久
여러 나라 언어에 자못 통했네.	頗通諸國言
게다가 모로 쓰는 글자[487] 있으면	亦有旁行字
한어로 번역해 옮기었었지.	從以漢話翻
한 번 듣고 마침내 잊지 못하여	一聽竟不忘
길에서 만나선 인사 나눴네.	道遇能寒暄

先君懷王子詩曰: "王子宿衛久, 頗通諸國言. 亦有旁行字, 從以漢話翻.
一聽竟不忘, 道遇能寒暄."

저서에 『해우시초』(海愚詩鈔) · 『태산금석기』(泰山金石記) 등이 있다.
486 「왕자를 그리며」: 『정유각집』「회인시. 장심여의 시를 본떠 짓다」 중 제47수 「회회왕자」
(回回王子)다.
487 모로 쓰는 글자: 원문의 "旁行字"는 가로로 쓰는 아라비아문자를 뜻한다.

도금종

陶金鍾, ?~?

안남(安南) 사람이다. 벼슬은 본국에서 정성내서(政省內書)를 지냈다.

安南人, 官本國政省內書.

반휘익[488]

潘輝益, 1751~1822

안남 사람이다. 벼슬은 본국에서 이부상서를 지냈고, 호택후(灝澤侯)에
봉해졌다. 안남왕 완광평(阮光平)이 즉위할 때[489] 반휘익 등이 훈신으로

---

488 반휘익(潘輝益): 1751~1822. 안남의 문인으로, 자가 겸수(謙受), 호는 유암(裕庵)이다.
천록(天祿) 수획(收獲) 사람이다. 안남의 여조(黎朝) 경흥(景興) 36년(1775)에 급제하여, 이
부우시랑(吏部右侍郎)이 되었다.
489 안남왕 완광평(阮光平)이 즉위할 때: 완광평은 완혜(阮惠) 또는 완문혜(阮文惠)라고도
한다. 1789년 서산농민운동(西山農民運動)을 이끌어 안남의 여씨(黎氏) 왕조를 멸망시키고 완
조(阮朝)를 열었다. 이듬해 1790년 건륭제의 만수절(萬壽節) 축하를 명분 삼아 직접 사신단을
인솔하고 열하에 방문하여 공식 책봉을 받았다. 본문의 도금종·반휘익·무휘진 등은 이때 사신
단에 동행한 인물들이다.

후(侯)에 봉해짐이 있었다. 안남은 지금 고쳐서 월남(越南)이 되었다.

선군께서 쓰신 「다른 사람을 대신하여 반휘익 등의 시에 차운하다」[490]는 이렇다.

내 집은 삼한 땅의 동쪽 끝에 있는지라	家在三韓東復東
남쪽 나라[491] 소식은 통하기가 어려웠지.	日南消息杳難通
나그네 먼 데 오매 성사(星槎)가 움직였고	行人遠到星初動
천자께서 높이 있어 사해가 하나라오.	天子高居海旣同
동주(湩酒)[492]는 진실로 긴 밤을 보낼 만해	湩酒眞堪消永夜
나는 수레 어이하면 긴 바람 따를거나?	飛車安得溯長風
알겠구나, 밤마다 그대 고향 가는 꿈이	知君夜夜還鄉夢
구진(鉤陳)과 표미(豹尾)[493]의 사이에 있는 줄을.	猶是鉤陳豹尾中

安南人, 官本國史部尚書, 封灝澤侯. 安南王阮光平之立也, 潘輝益等以勳臣有封侯者. 今安南革爲越南. 先君代人次韻潘輝益等詩曰: "家在三韓東

---

490 「다른…차운하다」: 이 시는 반휘익이 아니라 아래에 나오는 무휘진의 시에 차운한 것이다. 해당 오류는 『정유각집』의 오류에 기인한다. 이 시는 『정유각집』 시집 권3에 「반휘익에게 차운하여 서호수 부사를 대신하여 짓다」(次韻潘輝益. 代副使作)라는 제목으로 수록되어 있으나, 서호수가 지은 『연행기』(燕行記)의 경술년(1790) 7월 19일자 기사를 보면 이를 반휘익이 아닌 무휘진의 시에 차운한 것이라 기록하고 있다.
491 남쪽 나라: 원문의 "日南"은 안남국을 말한다.
492 동주(湩酒): 마유(馬乳)로 만든 술이다.
493 구진(鉤陳)과 표미(豹尾): 별자리의 이름이다. 구진은 북극에 가장 가까운 6개의 별 가운데 하나로, 천자가 거처하는 자리이다. 표미는 천자의 행차 가장 뒤에 따르는 수레의 장식이란 뜻으로, 여기서는 안남이 자리한 분야의 별을 가리킨다.

復東, 日南消息杳難通. 行人遠到星初動, 天子高居海旣同. 挏酒眞堪消永夜, 飛車安得溯長風. 知君夜夜還鄉夢, 猶是鉤陳豹尾中."

무휘진

武輝瑨, 1749~?

호가 일수거사(一水居士)이니, 안남 사람이다. 관직은 본국에서 공부상서(工部尙書)를 지냈다.

선군의 「무휘진에게 주다」[494]는 이렇다.

풍(馮)과 이(李) 시 지어 마음 나누던[495]	馮李題襟日
동국 안남 옛일이 전해 온다네.	東南故事傳
별들은 하늘 밖에 펼쳐져 뵈고	星看規外布
무소는 물속에서 잠을 잔다지.	犀有水中眠
아득히 주강(珠江)[496]에는 비가 내리고	杳杳珠江雨
유자창[497]에 안개가 부슬거린다.	霏霏橘戶煙

---

494 「무휘진에게 주다」: 『정유각집』 시집 권3의 「안남국 이부상서 반휘익 호택후, 공부상서 무휘진에게 주다」(贈安南吏部尙書潘輝益灝澤侯工部尙書武輝瑨) 2수 중 제1수다.
495 풍(馮)과…나누던: 1597년 북경의 옥하관(玉河館)에서 안남 사신 풍극관(馮克寬)과 조선 사신 이수광(李晬光)이 시를 주고받은 일을 가리킨다.
496 주강(珠江): 화남(華南) 지방을 흐르는 중국의 3대 강 중 하나이다.
497 유차창: 유자가 마당에 있는 남방의 집을 가리킨다. 『술이기』(述異記)에서는 "월나라 사

그릴수록 그대는 더욱 멀어져   相思君更遠

그대 나라 이르면 해 바뀌겠네.   到國已經年

號一水居士, 安南人. 官本國工部尙書. 先君贈輝瑨詩曰: "馮李題襟日,
東南故事傳. 星看規外布, 犀有水中眠. 杳杳珠江雨, 霏霏橘戶煙. 相思君
更遠, 到國已經年."

조예
曹銳, ?~?

호가 우매(友梅)이니, 오군(吳郡) 사람이다. 저서에 『북유초』(北游草)가
있고, 벼슬은 지휘(指揮)를 지냈다.

號友梅, 吳郡人. 著有北游草, 官指揮.

람들은 귤과 유자를 심은 정원이 많아 해마다 귤세를 낸다. 이들을 등귤호(橙橘戶)라 한다"(越
人多橘園, 歲出橘稅, 謂橙橘戶.)고 하였다.

장회기

莊會琦, ?~?

자가 약정(葯亭)이고, 호는 치경(稚卿)이다. 강남 상주(常州)사람이다.
장복단(莊復旦)의 아우이다.

字葯亭, 號稚卿. 江南常州人. 復旦弟.

왕학호[498]

王學浩, 1754~1832

자가 초휴(椒畦)이니, 강남 사람이다. 산수를 그렸는데 원(元)나라
사람의 필의(筆意)를 얻었다.

　선군의 「초휴의 그림 부채에 써서 주다」[499]는 이렇다.

　한 폭의 가을 산은 난마준(亂麻皴)[500]의 법이요　秋山一幅亂麻皴

498　왕학호(王學浩): 1754~1832. 자가 맹양(孟養)이고, 호는 초휴(椒畦)이다. 강소(江蘇)
곤산(昆山) 사람이다. 1786년(건륭 51) 거인(擧人)이 되었다. 시서화에 두루 능했다. 만년에는
파필(破筆)을 즐겨 쓰며 화격(畫格)이 변화하였다. 저서에『남산논화』(南山論畫)가 있다.
499　「초휴의…주다」:『정유각집』시집 권3의「왕초휴 학호의 그림 부채에 제하여 주다」(題王
椒畦學浩畫扇見贈)이다.
500　난마준(亂麻皴): 동양화에서 산이나 암석의 굴곡을 그릴 때 주름을 살리는 화법을 준법

낡은 집 성근 숲엔 점염법(點染法)⁵⁰¹ 새롭구나.　老屋疎林點染新

남다른 정신 사귐 부채에 남았으니　　　　　另有神交在便面

꿈속의 그 사람이 그림 속 사람일세.　　　　夢中人是畫中人

또 「초휴를 그리며」⁵⁰²는 이렇다.

왕학호가 산수를 그려 내는데　　　　椒畦寫山水

준염(皴染)⁵⁰³ 화법 원나라 사람과 같네.　皴染如元人

머금은 정 비단부채 가득 담아서　　　含情托紈扇

마음으로 친한 이에게 나누어 주네.　　贈以心所親

참된 사귐 얼굴 앞에 있지 않으니　　眞交不在面

이 뜻이 참으로 보배롭도다.　　　　此意良足珍

字椒畦, 江南人. 畫山水得元人筆意. 先君題椒畦畫扇見贈詩曰: "秋山一幅亂麻皴, 老屋疎林點染新. 另有神交在便面, 夢中人是畫中人." 又懷椒畦詩曰: "椒畦寫山水, 皴染如元人. 含情托紈扇, 贈以心所親. 眞交不在面, 此意良足珍."

(皴法)이라 한다. 난마준은 준법의 하나로, 얼기설기 뻗어 있는 삼대처럼 주름을 처리하는 기법이다.

501 점염법(點染法): 윤곽을 그리지 않고 물감을 찍어 그리거나 번지게 하여 그리는 화법이다.

502 「초휴를 그리며」: 『정유각집』 「회인시. 장심여의 시를 본떠 짓다」 중 제34수 「왕초휴 학호」(王椒畦學浩)이다.

503 준염(皴染): 산악과 암석의 굴곡 등을 질감을 살려 입체감 있게 그려 내는 화법이다.

찬집

유석오

劉錫五, 1758~1816

호가 징재(澄齋)이니, 산서(山西) 개휴(介休) 사람이다. 벼슬은 한
림(翰林)을 지냈다.

號澄齋, 山西介休人. 官翰林.

권 3

신유년(1801)

전대흔

錢大昕, 1728~1804

자가 효징(曉徵)이며, 호는 신미(辛楣)인데 죽정(竹汀)이라고도 한다.
갑술년(1754)에 진사가 되어 벼슬은 첨사(詹事)를 지냈다. 학문에 통하
지 않은 것이 없었으나 낮은 선비처럼 겸손하였고, 특히 후학을 격려하
는 것을 좋아했다. 저서에 『잠연당시문집』(潛研堂詩文集)·『이십이사고
이』(廿二史考異)·『금석문자발미』(金石文字跋尾)[1]·『삼통역술』(三通歷
述)[2]이 있다. 정심(精深)하고 순수하여, 혜동(惠棟)[3]과 대진(戴震)[4]의 학
문을 아울러 집대성하였다.

字曉徵, 號辛楣, 一號竹汀. 甲戌進士, 官詹事. 學無不通, 謙以下士, 尤好
獎進後學. 著有潛研堂詩文集, 廿二史考異, 金石文字跋尾, 三通歷述. 精
深純粹, 合惠戴二家之學, 集爲大成.

---

1 『금석문자발미』(金石文字跋尾): 『잠연당금석문발미』(潛研堂金石文跋尾)를 가리킨다.
2 『삼통역술』(三通歷述): 『삼통술연』(三統述衍)을 가리키는 것으로 보인다.
3 혜동(惠棟): 1697~1758. 자가 정우(定宇), 호는 송애(松崖)이다. 경사(經史)·제자(諸
子)·역학(易學)에 정통했고, 고증학의 기초를 확립했다. 저서에 『주역술』(周易述)·『역한학』
(易漢學)이 있다.
4 대진(戴震): 1724~1777. 자가 동원(東原)·신수(愼修), 호는 고계(杲溪)이다. 휴녕(休寧)
사람이다. 고증을 통한 실사구시(實事求是)를 중시하여, 경학·문자학 등을 깊이 연구하였다.
건륭 연간에 『사고전서』(四庫全書)를 찬수(纂修)하였다. 저서에 『맹자자의소증』(孟子字義疏
證)·『상서의고』(尙書義考)·『교정수경주』(校正水經注) 등이 있다.

전동원

錢東垣, 1768~1823

자가 기근(旣勤), 호는 역헌(亦軒)이니, 가정(嘉定) 사람이다. 가경(嘉
慶) 무오년(1798)에 거인이 되었다. 아버지는 전대소(錢大昭)[5]이다. 전
대소는 자가 회지(晦之), 호는 가려(可廬)로, 그 읍(邑)의 제생(諸生)[6]이었다. 저서에 『광아소
의』(廣雅疏義)·『시고훈』(詩古訓)·『양한서변의』(兩漢書辯疑)·『후한서보표』(後漢書補表)·『설
문통석』(說文統釋)이 있다. 신미(辛楣) 전대흔의 조카로 집안의 학문을 능히
계승하였다. 저서에 『맹자해의』(孟子解誼) 14권, 『소이아교증』(小爾雅
校證) 2권, 『열대건원표』(列代建元表) 10권, 『건원류취고』(建元類聚考)
2권, 『보경의고고』(補經義考藁) 1권, 『계고록변와』(稽古錄辨訛) 2권,
『청화각첩고이』(青華閣帖考異) 3권이 있다.

字旣勤, 號亦軒, 嘉定人. 嘉慶戊午擧人. 父大昭. 大昭字晦之, 號可廬, 邑諸生.
著有廣雅疏義, 詩古訓, 兩漢書辯疑, 後漢書補表, 說文統釋. 辛楣之侄, 克承家學. 著有

---

5 전대소(錢大昭): 1744~1813. 자가 회지(晦之)·굉사(宏嗣)이고, 호는 가려(可廬)·죽려(竹
廬)이다. 강소 가정(嘉定) 사람이다. 가경 원년(1796) 효렴방정(孝廉方正)으로 천거되어 6품
정대(六品頂帶)를 하사 받고, 북경에서 『사고전서』를 교정했다. 형 전대흔과 함께 고학(古學)
에 밝아 소식(蘇軾)·소철(蘇轍)에 비견되기도 했다. 훈고(訓詁)에 밝으면 의리(義理)는 저절
로 드러난다고 보아 경학은 문자학과 성운학 등에 바탕을 두어야 한다고 주장하였다. 『양한서
변의』(兩漢書辨疑)·『이언』(邇言)·『이아석문보』(爾雅釋文補)·『경설』(經說)·『삼국지변의』(三
國志辨疑)·『보속한서예문지』(補續漢書藝文志) 등 많은 저술을 남겼으나, 간행된 것은 『후한서
보표』(後漢書補表)뿐이다.
6 제생(諸生): 명청 시대에 중앙과 지방의 학교에 입학한 생원(生員)을 일컫는 말이다.

孟子解誼十四卷, 小爾雅校證二卷, 列代建元表十卷, 建元類聚考二卷, 補
經義考藁一卷, 稽古錄辨訛二卷, 靑華閣帖考異三卷.

완원[7]

阮元, 1764~1849

자가 운대(芸臺)이며, 백원(伯元)이라고도 한다.[8] 의징(儀徵) 사람이
다. 방백(方伯)의 생손(甥孫)[9]으로, 공도교(公道橋)[10]에 살았다. 기유년
(1789)에 진사가 되었다. 예서(隸書)를 잘 썼고 경학에 조예가 깊었다.
일찍이 『석경의례』(石經儀禮)를 나누어 교감하였다. 『석경교감기』(石經

7   완원(阮元): 1764~1849. 자가 백원(伯元), 호는 운대(芸臺)·뇌당암주(雷塘庵主)이다. 만
호에 이성노인(頤性老人) 등이 있다. 시호는 문달(文達)이다. 강소 의징(儀徵) 사람이며, 무진
사(武進士) 출신으로 묘족(苗族) 정벌에 종군한 탁암(琢庵) 완옥당(阮玉堂)의 손자이다. 건륭
54년(1789) 진사가 되어 조정의 요직을 역임하고, 산동학정(山東學政)·호광총독(湖廣總督)
등의 지방관을 거쳐, 도광 15년(1835) 체인각대학사(體仁閣大學士)에 올랐다. 청대 고증학을
집대성하였으며, 주요 저서에 『십삼경주소』(十三經注疏)·『황청경해』(皇淸經解) 등이 있다. 청
년 시절 박제가와 만난 후로, 40대 후반에는 연행사로 온 추사 김정희와 교유하였으며, 김정희
가 그를 스승으로 삼고 그 이름자를 따서 '완당'(阮堂)이라는 당호를 짓기도 하였다.
8   자가…한다: 일반적으로 자가 백원, 호가 운대로 알려져 있다.
9   방백(方伯)의 생손(甥孫): 대개 방백은 지방장관을, 생손은 자매의 손자를 가리키나, 완원
의 가계상 누구와의 관계를 가리키는지 알 수 없다. 문맥상으로는 호남참장(湖南參將)을 지낸
완원의 조부 완옥당을 방백으로 지칭한 것으로 보이나, 그 생질이라고 쓴 이유가 분명치 않다.
생질을 외손자로 보는 경우도 있으나, 모친 임씨(林氏)의 부친이 지방장관을 지낸 기록은 보이
지 않는다.
10   공도교(公道橋): 강소 양주(揚州) 호북(湖北)에 있다.

校勘記) 3권, 또 『고공거제도고』(考工車制圖考) 2권, 『대대례주』(大戴禮注)와 『모시보전』(毛詩補箋) 약간 권을 저술하였다.

字芸臺, 一字伯元, 儀徵人. 方伯甥孫, 家公道橋. 己酉進士. 工隸書, 經學深邃. 嘗分校石經儀禮, 著石經校勘記三卷, 又考工車制圖考二卷, 大戴禮注, 毛詩補箋若干卷.

진전
陳鱣, 1753~1817

자가 중어(仲魚)이고, 호는 관향(管香)인데, 그 방에는 '간장'(簡莊)이라는 이름을 내걸었다. 해녕(海寧) 사람이다. 가경 6년(1802)에 진사가 되었다. 운대 완원의 고제(高弟)[11]이다. 훈고학에 밝아, 『논어고훈』(論語古訓) 등의 저서를 남겼다. 당시 사람들이 그를 정강성(鄭康成)[12]에 견주었다고 한다.

　선군의 「진간장의 〈상우도〉(尙友圖)에 찬하다」[13]는 이렇다.

11　고제(高弟): '고족제자'(高足弟子)의 준말로, 학식과 품행이 우수한 제자를 말한다.
12　정강성(鄭康成): 동한(東漢)의 경학자(經學者) 정현(鄭玄, 127~200).
13　「진간장의 〈상우도〉(尙友圖)에 찬하다」: 『정유각집』 문집 권1에 실려 있다.

백성이 좋아함은	民有攸好
먹고삶이 전부라네.	廼宇廼宙
무리 속에 외톨이로	處衆匪群
옛것과 친하였지.	望古伊親
그 만남은 어떠한가	其契維何
그 모습이 글에 있네.	有象在文
몽매함 어이 깨우칠까	彼蒙曷喩
여기에는 어둡다네.	昧此云云
진공은 발분하여	陳公發憤
흰머리로 공부했지.	皓首窮經
사농과 좨주14 벼슬	司農祭酒
관탑(管榻)15과 양정(楊亭)16일세.	管榻楊亭
그 정신 뉘 전할까	孰傳其神
책 덮고 한숨 쉬네.	掩卷而欷
앉은 모습 다 잊은 듯	其坐如忘
시선은 생각 잠긴 듯해.	其視若思
모시는 이 곁에 없어	旁無一侍

14　사농과 좨주: 청나라 때의 관직명으로, 당시 진전의 높은 신분을 나타내고 있다.
15　관탑(管榻): 단정한 자세를 이른다. 진(晉)나라 때 황보밀(皇甫謐)의 『고사전』(高士傳)
「관영」(管寧) 조에 의하면, 삼국시대 위나라의 관영이 55년 동안 나무로 만든 탑상에 앉아 있었
는데, 단정한 자세를 한 번도 잃은 적이 없어 무릎 닿는 곳에 모두 구멍이 뚫렸다고 한다. 여기
서는 진전이 가난한 생활에도 오로지 학문에만 몰두했다는 뜻으로 한 말이다.
16　양정(楊亭): 여기서는 뛰어난 집중력을 의미하는 것으로 보인다. 전국시대 양유기(養由
基)가 100보 떨어진 거리에서 버들잎을 화살로 쏘아 백발백중시켰다는 '천양관슬'(穿楊貫虱)의
고사가 있다. 이로부터 곳곳의 활터에 천양정(穿楊亭)이라는 이름이 붙었다.

이웃 삼기 쉽겠구나.	卜隣孔易
말 한마디 안 꺼내도	口不出話
톱밥 가루[17] 땅에 가득.	霏屑滿地
백안(白眼) 않고 겸손하여	無白眼傲
부처와는 다르다네.	異黃面禪
우뚝하게 힘쓰면서	嘐嘐自牧
소학을 공부하지.	小學之箋

필담을 아래에 붙인다.

진전 그대와 만나 함께 얘기하니 마치 옛날의 어진 대부(大夫)를 보는 것 같군요.

선군 저희가 용렬하여 진실로 큰 논의를 함께 듣기에는 부족합니다. 다만 옛것을 좋아하고 어진 이를 사모함은 스스로 남만 못지않다고 말하렵니다.

진전 훗날 귀국에 돌아가신 뒤에 제 천한 이름이 이따금 언급되기를 바랄 뿐이니, 그리되면 큰 다행이겠습니다.

선군 선생께서는 장차 구주(九州)에 우뚝한 분이 되실 텐데, 어찌 역외(域外)의 명성을 기다리겠습니까?

진전 감히 감당하지 못하겠습니다.

---

17 톱밥 가루: 원문의 "霏屑"은 진나라 호언국(胡彦國)이 멋진 말을 할 때는 마치 톱밥 가루가 허공에 날리는 듯 끊이지 않았으므로, 뒤에 도도히 끊임없이 쏟아지는 담론을 가리키는 뜻으로 쓰이게 되었다.

선군 무릇 학문이란 피모(皮毛)를 가장 꺼립니다. 비록 하찮은 일이
     나 말단의 기예도 반드시 진심을 다해 경지에 이르러야 합니
     다. 하지만 근래에는 겉만 핥고 마는 학문이 또한 너무 많습니
     다. 의리는 강론하지 않고 훈고만을 논하니, 속인들이 배척하
     는 것도 실로 까닭이 있습니다.

진전 그대의 학문은 송유(宋儒)에 바탕을 두고 있고, 시는 송나라
     시풍과 가깝습니다.

선군 배운 것이 연원이 없다 보니 시 또한 근본이 없습니다.

진전 시에 신선의 기운이 있고, 글씨는 구양순(歐陽詢)과 저수량
     (褚遂良)의 사이에 있습니다.

선군 공께서는 갈 만한 밭이 있으신지요?

진전 집에 거친 밭이 있어 흉년만 아니면 그럭저럭 먹고살 만합니다.

선군 설령 일품관(一品官)이 되어 중당(中堂)에 오른다 한들, 책을
     끼고서 자는 것만이야 하겠습니까?

진전 요즘은 다만 저서에만 힘을 쏟아 스스로 즐길 뿐, 인간 세상의
     작록(爵祿)은 진실로 헤아리는 바가 아닙니다.

선군 식솔들과 함께 은거하여[18] 몸소 밭 갈며 자식을 가르치고 손자
     의 재롱 보는 것 또한 한 가지 즐거운 일이지마는, 하늘이 쉬
     이 허락하지 않을까 염려할 따름입니다.

진전 명산대천을 유람하는 것이 첫 번째 즐거움이요, 사방의 어진

---

18 식솔들과 함께 은거하여: 원문의 "偕隱"은 가솔을 거느리고 은거한다는 뜻이다. 춘추시대
진(晉)나라의 개자추(介子推)가 세상이 무도함을 비판하고 은거하려 하자, 그의 모친이 "나도
너와 함께 숨어 살리라"(與汝偕隱)라고 하고, 마침내 함께 숨어 살다 죽은 고사에서 온 말이다.
『좌전』(左傳) 노(魯) 희공(僖公) 24년에 보인다.

인사와 교유하는 것이 두 번째 즐거움이며, 아직 보지 못한 책을 펼쳐 보는 것이 세 번째 즐거움입니다.

선군 얼마나 한가한 사람이라야 이렇게 세월을 보낼 수 있겠습니까?

진전 저는 날마다 공을 만나 볼 수 있어서 즐겁습니다. 다만 헤어진 뒤에는 어디에 정을 붙일까 걱정입니다.

선군 선생은 나보다는 그래도 몇 살이 적지만 또한 나이가 적지는 않습니다. 헤어진 뒤로 오히려 몇 년이나 허공으로 그리며 떠올려 볼지 모르겠군요. 천 곡의 근심을 내다 버리려 눈앞의 한 잔 술을 기울이는 것만 같지 못하다 하겠습니다.[19]

진전 연경에서 그대가 알고 지낸 분이 또한 많았을 텐데, 손(孫)과 홍(洪) 같은 이는 어떤 사람인지요?

선군 홍치존(洪稚存)·손연여(孫淵如) 등은 정말 대단합니다.

진전 홍치존의 복궐상소(伏闕上疏)는 이미 길이 남을 글이 되기에 충분합니다.

선군 이곳에서의 교유가 자못 넓기는 했어도 다만 유명한 사람은 아주 적었습니다. 모르겠습니다만 이 세상에 아직도 우뚝히 스스로 설 만한 사람이 있겠는지요?

진전 신미(辛楣) 전(錢) 첨사(詹事)가 마침내 보기 드문 인물입니

---

19 눈앞의…하겠습니다: 원문의 "傾眼前一杯"와 관련한 다음과 같은 고사가 전한다. 진(晉)나라의 장한(張翰)이 제나라 왕의 동조연(東曹掾)으로 있다가 가을바람이 일어나는 것을 보고, 벼슬살이에 회의를 느끼고 곧 돌아가서 술 마시기를 즐겼다. 한 벗이 사후(死後)의 이름을 생각하지 않겠느냐며 만류하자, 장한이 "눈앞의 한잔 술을 즐길 뿐이니, 죽고서 한참 뒤의 이름을 생각하겠는가?"(眼前一盃酒, 身後千載名.)라고 하였다. 얼마 후에 제나라가 패하니 사람들이 그가 기미를 알았다고 하였다.

다.[20]

진전 평생 벗과 서책을 목숨처럼 여겨 뜬 빛이나 스쳐 가는 그림자 같은 구절은 짓지를 않았습니다. 이 시는 애오라지 사귐의 정을 드러내어 글자마다 진솔하니, 좋고 나쁜 것은 따지지 않았습니다.

선군 이른바 "천연스레 꾸밈을 벗어났다네"[21]라는 것이지요.

진전 초상화에 글을 써 주심을 입으니, 글자 하나하나가 구슬 같습니다. 감사하고 감사합니다. 청컨대 그림 위에다 바로 써 주시지요. 제가 술자리를 마련해서 전별하고자 하는데 가시는 날짜가 마침내 언제가 될지 모르겠군요.

선군 전별이야 굳이 술자리를 마련할 것까지야 없지요. 손님과 주인이 호젓하게 차나 마시면 됩니다.

진전 기윤(紀昀) 선생은 언제 찾아뵈셨습니까?

선군 노인이 병이 많은데다 너무 바빠서 한 차례 갔지만 대화는 나누지 못했습니다.

진전 존형이 지은 「회인시」(懷人詩)는 왕어양의 회인시보다 윗길입니다. 저수량은 인품이 우선 고상하였으니, 서법이 어찌 훌륭하지 않을 수 있겠습니까?

---

20 보기 드문 인물입니다: 원문의 "魯靈光"은 한나라 때 노공왕(魯恭王)이 세운 영광전(靈光殿)을 가리킨다. 이 건물은 여러 차례 전란을 겪고서도 우뚝하게 남아 있어, 이로부터 훌륭한 사람이나 사물을 가리키는 말로 쓰이게 되었다.

21 천연스레 꾸밈을 벗어났다네: 이백의 시 「난리를 겪은 후 황제의 은택을 입어 야랑으로 귀양 가면서, 옛날에 노닐던 것을 기억하고 느낀 바를 적어 강하태수 위양재에게 드리다」(經亂離後, 天恩流夜郎, 憶舊遊書懷, 贈江夏韋太守良宰)에서 따온 구절이다.

字仲魚, 號管香, 題其室曰簡莊, 海寧人. 嘉慶六年進士, 芸臺之高弟也. 明於訓詁之學, 所著有論語古訓等書. 時人推以鄭康成云. 先君陳簡莊尚友圖贊曰: "民有攸好, 廼宇廼宙. 處眾匪群, 望古伊親. 其契維何, 有象在文. 彼蒙曷喻, 昧此云云. 陳公發憤, 皓首窮經. 司農祭酒, 管榻楊亭. 執傳其神, 掩卷而欷. 其坐如忘, 其視若思. 旁無一侍, 卜隣孔易. 口不出話, 霏屑滿地. 無白眼傲, 異黃面禪. 嘐嘐自牧, 小學之箋." _{筆談附下.}

陳	與閣下晤淡, 如見古之賢大夫.

陳　　與閣下晤淡, 如見古之賢大夫.

先君　鄙等碌碌, 固不足與聞大論, 但好古慕賢, 自謂不下於人.

陳　　將來歸貴國後, 附望以賤名時時道及, 斯大幸.

先君　先生將俎豆於九州, 何待域外之名耶?

陳　　不敢不敢.

先君　凡學最忌皮毛, 雖小道末技, 必須眞心孤詣. 近日皮毛之學亦多矣. 不講義理, 只講訓詁, 俗人之排斥, 良有以也.

陳　　閣下學本宋儒, 詩近宋體.

先君　學無淵源, 詩亦鑿空.

陳　　詩有仙氣, 字在歐褚之間.

先君　公有田可耕否?

陳　　家有薄田, 非凶年可一飽.

先君　假使作一品中堂, 何如擁書眠?

陳　　此日惟力耕著書以自娛, 人爵固非所計.

先君　偕隱躬耕, 教子弄孫, 亦一樂事, 恐天公不易與耳.

陳　　覽名山大川, 一樂也. 交四方賢士, 二樂也. 閱未見之書, 三樂也.

先君	何等閑人, 作此消磨日月?
陳	僕每日以得見公爲快, 但恐別後, 何以爲情?
先君	先生比我尙少數年, 亦耆老矣. 不知別後, 尙得幾年空中思想, 不如撥棄千斛愁, 傾眼前一杯, 可耳.
陳	京師貴相識, 亦多得, 如孫洪者, 何人?
先君	洪稚存·孫淵如等最難.
陳	稚存伏闕上疏, 已足不朽.
先君	此中交遊頗廣, 但傳人絶少, 未知此世尙有卓然自立者乎?
陳	辛楣詹事, 竟如魯靈光矣.
陳	生平以友朋書卷爲性命, 不作浮光掠影之句. 此詩聊見交情, 字字眞率, 不計工拙也.
先君	"天然去彫餙"矣.
陳	蒙題小照, 一字一珠, 感謝感謝. 請卽書于幅上. 我欲具酌奉餞, 未知行期, 究在何時.
先君	餞不必具酌, 賓主蕭然, 作茗粥可矣.
陳	曉嵐先生, 何日見過?
先君	老人多病而忙甚, 一進未晤.
陳	尊作懷人詩, 駕于漁洋之上. 褚遂良人品先高, 書法焉得不佳?

황성

黃成, ?~?

자는 향경(香涇)이니, 오현(吳縣) 사람이다. 필담을 아래에 붙인다.

> **선군**   귀국에는 초상화를 잘 그리는 화가가 있습니까?
>
> **황성**   증파신(曾波臣)의 부류[22]로 오형(五兄) 진삼(陳森)이 초상화를 잘 그립니다.[23]
>
> **선군**   십 년 전만 해도 머리가 검었고 젊었습니다. 경술년(1790)에 이곳에 한 차례 들렀는데 나중에 들으니, 나양봉이 제 초상화를 그렸다고 하길래, 제가 그를 위해 분향하였답니다. 내가 수재(秀才)의 신분으로 29세에 처음 이 땅에 들어왔지요. 이때는 아직 고왔고 수염도 나지 않았습니다. 41세에 다시 들어와 양봉에게 들러, 지금의 모습을 옛적과 비교하려니 항하(恒河)를 보는 느낌[24]이 있더군요.

---

22 증파신(曾波臣)의 부류: 증파신은 명대에 초상화로 이름을 날린 증경(曾鯨, 1564~1647)을 이른다. 중국 전통화와 서양 인물화의 기법을 융합한 화풍을 구사하였는데, 그 문하의 제자들이 스승의 자(字)를 따서 파신파(波臣派)를 형성하였다.

23 귀국에는⋯그렇니다: 필담을 옮기는 과정에서 착오가 발생한 것으로 보아 필담자 표기를 수정하였다. 『호저집』 원문에는 황성이 먼저 초상화를 그려 줄 만한 화가가 있는지 묻자, 박제가가 증파신의 부류를 추천하였고, 이에 황성이 오형 진삼을 언급한 것으로 되어 있다. 그러나 이 대목은 거꾸로 박제가가 황성에게 초상화를 그려 줄 만한 화가가 있는지를 묻자, 황성이 파신파(波臣派) 화가 진삼(陳森)을 소개한 것으로 보는 것이 맞다. 이때 박제가는 나빙이 12년 전에 그린 자신의 초상화를 받아 보고, 지금의 모습과 너무 다르다고 여겨 새로 현재의 모습을 담은 초상화를 그리려 한 듯하다.

24 항하(恒河)를 보는 느낌: 세월이 지나도 변치 않는 모습을 의미한다. 석가모니불이 파사익

字香涇, 吳人. 筆談附下.

先君[25] 　貴國有畫像之妙手否?

黃[26] 　　有曾波臣者流. 陳五兄乃傳神妙筆.

先君 　　十年前, 尙黑髮而少, 庚戌年一過此地, 追聞羅兩峯, 寫我照云.
　　　　我人爲焚香云云. 我以秀才二十九, 初入此地. 此時尙美而無
　　　　鬚. 四十一歲再入過兩峯, 今比昔, 有觀河之感.

언조표
言朝標, 1755~1837

자가 상승(象升)이니, 강소 상숙(常熟) 사람이다.

　선군의 「언상승 수재의 추강 달밤에 낚시를 드리운 작은 초상화 그림
에 제하다」[27]는 이렇다.

왕(波斯匿王)에게 세월이 지나도 변치 않는 강물을 예로 들며 본디 생멸(生滅)이란 없다는 사
실을 일깨워 준 장면에서 따온 것이다. 『능엄경』(楞嚴經)에 자세한 내용이 실려 있다. 박제가가
내용과 어울리지 않는 비유를 든 것으로 여겨진다.
25　先君:『호저집』 원문에는 "黃", 즉 황성이 필담자로 되어 있으나, 사실관계에 따라 바로잡
는다.
26　黃:『호저집』 원문에는 "先君", 즉 박제가가 필담자로 되어 있으나, 사실관계에 따라 바로
잡는다.
27　「언상승…제하다」:『정유각집』 시집 권4에 수록되어 있다.

꿈속에도 복숭아씨 작은 배[28]를 생각하니 　　　夢想纏綿桃核船

바늘 머리[29] 안에서 소동파를 얘기했지. 　　　一鍼頭內話蘇仙

빈 가람에 조각달 옛 모습 그대론데 　　　空江片月今如許

퉁소 소리에 또다시 오백 년이 지났구나. 　　　又是人間五百年

字象升, 江蘇常熟人. 先君題言象升秀才, 秋江月夜垂釣小照詩曰: "夢想纏綿桃核船, 一鍼頭內話蘇仙. 空江片月今如許, 又是人間五百年."

언가초
言可樵, ?~?

언조표의 조카이다. 아는 것이 많고 견문이 넓었다.

朝標姪. 多識博聞.

28　복숭아씨 작은 배: 복숭아씨 안에 소동파의 「적벽부」(赤壁賦) 속 장면을 새겨 넣은 조각품을 말한다.

29　바늘 머리: 원문의 "一鍼頭"는 바늘 끝이란 뜻으로, 아주 좁은 공간을 뜻한다.

하문도

夏文燾, ?~?

자가 방미(方米)이니, 강소 오현(吳縣) 사람이다. 거인 출신이다.

字方米, 江蘇吳縣人. 擧人.

수기룡

殳夔龍, ?~?

서령(西泠) 사람이다.

西泠人.

진삼

陳森, ?~?

자가 간수(簡修)이고, 호는 일정(一亭)이다. 선군의 초상화를 그려 주었
다. 강남 진강(鎭江) 사람이다.

字簡修. 號一亭. 寫贈先君像. 江南鎭江人.

우형

虞衡, ?~?

절서(浙西) 사람이다.

浙西人.

최기

崔琦, ?~?

자가 기옥(奇玉)이니, 절서 전당(錢塘) 사람이다. 그의 서실에 이름을 붙여 '취영당'(聚瀛堂)이라 하였다.

字奇玉, 浙西錢塘人, 名其室曰聚瀛堂.

성학도

盛學度, ?~?

호가 갱정(賡庭)이다.

號賡庭.

황비열[30]
黃丕烈, 1763~1825

호가 요포(蕘圃)이니, 오현 사람이다. 계축년(1793) 제석(除夕)에 송나라 때 간행한 단소본(單疏本) 『의례』(儀禮)를 얻어 마침내 〈제서도〉(祭書圖)를 만드니, 당나라 때 가도(賈島)가 제석에 책을 관장하는 귀신 장은(長恩)에게 제사를 지낸 고사[31]에서 취한 것이다. 또 고수야(顧秀野)의 「제서행」(祭書行)에서 취하였는데, 그가 엮은 『원시선』(元詩選)에 보인다.[32]

선군께서 쓰신 「황요포의 〈제서도〉 노래」[33]는 이렇다.

책에 별 쬐고 물 준단 말[34] 모두 다 자랑이니 　　　　曬書澆書俱涉矜

30　황비열(黃丕烈): 1763~1825. 자가 소무(邵武)·소보(邵甫)이고, 호는 요포(蕘圃)·요옹(蕘翁)이다. 당대의 이름난 장서가로, 특히 송참본(宋槧本)을 중히 여겨 소장한 송판서(宋版書)가 100부 이상에 달했다. 이 때문에 영송주인(佞宋主人)·백송일전(百宋一廛)이라는 아호가 붙기도 하였다.

31　당나라…고사: 풍지(馮贄)의 『운선잡기』(雲仙雜記)에 따르면, 당나라의 문인 가도(賈島, 779~843)는 매년 섣달 그믐날이면 1년 동안 얻은 시를 꺼내서는 술과 안주를 올려 제사를 지냈다고 한다. 장은(長恩)은 책 귀신의 이름으로, 송나라 때 오숙(吳淑)의 『비각한화』(秘閣閑話)에서 "책을 관장하는 귀신을 장은이라 한다. 제석에 그 이름을 부르고 제사를 올리면, 쥐가 감히 갉아먹지 못하고 책벌레가 살지 못한다"(司書鬼曰長恩. 除夕呼其名而祭之, 鼠不敢齧, 蠹魚不生.)고 하였다.

32　또…보인다: 고수야는 청나라의 문인 고사립(顧嗣立, 1665~1722)을 가리킨다. 그의 저서 『한정시화』(寒汀詩話)에 그가 매년 섣달 그믐이면 서재에 있는 책을 초당에 진열해 놓고 제사를 지내며 「제서행」이라는 시를 썼다는 이야기가 나온다. 『원시선』은 그가 원나라 시를 엮은 책으로, 총 111권이다.

33　「황요포의 〈제서도〉 노래」: 『정유각집』 시집 권4에 수록되어 있다.

34　책에…말: 원문의 "曬書澆書"는 책에 볕을 쏘이고 물을 준다는 말이나, 자신의 지식을 자

신령함이 아니라면 그리하지 못한다네.	未若稱神不居能
서책이 신령탄 말 이상할 게 없나니	謂書爲靈還自可
그 안에 일천 년의 언어가 깃들었네.	中有千年言語憑
정으로 뜻을 세워 사전(祠典)을 넓혔으니³⁵	緣情起義廣祠典
핏줄 전한 먼 조상과 무엇이 다를 건가.	奚異血脈傳高曾
강남의 급고(汲古)³⁶ 풍속 그친 지 오래인데	江南汲古久消歇
요포 선생 황씨가 대를 이어 일어났네.	蕘圃黃氏方代興
수장할 뿐 아니라 읽기도 잘하거니	匪直收藏自善讀
세상의 온갖 서적³⁷ 가슴에 다 새겼다네.	九流七略鐫心膺
단정하게 앉아서 한 생각을 맺을 때면	朅來端坐結一想
내단을 거듭하여³⁸ 정신 안에 모이는 듯.	如丹九轉神內凝
승냥이와 수달도 조상께 보답커늘³⁹	豺獺之微尙報本
하물며 먼 옛날서 대도를 받음에랴.	何況大道遙相承

랑한다는 의미로 쓰인다. 『세설신어』(世說新語)에 남조(南朝) 때 학륭(郝隆)이라는 사람이 자신의 지식을 자랑하여, 매년 7월 7일이면 드러누워 볕을 쬐면서 "책에 볕을 쬐는 중"이라고 했다는 고사가 있다. 소동파 스스로 새벽에 술 마시는 행위를 요서(澆書), 즉 책에 물주는 것이라 했다는 일화도 있다.

35 정으로…넓혔으니: 책에 제사를 지낸다는 전고가 없지만, 먼 선현들의 가르침을 책을 통해 배웠으니 그 은정을 기려 책에 제사를 지낸다는 뜻이다.

36 급고(汲古): 옛 전적을 연구하는 것을 깊은 우물에서 물을 긷는 것에 비유한 표현이다. 한유(韓愈)의 「추회시」(秋懷詩)에서 "옛것을 길으려면 긴 두레박줄 얻어야지"(汲古得脩綆.)라고 한 데서 유래하였다.

37 세상의 온갖 서적: 원문의 "九流"는 유가(儒家)·도가(道家)·법가(法家)·묵가(墨家) 등 선진(先秦) 시기의 아홉 가지 학술 유파를 말한다. 원문의 "七略"은 서한(西漢)의 유흠(劉歆)이 편집한 중국 최초의 서적 목록이다.

38 내단을 거듭하여: 원문의 "如丹九轉"은 단약을 아홉 번 달여 약효가 뛰어난 상태를 말한다. 여기서는 그 정도로 내단을 수양하여 정신이 안에서 모이는 경지가 되었다는 뜻으로 풀었다.

39 승냥이와…보답커늘: 본서 71면 각주 45번 참조.

길일 잡아 네 벽 향해 몸 굽혀 절을 하고　　諏辰傴僂向四壁

아홉 층 서성(書城)에다 분주하게 예 표하네.　　書城九級紛降登

옆 사람 웃으면서 웬일인가 물어보니　　旁人大笑問何事

그대 이에 그림 그려 증거를 삼았구려.　　君乃作圖爲之徵

화폭은 막막하게 가을빛을 열었는데　　小幀漠漠開秋色

강가의 나무들이 추등(秋燈)에 우는구나.　　江干櫔櫔鳴秋燈

오뉴월 도성 문에 이 그림 걸어 두면　　五月都門揭此卷

모두들 깜짝 놀라 찌는 더위 잊으리라.　　四座忽驚無炎蒸

자네는 술 포 갖춰 이 의례 가르쳐서　　勸君脯酒講斯禮

봄가을로 책 제사를 빠뜨리지 마시게나.　　春秋不嫌書再烝

내가 축관하고 그대가 집례하면　　吾其祝宗君主鬯

귀신이 아니라 해도[40] 많은 미움 없을걸세.　　雖非其鬼無庶憎

號薲圃, 吳人. 癸丑除夕, 得宋刊單疏儀禮, 遂爲祭書圖, 蓋取賈島除夕祭
司書鬼長恩故事也. 又取顧秀野祭書行, 見元詩. 先君黃薲圃祭書圖歌曰:
"曬書澆書俱涉矜, 未若稱神不居能. 謂書爲靈還自可, 中有千年言語憑.
緣情起義廣祠典, 奚異血脈傳高曾. 江南汲古久消歇, 薲圃黃氏方代興. 匪
直收藏自善讀, 九流七略鐫心膺. 揭來端坐結一想, 如丹九轉神內凝. 豺獺
之微尙報本, 何況大道遙相承. 諏辰[41]傴僂向四壁, 書城九級紛降登. 旁人

<hr>

40　귀신이 아니라 해도: 『논어』 「위정」(爲政)에 "제 귀신이 아닌데 제사함은 아첨하는 것이
　　다"(非其鬼而祭之, 諂也.)라고 한 데서 가져온 말이다.
41　辰: 『호저집』 원문에는 "宸"으로 되어 있으나, 『정유각집』에 따라 "辰"으로 바로잡았다.

大笑問何事, 君乃作圖爲之徵. 小幀漠漠開秋色, 江干橚橚[42]鳴秋燈. 五月都門揭此卷, 四座忽驚無炎蒸. 勸君脯酒講斯禮, 春秋不嫌書再烝. 吾其祝宗君主盟, 雖非其鬼無庶憎."

반욱

潘煜, ?~?

자가 광문(廣文)이고, 호는 춘애(春崖)이다.

字廣文, 號春崖.

42　橚橚:『호저집』원문에는 "楖楖"으로 되어 있으나, 『정유각집』에 따라 "橚橚"으로 바로잡는다.

구용

裴鏞, ?~?

호가 위전(葦田)으로, 절강(浙江) 전당(錢塘) 사람이다.

號葦田, 浙江錢塘人.

주호

朱鎬, ?~?

자가 이경(二京)으로, 절강 전당 사람이다. 문공(文公)[43]의 18세손이다.

字二京, 浙江錢塘人. 文公十八世孫.

---

43 문공(文公): 주희의 시호. 본서 227면 각주 360번 참조.

모조승

毛祖勝, ?~?

호가 향천(薌泉)이니, 절강 전당 사람이다.

號薌泉. 浙江錢塘人.

손기

孫琪, ?~?

자가 옥초(玉樵)로, 절강 전당 사람이다.

字玉樵, 浙江錢塘人.

조강

曹江, 1781~1837

자가 옥수(玉水)로, 백천(百川)이라고도 한다. 호는 석계(石谿)이다. 오현(吳縣) 상해(上海) 사람이다. 그의 부친 조석보(曹錫寶)[44]는 호가 검정(劍亭)이니, 건륭 연간에 감찰어사(監察御史)로서 태학사(太學士) 화신(和珅)[45]이 권세를 부리는 것을 탄핵하였다가 유배되어 원도(遠島)에서 죽었다. 신유년(1801)에 복권되어, 부도어사(副都御使)에 증직되었다. 조강은 음보관(蔭補官)으로 대리평사(大理評事)가 되었다. 채강(采江) 당성(唐晟)의 제자이다. 필담을 아래에 붙인다.

> **조강**　귀국에도 또한 이름난 꽃과 훌륭한 과일이 날 텐데, 어떤 것들이 있는지요?
>
> **선군**　또한 송백(松柏)은 묻지 않으시고 예쁜 꽃과 기이한 화초를 물

44　조석보(曹錫寶): 1719~1792. 자가 홍서(鴻書)·검정(劍亭)으로, 강소 오현(吳縣) 상해(上海) 사람이다. 건륭 초년(1736)에 거인으로 군기처장경(軍機處章京)을 지냈으며, 건륭 22년 진사에 합격하여 서길사에 뽑힌 이래 형부주사(刑部主事)·산동독량도(山東督粮道)·섬서도감찰어사(陝西道監察禦史) 등을 지냈다. 건륭 51년(1786) 언관 재임 중, 태학사 화신(和珅)이 황제를 모시고 열하에서 피서하던 때를 틈타 화신의 가솔 유전(劉全)의 전횡을 근거로 화신을 탄핵하였다. 그러나 화신이 그 소식을 미리 전해 듣고 흔적을 없앰으로써 도리어 벌을 받아 좌천 당했다. 훗날 가경제(嘉慶帝)가 화신을 처벌하고 조석보를 부도어사(副都御史)에 추증하였다.

45　화신(和珅): 1750~1799. 건륭 연간의 간신으로, 만주 정홍기(正紅旗) 출신이다. 건륭제의 총애를 받아 숭문문세무감독(崇文門稅務監督) 등의 지위를 이용해 뇌물을 수수하는 등 횡포가 극에 달하자, 언관 조석보(曹錫寶)와 윤장도(尹壯圖) 등이 탄핵하였지만 오히려 해를 입었다. 가경제 즉위 후에도 차마 제거하지 못하고 있다가, 건륭제 사망 후에 체포하여 자결하게 하였다.

으시는군요. 제 집에는 큰 소나무가 있는데 삼사백 명쯤 앉을 만하지요. 천하의 기이한 장관입니다. 위쪽에는 작은 누각이 있고 아래쪽에는 이름난 샘이 있습니다. 다만 배나무 몇 그루와 빈파(蘋婆)[46] 나무 몇 그루가 있고, 밤나무는 아주 많습니다. 집 둘레에는 그늘이 져서 꽃 피는 아침과 달 뜨는 저녁이면 벗들이 서로 따르며 노닐었는데, 지금은 또한 교유를 그만두었습니다. 한번 벼슬아치가 되어 가서는 늙어 흰머리가 되고 말았군요.

조강 내가 가만히 이를 흠모하기는 해도, 부처에게는 절을 하지 않는지라 능히 속됨을 면치 못합니다.

선군 다만 절이 산속에만 있어서 승려들은 성에 들어오지 못합니다. 관우(關羽)의 사당은 오직 두 군데만 있고, 바깥 고을에는 성주(星州)와 남원(南原)에 있을 뿐입니다. 이 또한 만력 연간에 중국의 장사(將士)들이 지은 것이지요.[47] 도관(道觀)은 없고, 가장 많은 것은 그저 이학(理學)입니다.

조강 미인(美人)은 어떤가요?

선군 관기(官妓)가 있습니다.

조강 어떻게 꾸미는지요?

선군 이학에 대해서는 묻지 않고 미인만 물으시니, 사람의 큰 욕심만 남았습니다그려.[48] 그대가 사신이 되어 우리나라에 오면 관

---

46 빈파(蘋婆): 사과의 일종이다.
47 관우(關羽)의…것이지요: 관우의 사당 두 곳은 한양의 동묘(東廟)와 남묘(南廟)를 가리킨다. 당시 조선에 위치한 관제묘는 모두 임진왜란 당시 명군(明軍)들이 건립한 것이다.
48 사람의…남았습니다그려: 『예기』 「예운」(禮運)의 "음식과 남녀 간의 일에는 사람의 큰 욕

기를 불러 보시지요.

조강   제가 병통이 있는데, 여색을 좋아합니다.[49] 오늘 괜찮은 종이가 있으니 글씨를 부탁합니다.

선군   이것은 정말 이해할 수가 없군요. 어찌하여 집에서 기르는 닭은 싫어하고 들오리를 이처럼 아낀단 말입니까?[50]

조강   감히 집에서 기르는 닭을 미워함이 아니라, 사실은 좋은 글씨를 아끼는 것일 뿐입니다.

선군   강남 사람들은 글을 중히 여깁니까, 골동을 중히 여깁니까?

조강   글을 중히 여기는 사람도 있고, 골동을 중히 여기는 사람도 있으니, 저마다 좋아하는 대로 하지요. 대개는 골동을 글보다 중히 여깁니다.

선군   또한 맞는 말씀이십니다.

조강   만약 사람됨을 가지고 논한다면 저는 글을 택하겠습니다.

선군   문징명(文徵明)[51]은 작은 크기의 해서를 잘 썼는데, 조맹부체

구가 존재한다"(飲食男女, 人之大欲存焉.)라는 문구에서 따온 말로, 인간의 기본적이고 절실한 욕구를 이른다.

49　제가…좋아합니다: 원문은 "과인에게 병통이 있는데, 과인은 여색을 좋아합니다"(寡人有疾, 寡人好色.)로, 『맹자』「양혜왕 하」의 한 구절을 인용한 것이다. 맹자가 제선왕(齊宣王)이 왕도를 선망하면서도 실천하지 않는 이유를 묻자, 제선왕은 자신이 재물·여색을 좋아하는 병통이 있어서라고 변명한다. 박제가가 조강에게 이학이 아닌 미인에만 관심을 갖는다며 퉁을 주는 상황과 비슷하여, 조강이 겸연쩍은 마음에 이렇게 대답한 것이다.

50　어찌하여…말입니까?: 원문의 "厭鷄愛鶩"은 자기 집에 있는 닭은 싫어하면서, 남의 들에 있는 오리만 좋아한다는 뜻이다. 여기서는 조강에게 중국 사람들의 좋은 글씨들을 놔두고 굳이 자신의 글씨를 구하느냐고 물은 것이다.

51　문징명(文徵明): 1470~1559. 명나라 중기의 문인으로, 본래 초명이 벽(璧)이고 자가 징명(徵明)이었으나 이를 이름으로 삼고, 자는 징중(徵仲)으로 고쳤다. 호는 형산(衡山)이다. 강소 오현(吳縣) 사람이다. 젊어서 과거에 수차례 응시해 급제하지 못하였으나, 학문과 인덕이 세상에 알려져 54세에 한림원시조(翰林院侍詔)에 제수되었다. 얼마 후 관직을 버리고 향리로 돌

(趙孟頫體)의 범위를 벗어날 수가 없었지요.

조강 그렇습니다. 채강(采江)은 성이 당(唐) 씨이고, 효렴(孝廉)입
　　　니다. 이분은 제 스승이시지요. 선생의 큰 글씨를 보고 너무 우
　　　러러 사모한 나머지 대작(大作)을 써 주시기를 청하셨습니다.

선군 글씨 쓰는 사람은 빗방울처럼 많습니다.

조강 백합(百合) 가루는 우리 고장의 풍미(風味)입니다.

선군 흡사 우리나라 율무의 종류와 비슷하군요. 술 마신 뒤에는 칡
　　　가루를 복용하고, 배고플 때는 고량강(高良薑) 가루를 먹어서
　　　제 머리카락이 이렇게 세지 않았답니다. 이는 곁에서 나부끼
　　　는 깃발을 잡고서 이응(李膺)의 수레를 몰고[52] 구름 위를 노니
　　　는 격이라 하겠습니다.

조강 선생께서는 풍류가 거나하시니, 크게 진(晉)나라 사람의 풍도
　　　가 있으시군요.

선군 신라 때에는 당(唐)에서 배우려고 늘 바다를 항해하였지요. 동
　　　진(東晉) 때부터 그랬습니다. 그러다 보니 강좌(江左)의 유풍
　　　이 아직도 남아 있답니다. 제가 만약 당신의 고장에 간다면 촌
　　　뜨기가 되지 않겠습니까?

조강 선생께서 만약 강남에 오신다면, 운산(雲山)이 빛이 날 것입니다.

아가 시문과 서화로 유유자적한 삶을 보냈다.

52　깃발을…몰고: 원문의 "風幢"은 선가(仙家)에서 바람을 조절하는 깃발을 이른다. 당나라
때 가도(賈島)의 시 「기유사인종원」(寄柳舍人宗元)에서 "맹세컨대 신선의 하인이 되어, 곁에
서 붙잡고서 풍당을 몰리라"(誓爲仙者僕, 側執馭風幢.)라 하였다. 원문의 "御李"는 후한 때 이
응(李膺)의 풍도를 사모한 사대부들이 그가 방문하기만 해도 용문(龍門)에 올랐다고 기뻐했는
데, 순상(荀爽)이 그를 위해 수레를 몰고는 집에 돌아와, "오늘 내가 비로소 이군의 수레를 몰
았다"(今日乃得御李君矣)고 의기양양하였다는 이야기에서 나온 말이다.

선군　고작 하나의 동홍(冬烘) 선생53에 지나지 않을 뿐입니다.

조강　천하에 이런 동홍이 있을라구요?

선군　품팔이나 행상하는 아낙도 모두 빙옥(氷玉) 같은 곳54이어서, 한 사람 주인(疇人)55 따위는 끼지도 못할 겁니다.

조강　제게 책에 쓰는 종이가 있으니, 한 폭에 몇 마디 말을 지어 써 주셨으면 합니다. 좌우명으로 삼을 좋은 가르침으로 여기겠습니다.

선군　선현의 어록으로는 아직 부족하신가 보죠?

조강　이것도 남겨 두어 훗날에 그리워하고자 할 뿐입니다.

선군　쓰는 것이야 어렵지 않지요. 그대가 훗날 속인에게 흔들리는 바가 되지 않았으면 합니다. 그래야 사귀었다고 말할 수 있을 겁니다. 그렇지 않다면 그저 한 차례 얼굴이나 알고 지낸 사람일 뿐이지요.

조강　그대의 말씀은 마땅히 폐부에 새기겠습니다. 지인(至人)56의 말씀이십니다. 글씨는 반드시 나라 이름과 관직이 드러나야 맛이 있습니다.

선군　내 아이가 이번 겨울에 혹 들어오게 되면 반드시 그대를 찾아

53　동홍(冬烘) 선생: 세상 물정 모르는 아둔한 시골 훈장을 가리킨다. 동홍은 겨울에는 머리가 식어 차야 할 텐데 그렇지 않고 뜨거워 정신이 흐리멍덩하다는 뜻이다.

54　품팔이나…같은 곳: 강남의 옛 오나라 땅을 이른다. 북송 때 소식의 「임포(林逋)의 시 뒤에 쓰다」(書林逋詩後)의 "오나라 사람들은 호숫가 산 밑 살며…남녀 모두 빙옥 같은 마음 가졌네"(吳儂生長湖山曲…傭兒販婦皆氷玉.)라는 문구에서 따온 말이다.

55　주인(疇人): 비슷한 분야에 종사하는 친구를 뜻한다.

56　지인(至人): 도가에서 덕이 높은 사람을 이른다. 『장자』에 "지인은 아집이 없다"(至人無己)는 등의 구절이 보인다.

볼 텐데, 아직 알 수가 없군요.

조강　그대는 자식을 몇이나 두었습니까?

선군　또한 늦게 본 큰애가 그대와 동갑이고, 둘째는 열네 살, 그다음
　　　은 열두 살입니다. 딸은 셋인데, 한 명은 시집가서 죽었답니다.

조강　세 아들의 이름을 물어도 될는지요?

선군　장임(長稔)이는 자가 이곡(爾穀)이고, 문필에 조금 능합니다.
　　　그리고 장름(長廩)과 장암(長馣)입니다.

조강　그대는 아들이 셋이나 있으니 장차의 일을 걱정할 것이 없겠
　　　습니다. 제가 만약 조선에 간다면, 틀림없이 그대의 집을 찾아
　　　가서 제가 가져간 술을 마시겠습니다.

선군　들자니 사천(四川)의 군사(軍師)가 승리를 알려 왔지만, 아직
　　　개선(凱旋)을 아뢰지는 않았다더군요.[57] 또 들으니 하남의 남
　　　양(南陽)까지 들어갔다던데 언제나 모조리 소탕할 수 있겠습
　　　니까?

조강　여름이라 우리 쪽 강물이 말랐기 때문에, 한번 북을 치면 사로
　　　잡을 수 있을 겁니다. 조선은 기자(箕子) 이후로 곧장 지금에
　　　이르렀습니까?

선군　위만(衛滿)에게 멸망한 것은 23사(二十三史)의 열전(列傳)을
　　　살펴보시지요. 우리나라가 개국한 것은 명나라 태조와 똑같습
　　　니다. 그전에는 고려의 왕씨인데 고구려의 후손이지요. 나뉘
　　　어져 발해가 되었는데 지금의 만주가 바로 고구려의 후예입니

57　들자니…않았다더군요: 당시 백련교도의 난을 진압하기 위해 사천·섬서·호북 등지에 진
압군을 보낸 일을 두고 하는 말이다.

다. 공께서 어찌 이것을 모른단 말입니까? 천하의 상투 모양은 소주(蘇州)를 으뜸으로 꼽습니다. 여성의 의복을 한 벌 가져가서 집사람에게 보이렵니다. 중국의 여성 복식은 변하지 않았기 때문에 이를 본받고자 합니다. 저희 집은 속된 예법은 쓰지 않습니다. 비녀를 쓰는 것은 정말로 진짜가 아닙니다. 여기 와서 복건(幅巾)이 있는 것을 보니, 옛 풍속이 오히려 남아 있어 기쁩니다.

조강 치마는 주름을 많이 잡은 흰색을 쓰고, 도포는 길이가 17, 18촌 가량 되는 긴소매를 쓰며, 관은 오량관(五梁冠)[58]을 사용하니 모두 옛날의 제도입니다. 조복(朝服) 같은 경우는 다시 오량관이 있고, 봉관(鳳冠)은 금옥과 구슬로 꾸밉니다. 관 하나를 만드는 데 백금 아니면 천금이 드니 몹시 화려하고 크지요.

선군 제가 자못 예를 좋아하여 집안 식구들에게 모두 중국의 여성 복장을 본받게 하려 합니다. 옛날에는 부인이 화관(花冠)이나 오량관을 썼는데, 지금은 그저 머리카락을 사용하는가요?

조강 이것은 편한 복장이라 벼슬과 성씨의 차이를 표시할 뿐입니다. 귀국에서도 여자가 일이 있을 때 또한 조포(朝袍)나 조군(朝裙)을 입는지요?

선군 명부(命婦)[59]는 오직 척리(戚里)[60]만 대궐에 나아가고, 나머지

---

58 오량관(五梁冠): 양(梁)은 관모가 앞이마에서 뒤로 골이 지게 한 것으로, 직위에 따라 양의 개수에 차이를 두었다. 임금의 관은 9량(梁), 관리의 관은 1품관 5량, 2품관 4량, 3품관 3량, 4품에서 6품관 2량, 7품 이하는 1량이었다.

59 명부(命婦): 봉작(封爵)을 받은 여성을 통틀어 일컫는 말이다. 자신의 신분이 종친(宗親)일 때, 또는 남편이 문무관의 관리가 되었을 때 그의 품계에 따라 봉호를 받았다.

60 척리(戚里): 임금의 내척(內戚)과 외척(外戚)을 가리킨다.

는 모두 조회에 나가지 않습니다. 집에 있을 때는 여전히 원나
라의 제도를 답습한답니다.

字玉水, 一字百川, 號石谿. 吳上海人. 其父錫寶, 號劍亭. 乾隆中, 以監察
御史, 劾奏太學士和珅用權, 謫死遠島. 辛酉得白, 贈副都御史. 江以蔭補
官, 爲大理評事. 采江弟子也. 筆談附下.

曹　　貴國亦產名花佳果, 作何名目?

先君　亦不問松柏, 乃桂花奇草之問. 吾家有大松, 可坐三四百人, 卽
　　　天下奇觀. 上有小樓, 下有名泉. 但有梨花數株, 蘋婆數株, 橡
　　　栗甚多. 繞屋陰陰, 花朝月夕. 友朋相追, 今亦廢交遊. 一行作
　　　吏, 老白首矣.

曹　　我竊慕之. 不拜佛, 未能免俗.

先君　惟山中有寺, 緇徒不入城. 關祠惟兩處, 外邑惟星州南原有之.
　　　亦中朝萬曆將士之造, 無道觀. 最多者, 只是理學.

曹　　可有美人?

先君　有官妓.

曹　　作何粧式?

先君　不問理學, 乃問美人? 人之大欲存焉! 君奉使東來, 要索官妓矣?

曹　　寡人有疾, 寡人好色. 今日尙有好些紙, 乞書也.

先君　此最不可解. 何至厭鷄愛鶩若是!

曹　　非敢厭家鷄, 實愛書好耳.

先君　江南人重文乎? 重董乎?

曹	有重文, 有重董, 各如所好. 大抵董貴于文.
先君	亦碻.
曹	若以其爲人論之, 則我從文矣.
先君	文徵明細楷勝書, 不能脫子昂範圍耳.
曹	然也. 采江姓唐, 孝廉. 此余師也. 見大筆, 瞻慕之極. 乞書大作.
先君	書人如雨點耳.
曹	百合粉, 此吾輩家鄉風味也.
先君	恰同東味薏苡之類. 酒後用葛粉, 饊用高良末,[61] 我髮不白, 正 當側執風幢, 御李雲遊矣.
曹	先生翩翩風雅, 大有晉人手度.
先君	新羅學唐, 常航海, 自東晉已然. 故尚有江左遺風. 我若到貴鄉, 則不以爲傖乎?
曹	先生若到江南, 則雲山生色矣.
先君	不過一冬烘先生耳.
曹	正恐天下無此冬烘.
先君	傭夫販婦, 皆冰玉之地, 著一曠人不得.
曹	我有冊頁, 乞書一幅作數語, 以爲座右良規.
先君	前賢語錄, 尙未足斆.
曹	亦留之以爲異日思慕云爾.
先君	書亦不難, 勉君他日勿爲俗人所動, 方可云交, 否則卽一識面者耳.
曹	君言當銘肺腑. 至人之言, 所書必著國名官職乃妙.
先君	我兒今冬或入來, 必見君, 未可知.

61　末:『호저집』원문에는 "未"로 되어 있으나, 문맥에 따라 "末"로 바로잡는다.

曹 君有幾子?

先君 亦晚生長者, 與君同歲, 次十四, 次十二. 女三人, 一嫁而死.

曹 請問三子名.

先君 長稔字爾穀, 稍能文筆. 長廩·長麰.

曹 君有三子, 繼起之事, 可無憂矣. 我若到東國, 必覓君舍飮我酒.

先君 且問川師告捷, 尙未奏凱. 又聞入南陽云, 幾時可以勦盡?

曹 夏我水涸, 可一鼓而擒. 箕子之後, 直至于今耶.

先君 爲衛滿所滅, 試觀廿三史列傳. 我國開國, 與明太祖同. 其前爲高麗王氏, 高句麗之後. 分而爲渤海, 今滿洲卽高句麗之後. 公豈未之知耶. 天下髻樣, 推蘇州爲上. 女服要取一副, 敎家人看也, 中國女服不變, 故欲效之. 鄙家不用俗禮, 用筓苫未眞, 到此見有幅巾者, 喜古俗猶存矣.

曹 裙用百摺白色者, 袍用大袖尺七八寸, 冠用五梁, 皆古製也. 若朝服則更有五梁, 鳳冠餙以金玉珠寶. 若致一冠, 非百卽千, 甚華而大也.

先君 我頗好禮, 欲令家人盡效中國女服. 古者婦人用花冠五梁, 今只取頭髮乎?

曹 此便服, 以表冠氏之異耳. 貴國女子有事, 亦着朝袍朝裙乎?

先君 命婦惟戚里赴闕, 餘幷不朝. 燕居猶襲蒙元之製.

팽혜지

彭蕙支, ?~?

호가 전교(田橋)이니, 사천(四川) 미주(眉州) 사람이다. 효렴(孝廉)에 뽑혔다.

號田橋, 四川眉州人, 孝廉.

장섭

張燮, 1753~1808

자가 이당(理堂), 호는 요우(蕘友)이다. 강남 소문(昭文) 사람이다.

字理堂, 號蕘友, 江南昭文人.

유환지

劉鐶之, 1762~1821

자가 패순(佩循), 호는 신방(信芳)이니, 산동(山東) 제성(諸城) 사람이다. 벼슬은 한림검토(翰林檢討)를 지냈다.

字佩循, 號信芳. 山東諸城人, 官翰林檢討.

왕제

王霽, ?~?

자가 백우(伯雨)이니, 직례성(直隸省)[62] 완평(宛平) 사람이다. 효렴에 뽑혔다.

字伯雨, 直隸宛平人, 孝廉.

---

62 직례성(直隸省): 하북성(河北省)의 다른 이름이다.

장옥기

張玉麒, 1785~?

자가 서불(瑞紱), 호는 어천(漁川)이다. 뒤에 이름을 유(輶)로 바꿨다. 하남(河南) 낙양(洛陽) 사람이다. 가경 신유년(1801)에 진사가 되었다.

字瑞紱, 號漁川, 後改名輶. 河南洛陽人, 嘉慶辛酉進士.

유대관

劉大觀, 1753~1834

자가 송람(松嵐)이니, 산동 임청(臨淸) 사람이다. 저서에 『옥경산방시』(玉磬山房詩)가 있다. 그 아우가 유대균(劉大均)이다.

字松嵐, 山東臨淸人, 所著有玉磬山房詩. 其弟大均.

당성

唐晟, ?~?

호가 채강(采江)이니, 강소 청포(青浦) 사람이다. 진사에 올랐다.

號采江, 江蘇青浦人, 進士.

양사원

楊嗣沅, ?~?

호가 지계(芷溪)이니, 하남 상성(商城) 사람이다.

號芷溪, 河南商城人.

섭정책

葉廷策, ?~?

자가 자청(子淸), 호는 서명(西銘)이다. 강소 상주부(常州府) 강음현(江陰縣) 사람이다. 경신년(1860) 은과(恩科)에서 거인으로 뽑혔다.

字子淸, 號西銘. 江蘇常州府江陰縣人. 庚申恩科擧人.

이연휘

李聯輝, ?~?

부응벽

傅應壁, ?~?

여남(汝南) 사람이다.

汝南人.

강개

康愷, ?~?

호가 기산(起山)이니, 강남 사람[63]이다. 그림을 잘 그렸다.

號起山, 江南人. 工畫.

육경훈

陸慶勳, ?~?

자가 수병(樹屛)이니, 운간(雲間)[64] 사람이다.

63　강남 사람: 『연대재유록』(燕臺再遊錄)에서는 강개의 출신지에 대해 보다 구체적으로 "강소(江蘇) 청포(靑浦) 사람"(江蘇靑浦人)이라 하였다.

64　운간(雲間): 송강(松江)의 옛 지명이다. 『연대재유록』에서는 육경훈에 대해 "강소 송강 사람"(江蘇松江人)이라 하였다.

字樹屛, 雲間人.

주송년
周松年, ?~?

자가 건천(健天)이다.

字健天.

왕란
王蘭, ?~?

자가 방곡(芳谷)이니, 장안(長安) 사람이다.

字芳谷, 長安人.

진호

陳蒿, ?~?

강소 무진(武進) 사람이다.

江蘇武進人.

왕지침

汪之琛, ?~?

자가 옥책(玉冊)이다.

字玉冊.

손전

孫銓, ?~?

호가 소우(少迂)이다. 저서에 『수허각시고』(守虛閣詩稿) · 『우약재수필』
(迂若齋隨筆)이 있다.

號少迂. 著有守虛閣詩稿 · 迂若齋隨筆.

왕언박

汪彦博, 1763~1824

부친이 한림서자(翰林庶子)를 지낸 왕학금(汪學金)[65]이다. 왕언박은 자
가 후부(厚夫), 호는 문헌(文軒)이니, 진양(鎭洋) 사람이다. 건륭 52년
(1787)에 진사에 급제했고, 벼슬은 형부원외랑(刑部員外郎)을 지냈다.
『양천재시초』(養泉齋詩鈔)가 있다.[66]

---

65 왕학금(汪學金): 1748~1804. 자가 경장(敬箴), 호는 행강(杏江)이다. 강소 진양(鎭洋)
사람이다. 건륭 46년(1781)에 진사에 급제하여, 한림원편수 · 좌춘방좌서자(左春坊左庶子) 등
을 지냈다. 저서에 『정복당문집고』(井福堂文集稿) · 『정애시초고』(靜厓詩初稿) 등이 있다.
66 왕언박은…있다: 원문에는 작은 글씨로 되어 있으나, 왕언박에 대한 정보이므로 본문과

官翰林庶子. 父學金. 字厚夫, 號文軒, 鎭洋人. 乾隆五十二年進士. 官刑
部員外郞. 有養泉齋詩鈔.

심강
沈剛, ?~?

자가 당정(唐亭)이니, 강소 송강(松江) 사람이다. 명나라 때 시강학사(侍
講學士)를 지낸 심도(沈度)[67]의 자손이다. 시에 능하고 글씨를 잘 썼으며
매화를 잘 그렸다. 필담을 아래에 붙인다.

> **심강** 제가 오래전부터 큰 이름을 우러르다가 오늘에야 다행히 만나
> 뵙습니다.
>
> **선군** 저는 동해의 못난 사람이니, 어찌 족히 먼 데까지 소문을 번거
> 롭게 하겠습니까?
>
> **심강** 앞서 그대의 작품을 보았는데 "하룻밤 꿈속 넋은 백구(白鷗)
> 의 고장[68]일세"[69](一天魂夢白鷗鄕)는 참으로 멋진 구절입니

같은 크기로 수정하였다.
67 심도(沈度): 1357~1434. 명나라의 문인으로, 자가 민칙(民則)이고, 호가 자락(自樂)이니
송강화정(松江華亭) 사람이다. 영락 연간에 시강학사를 지냈으며, 서예로 이름을 날렸다.
68 백구(白鷗)의 고장: 백구는 물새 이름이니, 원문의 "白鷗鄕"은 백구가 사는 곳, 즉 강남수
향(江南水鄕)을 이른다.
69 하룻밤…고장일세: 『정유각집』 1집에 수록된 「동노하(東潞河)에서 포자경(鮑紫卿)에게

다. 선생의 글씨는 연원이 있으니 묵적을 한두 개만이라도 받들어 감상할 수 있을는지요?

선군 지금은 가져오지 않았습니다.

심강 각본(刻本)도 괜찮습니다. 글씨를 가르쳐 주시기를 청합니다. 끝에다가 그대의 이름과 나라 이름, 직책을 쓰고, 제 이름은 꼭 쓰지 않아도 됩니다. 가지고 돌아가서 상주(相州)⁷⁰의 서예가에게 보내, 송강 사람으로 하여금 전파하게 하여 생색을 내렵니다.

선군 부족한 것을 감추려 하지 않고 도리어 나쁜 것을 퍼뜨리시다니요.

심강 선생과 저희는 정이 너무 깊습니다.

선군 이웃과는 모르고 지내면서 만 리 밖의 사람과 잘 지내니, 또한 너무 이상하지요.

심강 "서로 만나 즉시 서로 알아보았고, 그리는 맘 한갓되이 황홀하여라. 구름 산 만 겹이나 가려 있어도, 저마다 하늘 위 달을 본다네." 이와 같을 뿐이지요.

선군 선생께서는 많은 사람을 만나셨으니 혹 어떠실지 모르겠지만, 이 아우 같은 경우는 일생토록 잊을 수 없을 따름입니다.

심강 이번에 북경에 와서 뽑히지도 못하고 또 급제하지도 못했지만, 단지 떨어져서 선생과 더불어 서로 대화할 수 있었으니,

---

주다」(東潞河, 贈鮑紫卿)의 한 구절이다.
70 상주(相州): 하남성 북부의 안양(安陽)과 하북성 남부의 임장(臨漳)을 아우르는 옛 지명이다.

찬집

마음에는 크게 통쾌합니다. 본래는 마땅히 북경에 있으면서 공부해야겠지만, 노친께서 나이가 일흔이 넘으신지라 봉양[71] 할 사람이 없어 돌아갈 계획입니다. 내년에 북경에 들어왔을 때 혹시 선생께서 또한 오셔서 서로 회포를 풀 수 있다면 더욱 마음이 시원하겠습니다.

선군 나는 늙어서 다시 오기는 어렵지 싶군요. 비록 오더라도 또한 기약이 정해진 것이 아닙니다. 이로 좇아 아득히 만나지 못할 테니 말을 하자 서글퍼지는군요.

字唐亭, 江蘇松江人. 皇明侍講學士度後孫. 能詩工書, 善畫梅. 筆談附下.

沈 剛久仰大名, 今日幸會.

先君 僕東海之鄙人, 豈足煩遠聞耶.

沈 前見尊作有, "一天魂夢白鷗鄕", 眞名句也. 先生字有淵源, 貴家墨跡, 可奉玩一二乎?

先君 現在未曾帶來.

沈 刻本亦可. 請敎法書, 後書尊名及國名官職, 不必落弟號, 因要歸去送一相州書家, 使松江人, 傳播生色也.

先君 不爲藏拙, 乃反播惡.

71 봉양: 원문의 "菽水"는 먹을 수 있는 것은 콩과 물뿐인 청빈한 삶을 의미한다. 이후 가난한 처지 속에서도 부모를 정성스레 봉양한다는 의미로 쓰이게 되었다. 『예기』「단궁」에 관련 고사 가 전한다.

沈	先生與弟輩情深之至.
先君	比隣不識, 萬里相好, 亦反常之極.
沈	"相見卽相知, 相思徒怳惚, 雲山一萬重, 各對天心月." 如此而已.
先君	先生閱人多, 或未可知, 如弟則一生不可忘耳.
沈	此番到京, 旣不挑又不中, 只落得與先生相晤, 大快于心. 本應在京讀書, 因老親年逾七十, 菽水無謀, 故作歸計. 明年入都, 倘先生亦來相敍, 更覺惬心矣.
先君	我老恐難再至, 雖至亦非定期. 從此落落矣, 言之悵然.

동계부
董桂敷, ?~?

화즙
華楫, ?~?

자가 제선(梯船)이다.

字梯船.

저통경
褚通經, ?~?

호가 건정(楗庭)이다.

號楗庭.

심유
沈酉, ?~?

자가 서산(書山)이니, 오군(吳郡) 사람이다.

字書山, 吳郡人.

오이곡

吳詒穀, ?~?

자가 척인(惕人)이고, 호는 효봉(曉峯)이다.

字惕人, 號曉峯.

엄익[72]

嚴翼, ?~?

호가 유당(有堂)이니, 강소성 사람이다. 공사(貢士)[73]에 뽑혔다. 시를 가지고 예물로 보내왔다.

　선군의 기록은 이렇다.

　"전동벽 군이 청하기를, '제 벗에 엄 아무개라는 이가 있는데, 간절하게 그대의 글씨를 부탁하는군요'라고 하였다. 내가 그 자리에서 '예전엔 엄객성(嚴客星)[74]이 태사를 놀래켰고, 지금은 시화로 엄창

72　엄익(嚴翼): ?~? 『호저집』 원문 상단에 주석이 달려 있다. "자는 게당이니, 가정 사람이다. 건륭 35년(1770)에 과거에 급제하였고, 문집으로 『홍음집』이 있다."(字憩棠, 嘉定人, 乾隆三十五年擧人, 有鴻音集.)

73　공사(貢士): 청대(淸代)에 복시(覆試) 입격자를 이르는 말이다.

74　엄객성(嚴客星): 엄광(嚴光)을 이른다. 후한(後漢) 회계(會稽) 여요(餘姚) 사람으로, 자는 자릉(子陵)이다. 어려서 후한의 광무제(光武帝)와 함께 지낸 죽마고우이다. 후일 광무제가

랑(嚴滄浪)을 얘기하네'[75]라고 써서 주었다. 전군이 탄복하며 말했다. '미리 지어 온 것이 아닌지요! 어떻게 이렇게 교묘할 수가 있답니까?' 내가 우연일 뿐이라고 사양하며 서로 더불어 한바탕 웃었다.

　궁벽한 오두막에서 심심함을 못 견뎌, 우연히 유리창(琉璃廠)에서 있었던 이야기 한 자락을 말해 보았다."

號有堂, 江蘇人. 貢士. 以詩送質. 先君記曰: "錢君東垣請曰: '有敝友嚴某者, 懇托心畫.' 余仍書贈: '當日客星驚太史, 至今詩話說滄浪.' 錢歎曰: '無迺宿搆歟! 何其巧妙至此?' 謝以偶耳, 相與一噱. 窮廬無以破閑, 偶說廠中一段."

『화림신영』(畫林新詠)[76]. 진문술(陳文述)[77] 저, 자 운백(雲伯), 전당(錢塘) 사람

畫林新詠. 陳文述著, 字雲伯, 錢塘人

그를 궁으로 불러들이자 마치 옛날처럼 스스럼없이 대했다. 광무제가 그에게 간의대부(諫議大夫)를 제수하려고 했지만 사양하고 부춘산(富春山)에 은거했다.

75　예전엔…얘기하네: 『정유각집』 시집 권2의 「화엄초부 2수」(和嚴樵夫二首) 중 제 1수의 함련이다.

76　『화림신영』(畫林新詠): 이하의 글은 찬집 권3의 집필을 마친 이후 수습한 박제가 관련 내용을 추가한 부분이다. 진문술·오형조·증욱·장문도의 시와 산문을 차례로 옮겼다. 『호저집』 원문에는 별도의 제목은 달지 않는다.

77　진문술(陳文述): 1771~1843. 자가 준보(雋甫)·퇴암(退庵), 호는 흘암(迵庵)·운백(雲伯)·이도거사(頤道居士)이다. 초명은 문걸(文傑)이며, 절강(浙江) 전당(錢塘) 사람이다. 가경

박정유

朴貞蕤

이하는 외역(外域)이다. 박제가는 자가 수기(修其)인데, 정유거사
(貞蕤居士)라고 자호하였다. 글씨를 잘 쓰고 그림에도 뛰어났
다. 건륭·가경 연간에 여러 번 사신의 명을 받들어 연경에 와서
중국의 사대부들과 수창한 작품이 많았다. 우리 집안의 중어(仲
魚) 진전(陳鱣, 1753~1817) 징군(徵君)[78]이 그의 시문을 간행
하여 『정유고략』이라 하였다. 진운백이 지은 『화림신영』 가운데 보인다.

동국의 시성(詩聲) 높은 빼어난 이 인재는	東國聲詩此逸才
자주 임금 명 받들어 영대(瀛臺)[79]를 모시었지.	屢承天語侍瀛臺
또렷한 압록강 강 머리의 달빛은	分明鴨綠江頭月
용만관(龍灣館)[80]을 비추며 늦도록 푸르다네.	照見龍灣晚翠來

以下外域. 朴齊家, 字修其, 自號貞蕤居士. 工書善畫. 乾嘉之際, 屢以

연간에 거인이 되어, 강도(江都)와 상숙(常熟)의 지현사(知縣事)를 지냈다. 시로 경사(京師)에
서 이름을 떨쳐 양방찬(楊芳燦)과 더불어 '양진'(楊陳)으로 불리었다. 저서에 『벽성선관시초』
(碧城仙館詩鈔)·『이도당집』(頤道堂集) 등이 있다.

78 징군(徵君): 높은 학문과 덕행에도 조정의 관직을 마다한 징사(徵士)를 높인 말이다.

79 영대(瀛臺): 북경 고궁 안의 태액지(太液池)에 있는 누대의 이름. 남대(南臺)라고도 한다.
강희제와 건륭제 당시에 여름날 정사를 살피는 곳으로 썼다. 여기서는 황제를 모셨다는 의미이다.

80 용만관(龍灣館): 의주(義州)의 별칭으로, 여기서는 의주의 압록강 근처에 있는 객관인 용
만관을 이른다. 이곳에서 중국 사신을 접대했다.

奉使來京師, 與中朝士大夫, 多酬唱之作. 家仲魚徵君, 刻其詩文, 爲
貞蕤稿略. 見雲伯所著畫林新詠中.

"東國聲詩此逸才, 屢承天語侍瀛臺. 分明鴨綠江頭月, 照見龍灣晚
翠來."

조선의 이현(二賢)을 노래한 시. 시어사(侍御史) 추음(秋吟)[81]이 홍해거(洪海居)[82]와 신자하(申紫霞)[83] 두 선생의 시문을 읊는 것을 듣고서 지은 것이다[84]
朝鮮二賢詩. 聞秋吟侍御誦洪海居·申紫霞兩先生詩文作

동방엔 예로부터 군자가 많았는데 　　　　　　　　　　東方自古多君子

81　추음(秋吟): 청대 문인인 장시(蔣詩)를 이른다. 추음은 그의 호이다. 자는 천백(泉伯)이
며, 절강 인화(仁和) 사람이다. 기윤의 제자로 1805년(가경 10)에 진사에 급제하여 한림원서길
사가 되었으며, 섬서도감찰어사 등을 역임했다. 북경에서 법식선(法式善)·오숭량(吳嵩梁)·엽
소본(葉紹本) 등 당대의 이름난 문인들과 자주 수창하며 시명(詩名)을 떨쳤다. 자하 신위와 깊
게 교유하여, 자신의 문집인 『유서선관초고』(楡西仙館初薰)에서 신위를 자주 언급하였다.

82　홍해거(洪海居): 조선의 문인 홍현주(洪顯周, 1793~1865)를 이른다. 해거는 그의 호이
다. 자는 세숙(世叔)이다. 홍석주(洪奭周, 1774~1842)와 홍길주(洪吉周, 1786~1841)의 아
우로, 정조의 둘째 딸 숙선옹주(淑善翁主, 1793~1836)와 혼인하였다. 당대에 시문으로 명성
이 있었다. 박사호(朴思浩)의 『심전고』(心田稿)에 따르면, 중국에서도 『영가삼이집』(永嘉三怡
集) 등의 시문집을 통해 그 이름이 알려진 것으로 보인다. 저서에 『해거시집』(海居詩集) 등이
있다.

83　신자하(申紫霞): 조선의 문인 신위(申緯, 1769~1845)를 이른다. 자하는 그의 호이다. 자
는 한수(漢叟)이며, 별호는 경수당(警修堂)이다. 이조참판과 병조참판 등을 역임하였다. 순조
12년(1812) 진주겸주청사(陳奏兼奏請使)의 서장관(書狀官) 신분으로 청나라에 가서 여러 문
인들과 교유하였다. 시와 글씨, 그림에 모두 능했으며, 저서에 『경수당전고』(警修堂全薰)·『분
여록』(焚餘錄)·『신자하시집』(申紫霞詩集) 등이 있다.

84　조선의…것이다: 진문술의 『이도당시선』(頤道堂詩選)과 신위의 『경수당전고』에 같은 제
목으로 수록된 것으로 보아, 신위에게 준 『화림신영』에 이 시가 포함되었던 것으로 보인다.

오늘날 조선에는 두 어진 이 있다네.　今日朝鮮有二賢

신공(申公)이 경술에 깊은 줄은 알았지만　共識申公邃經術

다시금 홍매(洪邁)⁸⁵의 시편 많음 들었다네.　更聞洪邁富詩篇

성명이 중조(中朝)에서 오래도록 무거워서　姓名久爲中朝重

지은 글이 도리어 우리에게 전하누나.　文字還應我輩傳

마치 예전 정유거사 지었던 시에서　恰憶貞蕤老居士

압록강 구름 나무⁸⁶ 먼 하늘에 맑단 말 생각나네.

綠江雲樹澹遙天

東方自古多君子, 今日朝鮮有二賢. 共識申公邃經術, 更聞洪邁富詩
篇. 姓名久爲中朝重, 文字還應我輩傳. 恰憶貞蕤老居士, 綠江雲樹
澹遙天.

85　홍매(洪邁): 홍매는 송나라 학자이다. 홍현주를 홍매에 견주어 말한 것이다.
86　구름 나무: 본서 97면 각주 113번 참조.

『신묘생시』(辛卯生詩). 오형조(吳衡照),[87] 자(字) 자율(子律) 저, 인화(仁和) 사람 저서에 『신묘생시』가 있다

辛卯生詩. 吳衡照, 字子律著, 仁和人 著有辛卯生詩

고려의 갓을 읊다 서문을 함께 적다 - 오형조

高麗臺笠吟 幷引 - 吳衡照

갓은 바탕은 둥글고 몸체가 가벼우니, 부수(夫須) 풀[88]로 만든다. 색깔은 몹시 검고 지극히 가늘고 촘촘하여 아낄 만하다. 고려의 공사(貢使) 정유 박제가가 간장(簡莊) 진전(陳鱣)에게 선물로 주었는데, 간장이 돌아가서 나의 계부(季父) 토상(兔牀) 오건(吳騫)[89] 선생에게 드리니, 앉은자리에서 짓기를 명하였다.

사신으로 건너온 박제가 검서	使臣朴檢書
조선국으로부터 찾아왔다네.	來自朝鮮國
갓〔臺笠〕을 선물로 보내왔는데	臺笠相饋遺
보통은 찾아도 구할 수 없지.	尋常索不得

87 오형조(吳衡照): 1771~? 자가 하치(夏治), 호는 자율(子律)·신묘생(辛卯生)으로, 해녕(海寧) 사람이다. 가경 연간의 진사 출신으로, 벼슬은 금화교수(金華敎授)를 지냈다. 의성 안보(倚聲按譜)에 정통하였다. 저서에 『연자거사화』(蓮子居詞話)·『신묘생시』(辛卯生詩) 등이 있다.
88 부수(夫須) 풀: 『시경』 소아(小雅) 「도인사」(都人士)의 주(注)에, 정현은 대립(臺笠)의 '대'(臺)를 '부수'(夫須) 풀이라 풀었다.
89 오건(吳騫): 1733~1813. 자가 사객(槎客), 호는 토상(兔牀)으로, 해녕 사람이다. 제생(諸生)이었으며, 장서가로 유명했다. 진전·황비열 등과 교유하였다.

염옹(髥翁)⁹⁰이 가져와 보여 주면서   髥翁轉見餉

종이와 먹을 주며 시 짓게 했네.   副以紙與墨

푸른 바다 일찍이 역로(驛路) 거쳐 통하니   滄海曾經驛路通

엎어 두면 하늘 같아 좋은 장인 솜씨일세.   覆同天樣出良工

고개 젓는 옆 그림자 대껍질보다 가볍고   掉頭側影輕於篛

정수리의 둥근 빛⁹¹은 도리어 쑥대 같네.   摩頂圓光轉似蓬

순피(筍皮)와 규엽(葵葉)⁹²으로 잔뜩 멋을 부렸으니

                                     筍皮葵葉徒誇劇

어찌 푸른 비단 써서 머리를 꾸미겠나.   那用靑繒餙櫓額

노를 안고 꿈속의 도롱이를 가져가니   擁棹兼携夢裏蓑

꽃 볼 때 그림 속의 나막신과 딱 맞구나.   看花定配圖中屐

집 밖의 푸른 산엔 몇 이랑의 밭 있어도   屋外靑山數畞田

동쪽 밭 오간 지가 몇 년이나 되었던고.   東菑來往幾經年

예전 만든 부수 모자 지금껏 남았으니   夫須舊製今猶在

한가로이 호미 기대 정전(鄭箋)을 고증하리.⁹³

                                     閑倚鋤頭證鄭箋

---

90 염옹(髥翁): 진전 또는 오건을 가리키는 듯하나, 앞뒤 맥락이 분명치 않다.

91 정수리의 둥근 빛: 원문의 "摩頂"은 불가(佛家)에서 수계(授戒) 의식 때 계율을 받는 사람의 머리를 쓰다듬는 일을 말한다. 석가모니가 보살에게 불법을 전할 때 오른손으로 보살의 머리를 쓰다듬어 준 일에서 유래하였다. 원문의 "圓光"은 부처의 머리 뒤 배광(背光)을 말한다.

92 순피(筍皮)와 규엽(葵葉): 순피는 죽순의 껍질이니 갓의 챙 부분을 가늘게 짠 것을 가리키고, 규엽은 아욱 잎이니 갓의 머리 부분에 불쑥 솟은 모양을 형용한 것이다. 규엽은『이아』(爾雅)「석초」(釋草)에 나오는 '종규'(終葵)라는 풀로 여겨지는데, 잎이 둥글어서 방망이 머리와 비슷한 모양이라고 한다.

93 정전(鄭箋)을 고증하리: 정전은 정현의 전주(箋注)를 말한다.

笠質圓體輕, 以夫須爲之. 色深黝, 極細緻, 可愛. 高麗貢使朴貞蕤齊

家, 贈陳簡莊鱸, 簡莊歸貽季父兎牀先生騫, 席上命作.

"使臣朴檢書, 來自朝鮮國. 臺笠相饋遺, 尋常索不得. 髯翁轉見餉,

副以紙與墨. 滄海曾經驛[94]路通, 覆同天樣出良工. 掉頭側影輕於簑,

摩頂圓光轉似蓬. 箬皮葵葉徒誇劇, 那用靑繪餙橝額. 擁棹兼携夢裏

蓑, 看花定配圖中展. 屋外靑山數畝田, 東菑來往幾經年. 夫須舊製

今猶在, 閑倚鋤頭證鄭箋."

12월 28일, 조선 검서관 박제가의 소식을 받고 시로 답장하며, 아울러 검서 유득공에게 함께 부치다[95] – 증욱

十二月二十八日, 得朝鮮檢書朴齊家音問, 以詩答之, 竝寄柳檢書

得恭-曾燠

부상(扶桑) 바다 너머에서 오신 손님이	客自扶桑外
편지를 가져와 전해 주었네.	傳來尺素書
푸른 물결 하늘은 아득히 멀고	滄波天共遠
눈보라에 한 해도 저무는구나.	風雪歲將除
표문을 받들고서 사신 와서는	奉表曾充使

---

94 驛:『호저집』원문에는 "譯"으로 되어 있으나, 문맥상 오자로 보아 바로잡는다.

95 12월 28일…부치다:『호저집』원문에는 이 시가 증욱의『상우모옥시집』(賞雨茅屋詩集)

권1에 수록되어 있다는 후지쓰카의 별지 메모가 붙어 있다.

시 이야기 자주 나를 격동시켰지.　　　　　　言詩數起予

그대가 안부를 자주 물으니　　　　　　　　因君煩問訊

유운(柳惲)[96]은 근래에 어떠한가요.　　　　　柳惲近何如

유득공이 일찍이 박제가와 함께 사명을 받들고서 북경에 왔었다.

客自扶桑外, 傳來尺素書. 滄波天共遠, 風雪歲將除. 奉表曾充使, 言詩數起予. 因君煩問訊, 柳惲近何如. 柳嘗偕朴奉使來都.

장문도(張問陶)의 시[97]

따뜻한 봄 연전(硯田)에 묵화(墨花)가 고루 피니　硯田春煖墨花匀

붓을 떨궈 끝나지 않은 인연을 함께 찾네.　　　下筆同尋未了因

술은 잘 못 마셔도 술의 흥취 아나니　　　　　不飮妙能知酒趣

재주꾼이 어이해 시인 됨에 그치겠나.　　　　有才何止作詩人

성정(性情)과 충효에는 중외 구별 없거니　　　性情忠孝無中外

바다 저편 문장에 귀신도 감동하네.　　　　　天海文章動鬼神

점제(黏蟬)[98] 땅 돌아갈 길 멀다고 탄식 마오　莫歎黏蟬歸路遠

---

96 유운(柳惲): 양(梁)나라의 시인으로, 자가 문창(文暢)이다. 악부가사(樂府歌辭)를 잘 썼
고, 시·척독(尺牘)·바둑·거문고 등 다방면에 능하였다고 한다. 여기서는 마찬가지로 다방면에
서 재주가 많았던 유득공을 유운에 빗대어 말한 것이다.

97 장문도(張問陶)의 시: 다른 사람의 경우와 달리, 작품 제목이 밝혀져 있지 않다. 원문의 시
밑에 장문도의 성명이 적혀 있다.

98 점제(黏蟬): 한사군(漢四郡) 소속의 여러 현(縣)들 중 하나이다. 여기서는 조선을 가리키

안개 물결 그 얼마나 떨어져 있으리오.[99]　　　　煙波能隔幾由旬

『한서』(漢書)의 지명은 본래 글자의 음운을 쓰지 않는 경우가 많다. '점제'(黏蠐)의
'제'(蠐) 자는 음이 '제'(提)이다. 예전에 박초정이 이를 말해 주었다.

硯田春煖墨花勻, 下筆同尋未了因. 不飮妙能知酒趣, 有才何止作詩
人. 性情忠孝無中外, 天海文章動鬼神. 莫歎黏蠐歸路遠, 煙波能隔
幾由旬. 漢書地名, 多不用本字音韻. 黏蠐, 蠐字音提. 往朴楚亭曾言之.

張問陶.

선군기(先君記) 초(抄)[100]

기윤(紀昀)[101]

우연히 서로 만나 곧바로 친해지니	偶然相見卽相親
헤어진 뒤 안타깝게 몇 해 봄을 보냈던가.	別後恩恩又幾春
거꾸로 신 신고서 천하 선비 맞았더니	倒屣常迎天下士
시 읊을 젠 해동 사람 가장 많이 생각나네.	吟詩最憶海東人
관하 너머 두 곳에서 서찰 왕래 아예 없어	關河兩地無書札
여러 해를 사신에게 그대 이름 물었다오.	名姓頻年問使臣
나를 그려 지은 새 시 있는가 없는가?	可有新篇懷我未
이 늙은이 두 살쩍은 은빛으로 변해 가네.	老夫雙鬢漸如銀

이것은 종백(宗伯) 효람(曉嵐) 기윤이 부쳐 보낸 작품이다. 종이는 색을 입힌 비단 폭을 썼는데, 글자가 손바닥만 하게 컸다. 내가 대궐에서 숙직하고 있는데 갑자기 대내로부터 내려왔다. 나는 외교의 의리가 없는지라 감히 화답하여 보내지는 못하였다. 나중에 신

---

100 선군기(先君記) 초(抄): 『호저집』 찬집 권3 끝에 추가로 기록된 내용이다. 기윤·옹방강·나빙·황비열 네 사람이 박제가에게 준 시 중 앞의 기록에서 누락된 내용을 정리했다. 매 항목을 시작할 때마다 "선군기왈"(先君記曰) 네 자를 붙였다. 체재의 통일을 위해 "선군기왈"은 빼고 사람별로 정리했다.

101 기윤(紀昀): 이하의 시는 『정유각집』 시집 권5에 수록된 박제가의 「기효람이 예전에 보내준 시에 차운하다. 2월 6일」(追次曉嵐見寄詩韻. 二月六日)에 첨부된 기윤의 원운이다. 밑의 산문은 출처를 알 수 없다.

유년(1801)에 사신의 명을 받들어 갔을 때 만나 보고서 이에 대해
사죄하였다. 기공은 그때까지도 건강하였고, 나이는 이미 80여 세
였다.[102]

先君記曰 : "'偶然相見卽相親, 別後恩恩又幾春. 倒屣常迎天下士,
吟詩最憶海東人. 關河兩地無書札, 名姓頻年問使臣. 可有新篇懷我
未, 老夫雙鬢漸如銀.' 此曉嵐紀宗伯見寄之作. 紙用加色絹幅, 字大
如手. 余在禁直, 忽自大內下傳. 余以無外交之義, 不敢和送. 後於辛
酉奉使時, 面謝之. 紀公尙康旺, 年已八旬有餘矣."

옹방강(翁方綱)

옹방강은 호가 담계(覃谿)이며, 관직이 시강학사이다. 금석학에 조
예가 깊어 『양한금석고』(兩漢金石考)[103] 6권을 저술하였다. 거처하
는 방의 편액을 '소재'(蘇齋)라 하고, 〈장공입극도〉(長公笠屐圖)[104]
를 걸어 놓았다. 매년 12월 19일 소동파의 생일날에 순포(筍脯)[105]

---

102 나이는 이미 80여 세였다: 기록상 착오가 있어 보인다. 기윤은 1724년생으로 1801년 당
시 만 77세였다.
103 『양한금석고』(兩漢金石考): 『양한금석기』(兩漢金石記)라고도 한다.
104 〈장공입극도〉(長公笠屐圖): 소장공(蘇長公), 즉 북송의 소식(蘇軾)이 남해에 유배되었
을 때, 삿립 쓰고 나막신 신고서 의연하게 서서 비를 맞는 모습을 그린 그림이다. 여러 화가가
동일한 주제를 그린 바 있어, 옹방강이 방에 걸어 둔 그림이 누가 언제 그린 그림인지는 알 수가
없다.

로 제사를 지내고, 명사들과 모여 시를 지었다.

담계 선생 홍조(洪趙)의 무리이거니	覃溪洪趙流
금석문의 세세한 것 궁구하였지.	金石窮錙銖
섣달이라 19일 생일날에는	臘月日十九
향을 살라 염소(髯蘇)께 제사 드리네.	辨香祭髯蘇
날 이끌어 청비각(淸閟閣)에 오르게 하니	引我上淸閟
높은 모임 문수(文殊)도 참여했었지.	高會參文殊

이는 담계 옹방강을 그리며 예전에 지은 작품이다.[106] 돌이켜 보니 모임에 나아갈 때 양봉 나빙과 함께 수레를 같이 탔다. 이때 옹방강이 화산비(華山碑) 탁본에 발문을 썼고, 또 송참본(宋槧本)[107] 『시주소집』(施注蘇集)[108] 상·하권에 은니(銀泥)로 글씨를 썼다. 누각과 건물은 온통 천하 금석문이 보관된 궤짝과 상자로 가득했다. 옹공은 근시여서 언제나 배가 오목한 안경을 썼다.

105　순포(筍脯): 죽순을 말려 포처럼 만든 것이다.

106　이는…작품이다: 위 시는 본서 142면 '옹방강' 항목에도 보인다.

107　송참본(宋槧本): 사천(四川) 지방에서 판각한 송판본(宋版本)을 말한다. 사천은 절강(浙江)의 항주(杭州)와 복건(福建)의 건양(建陽)과 함께 송대(宋代) 각서(刻書)의 중심지였다. 촉본은 대체로 안진경체(顏眞卿體)로 된 것이 많고 글자가 비교적 크나, 송말(宋末)에 원(元)과의 전쟁에서 파괴되어 현전본이 극히 적다. 서품상 절본(浙本)이 최고이고 촉본이 다음, 건본(建本)이 가장 아래라는 평가를 받는다.

108　『시주소집』(施注蘇集): 청나라에 들어와 강희 연간에 송나라 시원지와 그의 아들 시숙이 편찬하고 고경번(顧景藩)이 주(注)를 붙인 『소시주』(蘇詩注), 곧 『송참시고주소시』(宋槧施顧注蘇詩) 42권이 영인되어 나왔다.

先君記曰：“翁方綱號覃谿，官侍講學士．深於金石，著兩漢金石考六卷．所居室扁以蘇齋，揭長公笠屐諸象．每於十二月十九日長公生辰，祭以筍脯，聚集名士賦詩．‘覃溪洪趙流，金石窮錙銖．臘月日十九，辨香祭髯蘇．引我上淸閟，高會參文殊．’此懷翁覃溪舊作．憶赴會時，與兩峯同車．翁時跋華山碑，又以泥書宋槧施注蘇集上下．樓閣庭宇，皆天下金石所儲之箱篋櫃籠之屬．翁公短視，常帶凹腹靉靆．”

나빙(羅聘)

| 수레 오른 오늘 마음 시원치 아니함은 | 今日登車心不快 |
| 살얼음과 잔설이 이별의 정 울려서라. | 薄氷殘雪動離情 |

이것은 내가 양봉 나빙의 절구에 화답한 것이다.[109] 양봉의 원운(原韻)에는 이런 구절이 있다.

| 살얼음에 잔설이 남았을 때 생각하면 | 遙想薄氷殘雪候 |
| 숲 아래 물가 그대 틀림없이 그리우리. | 定思林下水邊人 |

대개 매화를 그려 나와 작별할 때 지어 준 것이다.[110] 양봉은 양주(楊州) 사람인데 그림을 잘 그렸다. 수문(壽門) 김농(金農)에게

---

109 이것은…것이다: 위 시는 본서 152면 '나빙' 항목에 보인다.
110 대개…것이다: 나빙의 원운은 〈묵매화도〉(墨梅花圖) 하단에 쓰여 있다.

서 배운 것이다. 두 아들 연당(練塘)과 철연(鐵硏)도 모두 그림으로 이름이 났다.

先君記曰: "'今日登車心不快, 薄氷殘雪動離情.' 此余和羅兩峯絶句也. 兩峯原韻有: '遙想薄氷殘雪候, 定思林下水邊人.' 蓋畫梅別我之作也. 兩峯楊州人, 善畫. 學于金壽門農. 二子練塘鐵硏, 皆以畫名."

황비열(黃丕烈)

고소(姑蘇)[111] 사람 황비열이 내게 영련(楹聯)을 써 줄 것을 청하므로 내가 우연히 이렇게 썼다.

곡성(穀城)의 황석공(黃石公)[112]이 나를 막 알아주니

穀城黃石方知我

---

111 고소(姑蘇): 강소 오현(吳縣)의 별칭으로, 이곳에 고소산(姑蘇山)이 자리하고 있다.
112 곡성(穀城)의 황석공(黃石公): 한고조(漢高祖) 유방(劉邦)의 책사 장량(張良)에게 병서(兵書)를 전해 준 선인(仙人)이다. 장량이 진시황을 저격하였다가 실패하고 이교의 밑에 숨어 있을 때, 황석공이 연이어 무리한 요구를 하였는데 장량이 공손히 응해 주었다. 황석공이 이러한 장량의 성품을 보고 닷새 뒤에 만나자는 제안을 하여 병법을 전수해 주며 이렇게 말했다고 한다. "이 책을 읽으면 왕의 사부가 될 것이고, 그 뒤로 10년이 되면 흥성할 것이다. 13년 뒤에 그대가 제북(濟北)에서 나를 만날 것인데, 곡성산(穀城山) 밑에 있는 황석(黃石)이 바로 나다."(讀此則爲王者師矣. 後十年興. 十三年孺子見我濟北, 穀城山下黃石卽我矣.) 관련 기록이 『사기』(史記) 「유후세가」(留侯世家)에 보인다.

멈칫거리며 미처 대구를 얻지 못하였다. 향경(香涇) 황성(黃成)과 묵장(墨莊) 이정원(李鼎元) 등 제군이 말했다.

'어찌 금속청련(金粟靑蓮)의 고사[113]를 쓰지 않으시는지요?'

내가 황비열이 지현(知縣)의 후보로 올랐다는 말을 듣고 바로 이렇게 말했다.

구루산(句漏山)의 단사는 이미 그대 것일세.[114]

句漏丹砂已屬君

황비열이 몹시 기뻐하며 머리를 조아리고 돌아갔다.

先君記曰: "姑蘇黃丕烈, 乞余書楹聯, 余偶書云: '穀城黃石方知我.' 躊躇未獲對, 諸君香涇墨莊輩曰: '何不用金粟靑蓮故事?' 余聞黃將候補知縣, 卽云: '句漏丹砂已屬君.' 黃喜甚, 叩首而去."

---

113 금속청련(金粟靑蓮)의 고사: 청련(靑蓮)은 이백(李白)의 호이고, 금속(金粟)은 금속여래(金粟如來)의 준말로 유마힐(維摩詰)을 뜻한다.

114 구루산(句漏山)의⋯것일세: 구루산의 단사란 불로장생의 금단(金丹)을 말한다. 구루산은 도서(道書)에서 말하는 제22번째 동천(洞天)이자, 한대(漢代)부터 교지군(交趾郡)에 두었던 현(縣)이다. 진(晉)나라 때 갈홍(葛洪)이 연단(鍊丹)을 통해 장생(長生)하려는 뜻이 있었는데, 교지에 단사가 난다는 소문을 듣고 자청하여 구루 현령이 되었다고 한다. 관련 기록이 『진서』(晉書) 「갈홍열전」(葛洪列傳)에 보인다. 여기서 단사가 황비열에게 있다는 말은 그가 곧 지현으로 발령이 날 것이라는 덕담으로 쓴 것이다.

『호저집』, 18세기 한중 지식인 교류의 현장

정민(한양대 국문과 교수)

1

『호저집』(縞紵集) 6권 2책은 초정(楚亭) 박제가(朴齊家, 1750∼1805)의 3남 박장암(朴長馣, 1790∼1851 이후)이 부친과 중국 문인과의 교유 기록을 시기별, 인명별로 정리한 필사본 책자이다. 편찬 시기는 부친 사후 4년 뒤인 1809년 5월이다. 제목의 '호저'(縞紵)는 벗 사이에 마음을 담아 주고받는 선물, 시문, 편지 등을 가리키는 관습적 표현이다.

박제가는 1778년 처음 연행에 참여한 이래 1790년과 1791년에 연이어 두 번, 그리고 1801년에 한 번까지 모두 네 차례에 걸쳐 중국에 다녀왔다. 이희경(李喜經)이 다섯 차례 연행을 했지만, 박제가의 4차에 걸친 연행은 북학파 실학자 중에서도 단연 많은 횟수이다. 그는 네 번의 사행을 통해 수많은 청조의 문인과 만났고, 귀국 후에도 이들과의 연락이 끊이지 않았다. 그의 중국 인맥은 타의 추종을 불허할 만큼 대단했다.

1776년 유금(柳琴)이 『한객건연집』(韓客巾衍集)을 가져가 이조원(李

調元)과 반정균(潘庭筠)의 서문과 평비(評批)를 받아온 일로, 1778년 첫 연행부터 박제가의 이름은 이미 북경 문원(文苑)에 알려져 있었다. 이후 네 번의 연행을 통해 자연스럽게 수많은 중국 문인과 교유할 수 있었다. 연행의 역사에서 개인으로 중국 문인과 나눈 교유의 폭이 앞뒤를 통틀어 박제가를 능가하는 경우를 찾기란 쉽지 않다. 추사 김정희가 청조 문인과 폭넓게 교유했지만 단 한 차례 연행에 그쳐 박제가와 견주기 어렵다. 김정희의 중국 인맥부터 박제가의 소개를 바탕으로 이루어진 것이었다.

네 번의 연행과 이후 인편에 전해진 시문과 서신, 제평(題評) 및 필담 자료까지 박제가의 집에는 중국 문인들의 묵적(墨跡)이 산더미처럼 쌓여 있었다. 박제가는 생전에 이 자료들을 책자로 엮을 생각으로 정리해 두었지만, 만년의 갑작스러운 귀양과 득병으로 작업을 마무리 짓지 못한 채 세상을 뜨고 말았다. 부친 사후 셋째 아들 박장암이 부친의 유지를 받들어 자료들을 편집해 『호저집』으로 종합했다.

이 글에서는 『호저집』의 유전 경위와 박제가의 연행, 『호저집』의 편자 박장암과 편찬 경위 및 편집 구성에 대해 살펴보고, 『호저집』의 주요 내용과 자료 가치에 대해 차례로 알아보겠다.

2

먼저 『호저집』의 유전 경위와 소장자에 대해 알아보자. 『호저집』은 현재 미국 하버드대학교 옌칭도서관에 유일본이 소장되어 있다. 필사본 2책이 포갑에 들어 있고, 표지의 제첨은 『청조문화 동전(東傳)의 연구』(淸朝

文化東傳の研究)로 추사 김정희 연구에 큰 자취를 남긴 전 경성제국대학 교수 후지쓰카 치카시(藤塚鄰, 1879~1948)의 친필이다. 책 또한 그의 손때가 묻은 수택본(手澤本)이다. 책 곳곳에 붉은색 잉크로 쓴 후지쓰카의 친필 메모가 보이고, 중간 중간 본문에 참고가 될 만한 내용을 카드에 적어 꽂아둔 것도 여러 장이다.

여기서 후지쓰카가 『호저집』을 비롯해 박제가의 여러 저작을 손에 넣게 된 경위를 잠깐 살펴보겠다. 그는 청대 경학(經學)을 연구하다가, 북경 주재 해외 연구자 자격으로 일본 정부의 지원을 받아 1921년부터 1923년까지 2년간 북경에 체류했다. 이때 그는 날마다 유리창 서점가를 출입하며 청대 원각본(原刻本) 서적 수집에 골몰했고 귀국할 때는 거의 몇 만 권의 장서를 모을 수 있었다.

1923년 북경 유리창 서점가를 순례하던 후지쓰카는 진전(陳鱣, 1753 ~1817)의 『간장문초』(簡莊文鈔)라는 책을 보다가, 그 첫 장에서 진전이 박제가의 문집에 서문으로 써 준 「정유고략서」(貞蕤藁略敍)란 글을 발견했다. 진전의 글을 읽은 후지쓰카는 박제가라는 인물이 몹시 궁금했지만, 당시 진전이 이름 대신 자(字)를 써서 '박수기'(朴修其)로 표기하는 바람에 박제가의 바른 이름조차 알 수가 없었다. 그는 여러 책을 뒤지다가 『예해주진』(藝海珠塵)이란 책에 수록된 『정유고략』을 찾아내 비로소 그의 본명이 박제가임을 확인했다.

후지쓰카는 1926년 4월 경성제국대학 교수로 부임해 조선으로 건너와, 다시 탐서 작업을 개시했다. 어느 날 서울 한남서림(翰南書林)에 들른 그는 우연히 보게 된 『사가시』(四家詩)에서 박제가의 이름을 발견하고, 그 후 본격적으로 박제가 관련 자료를 수집하기 시작했다. 얼마 지나지 않아 『정유각시집』(貞蕤閣詩集)과 『정유각문집』(貞蕤閣文集)을 손에 넣었고, 곧이어 『북학의』(北學議)와 『호저집』도 구할 수 있었다. 마침내 나빙(羅聘)이 그린 박제가의 초상화까지 구하자 그는 마치 박제가의 전모를 눈앞에 펼쳐 놓은 것처럼 한눈에 살필 수 있게 되었다고 감격에 들떠 술회한 바 있다. 후지쓰카는 박제가가 그린 것으로 조작된 〈연평초령의모도〉(延平髫齡依母圖)를 손에 넣기도 했는데, 너무 기뻤던 나머지 자세한 전후 사정을 기록으로 남기기까지 했다.

하지만 몇 만 권에 달했던 후지쓰카의 서적은 태평양전쟁 말기 미군의 도쿄 공습으로 대부분 불타 버렸다. 집의 방공호에 따로 보관한 덕에 그가 특별히 애장한 박제가와 김정희 관련 귀중본과 필적만은 요행으로 살아남을 수 있었다.

전쟁이 끝나고 1948년 후지쓰카가 세상을 뜬 뒤, 그의 집안에서는 생계를 위해 일부 고서를 매물로 내놓았다. 『호저집』은 여기에 포함되어 1950년대 초, 하버드대학교 옌칭도서관으로 흘러들어 왔다. 공산화 이후 중국과 국교가 단절되자, 미국은 중국과의 수출입을 모두 중단했다. 연구를 위한 서적을 수입할 길이 막히자 당시 미국 도서관들은 홍콩과 일본을 통한 중국 서적 구매에 나섰다. 이런 상황에서 전후의 일본 경제 악화와 맞물려 희귀본 고서가 시장에 쏟아져 나왔고, 일본출판무역주식회사(日本出版貿易株式會社)라는 에이전시가 설립되어 이들 고서를 구입하여 카탈로그로 만들어 미국 도서관에 홍보하고 판매했다.

필자는 2012년 옌칭연구소에 1년간 방문학자로 체류하면서, 옌칭도서관에 소장된 후지쓰카 소장본 자료 56종 200여 권을 찾아내 정리한 바 있다. 이들 책에는 거의 예외 없이 일본출판무역주식회사의 스티커가 붙어 있다. 관련 내용은 필자의 『18세기 한중 지식인의 문예공화국』(문학동네, 2014)에서 자세히 밝힌 바 있어 여기서는 따로 적지 않겠다.

후지쓰카는 『호저집』 곳곳에 친필 메모지를 끼워 넣거나 행간에 직접 붉은색 잉크로 참고 사항을 잔뜩 적어 두었다. 문집과 대조하여 원본의 오자를 교정한 흔적도 적지 않다. 이밖에 구분을 위해 붉은 종이를 네모지게 자른 표지를 여기저기 붙여 놓았다. 연대 확인과 인물 소개, 참고 내용 추가, 문장 보완 및 오탈자 교감의 내용 또한 메모로 남겼다. 간지로 표기된 것은 구체적인 연도를 밝혀 연대 파악이 손쉽게 하였고, 원문에 오자나 빠진 글자가 있을 경우 붉은색 잉크로 수정 표시를 해 두었다. 책 상단에 인물 정보나 교감 내용 등 참고 사항을 적은 내용도 상당하다. 따로 종이를 덧붙여 추가할 내용을 적어 두기도 했다. 중간 중간 원고지나 이면지에 쓴 메모 11장이 갈피에 끼워져 있다. 다른 자료에서 연구에 참고가 될 만한 내용을 추려 따로 베껴 써 둔 것이다. 당시 자신이 제공받은 박제가의 편지를 원고지에 전사해 둔 것도 있다.

또 『호저집』의 메모 중 다섯 군데에 '원적장어망한려'(原蹟藏於望漢廬)라는 메모가 남아 있다. 망한려는 후지쓰카가 살았던 종로구 충신동 집의 당호이다. 『호저집』 수록 작품 중에 적어도 원본 진적 5편을 후지쓰카가 소장하고 있었다는 뜻이다.

이처럼 많은 메모와 교정 및 참고 사항의 추가는 후지쓰카가 이 책을 얼마나 아꼈는지 잘 보여 준다. 그는 『호저집』에 등장하는 인물들이 그의 연구 주제였던 청조 문화의 동전(東傳) 과정에서 얼마나 중요한 역할을 했는지 잘 알고 있었다.

3

『호저집』의 편자인 박장암에 대해 알아보자. 『호저집』의 범례 끝에 "기사년(1809) 5월에 박장암은 삼가 쓴다"(己巳仲夏, 長馣謹識.)라고 적은 구절이 있다. 이를 볼 때『호저집』은 부친 서거 4년 뒤인 1809년 5월에 당시 20세 젊은 나이의 박장암이 편집한 것이다.

『한국문집총간』해제에 수록된 박제가 연보는 어찌된 일인지 세 아들의 나이를 각각 10년씩 앞당겨 놓았다. 이후 여러 연구에서도 이것을 따르는 바람에 박장암의 생년이 1780년으로 잘못 굳어졌다. 하지만『호저집』에 수록된 조강(曹江, 1781~1837)과의 필담에서 자식 몇을 두었느냐는 질문을 받고, 박제가는 "늦게 본 큰애가 그대와 동갑이고, 둘째가 14살, 그다음이 12살입니다"라고 대답했다. 박제가가 조강과 만나 필담을 나눈 것이 1801년이고 조강은 1781년생이니 당시 맏아들 박장임(朴長稔)은 21세, 둘째 박장름(朴長廩)은 1788년생, 셋째 박장암이 1790년생이다. 이는『밀성박씨족보』(密城朴氏族譜)의 기록과도 일치하므로 재론의 여지가 없다.

박장암은 박제가의 셋째 아들로 1790년 12월 28일에 태어났다. 자가 향숙(香叔), 호는 소유(小蕤)·사묵(師墨)이다. 아버지 박제가의 호가 정유(貞蕤)여서 부친의 유업을 이었다는 뜻으로 붙인 호이다. 셋째 아들임에도 박장암이 부친의 적전을 이었다는 상징적인 의미로 볼 수 있다. 박제가는 슬하에 3남 3녀를 두었다. 맏아들 장임은 1781년생이고 자가 이곡(爾穀)이다. 차남 장름은 1788년생이고 자는 기중(氣仲)이다. 세 딸 중 장녀는 윤겸진(尹兼鎭)에게 시집갔고, 차녀(1776~1799)는 윤후진(尹厚鎭)의 아내가 되었으나 결혼 이듬해에 일찍 죽었다. 특히 윤후진은 역모에 연루되어 사형당한 윤가기의 아들이어서 박씨 족보에서도 이름을 파내고 없다. 그리고 남근중(南謹中)에게 시집간 삼녀가 있다. 박장암은 6남매 중 막내녔다.

소유란 호에 걸맞게 박장암만이 부친을 이어 규장각의 검서관을 지냈다. 유득공의 『고운당필기』(古芸堂筆記)에 따르면 정조는 장남 박장임의 이름을 1795년에 대년검서(待年檢書)의 명단에 올리는 은혜를 베풀었다. 당시 16세였던 박장임이 나이가 차면 검서관에 임명하겠다는 뜻을 표현한 것이다. 또 1796년에 검서관 시취인(試取人) 신분으로 입궐한 기록도 『승정원일기』에 남아 있다. 하지만 그 이후 남은 기록이 전혀 없어, 실제로 박장임은 검서관으로 재직하지는 않았던 것으로 보인다.

『승정원일기』1818년 4월 7일자 기사에, 검서관 박장암에게 종9품 부사용(副司勇)의 군직을 주어 관대(冠帶)를 하고 사진(仕進)케 하였다는 기록이 남은 것으로 보아, 박장암의 경우 29세 때에는 이미 규장각에서 검서관으로 활동하고 있었다. 2년 뒤에는 6품직으로 천전(遷轉)하여 1820년 12월에 장흥고주부(長興庫主簿)에 제수되었고, 1822년 6월 통례원인의(通禮院引儀), 1823년 12월 사옹원주부(司饔院主簿)를 거쳐, 1824년 1월에 흥양목장감목관(興陽牧場監牧官)에 임명되었다. 다만, 대부분 검서관의 겸직이었다. 1827년 9월에 규장각 검서관으로 복귀하며 종6품 부사과(副司果)의 군직에 제수된다. 이후 지방의 수령으로 나가 함창현감(咸昌縣監, 1833~1836)에 이어 진위현령(振威縣令, 1836~1839)을 지내던 중 암행어사로부터 장죄(贓罪)의 혐의를 받아 봉고파직을 당한다. 이후 10년 넘게 기록이 보이지 않다가 『승정원일기』1851년 7월 10일자 기사에 전 검서관 박장암을 겸검서관(兼檢書官)에 임명하고 군직을 제수하였다는 내용이 나와, 적어도 62세까지는 그가 건재했음을 알 수 있다. 다만, 이후의 행적이 전하지 않아 세상을 뜬 해는 분명치 않다.

박장암은 비교적 젊은 시절에 쓴 시를 모은 시집이 있었으나 현재 전하지 않는다. 유득공(柳得恭, 1748~1807)의 아들 유본학(柳本學, 1770~1842)은 자신의 『문암문고』(問庵文藁)에 쓴 「박향숙시집서」(朴香叔詩集序)에서 "향숙은 성품이 조용하여 함부로 말하거나 웃지 않았다. 사람과 마주해 단정히 앉아 있으면 마치 엄숙 공손하여 언행을 삼가는 사람 같았다. 문예나 회화, 청동기 등을 논함에 이르러서는 다른 사람이 제대로 알지 못해 종일 따지고 논란해 마지않는 문제도 군이 한 마디로 갈라 분석하면 모두 그 요점을 얻었으니, 간데없이 부친 박제가가 명리(名理)를 이해함과 꼭 같았다"(香叔性沈靜, 不妄言笑. 對人端坐, 若修飭者. 至於論文藝及繪畵彝器之屬, 他人之所未眞知, 終日辨難不已者, 君以一言析之, 皆得其要, 宛如貞蕤之解名理.)고 썼다. 그가 문예와 골동 방면에 식견이 상당했음을 알 수 있다. 그가 검서관에 오르고, 소유의 호까지 쓴 것에서도 가학(家學)의 그늘을 엿볼 수 있다.

시집에는 고체시와 근체시가 고루 실려 있었다. 그 작품에 대해 유본학은 "모두 우뚝하여 외울 만하였고, 깃발이 날리듯 한 것은 그 태(態)이고, 정심하고 아름다운 것은 그 말이었으니, 오로지 연마하여 옛 작가의 뜻을 따르고자 하였다. 아! 가학을 잃지 않은 사람이라고 말할 만하다"(皆楚楚可誦, 旖旎者其態, 要眇者其語, 專欲磨洗, 以追古作者之旨. 嗚呼! 可謂不失家學者也.)고 평가했다.

또 유본학은 박장암에게 보낸 편지 「여박향숙서」(與朴香叔書)를 『문암문고』에 따로 남겼다. 편지에서 유본학은 박제가가 시도(詩道)로 한 세상에 이름을 울려 중국에까지 전해진 일을 말하면서 그에게 시작(詩

作)에 더욱 전념하여 부친의 뜻을 이을 것을 권했다. 박장암은 시작에 상당한 재능을 지녔음에도 막상 시 짓기를 즐기지는 않았던 듯하다.

신위는 「중구절에…시 7수를 얻고」(重九…余得詩七首)에 "초서에 민첩한 솜씨는 규영부의 향숙이라네"(敏捷抄書手, 香叔奎瀛府.)라는 구절을 남겼다. 초서(抄書)는 여러 책에서 필요한 정보를 초출(抄出)해서 베껴 써 내는 것을 말한다. 그가 부친을 이어 오랫동안 규장각 검서관으로 봉직하여 각종 문헌 정보에 해박했고, 손이 빨라 그 역량을 인정받았음을 보여 준다.

박장암은 신위, 김정희, 유최관(柳最寬), 신명연(申命衍), 한재락(韓在洛), 정학연(丁學淵), 이만용(李晩用) 등 당대의 문장들과 가깝게 지냈고 부친 사후 중국 사인들과의 연락도 박장암을 통해 이어졌다. 성균관대학교 존경각(尊經閣)에 『사죽재집』(師竹齋集)이 있다. 부친 박제가와 각별한 교분을 나눈 청나라 문인 묵장(墨莊) 이정원(李鼎元)의 시집이다. 이정원이 옹방강(翁方綱)의 아들 옹수곤(翁樹崑, 1786∼1815)을 통해 인편에 전달한 책자가 1814년 무렵 박장암에게 도착한 것이다. 이 책에는 옹수곤의 인장뿐 아니라 박장암과 유최관의 인장이 찍혀 있고, 표지에 '소유보장'(小麴寶藏)이라 쓴 김정희의 글씨가 남아 있어, 이 책을 박장암이 소장했고 그가 중국 인사들과 지속적으로 왕래했음을 알려 준다. 함께 왕래한 벗들의 정보도 확인된다. 당시 이정원은 자신의 초상화도 박장암에게 보냈다.

또 1815년 대둔사(大芚寺) 승려 초의(草衣)가 상경하여 수락산 학림암에 머물 때, 다산(茶山) 정약용(丁若鏞)의 맏아들 정학연(丁學淵)의 글씨 도움을 받아 초의의 이름으로 추사에게 보낸 편지가 남아 있다. 편지 끝에 공동 수신자로 김정희, 유최관, 박장암, 김훈(金壎) 등의 이름이 나란히 적혀 있다. 특별히 유최관, 김정희, 신위, 정학연, 이만용 등과 긴밀한 교유를 이어 나갔음이 여러 기록을 통해 드러난다.

4

박장암은 어떤 편집 원칙을 세워 『호저집』을 엮었을까? 박장암의 작업 기준은 앞쪽에 실린 10조목에 걸친 「범례」에 명확하게 제시되어 있다. 범례의 내용을 분석하여 『호저집』의 편집 구성과 정리 방식에 대해 간략히 살펴보자.

먼저 책은 6권 2책으로 구성되어 있다. 제1책은 찬집(纂輯), 제2책은 편집(編輯)이다. 각 책은 박제가의 연행 시기별로 다시 3권으로 구분했다. 1778년의 1차 연행을 권1, 1790년과 1791년의 연속한 연행을 권2, 1801년의 4차 연행을 권3으로 삼았다. 특별히 권1 앞에 권수(卷首)를 두었다. 이는 박제가가 자신보다 선배로 직접 만나보지는 못했던 몇 사람을 따로 떼어 구분한 것이다.

박장암은 『호저집』에 모두 172명에 달하는 인명 정보를 수록했다. 그 인적 구성은 박제가 한 사람의 교유 네트워크라고 믿기에는 놀라우리만치 방대하다. 박장암은 남은 친필 시문 끝의 서명이나 인장을 통해 얻은 정보까지 얻을 수 있는 정보는 직접 찾아 정리했다. 때로는 낡은 종이 조각에 적힌 알아보기 힘든 난필 메모에서 취해 오기도 했다. 그것마저 없을 때는 훗날을 기약하며 이름만 남겨 두었다.

각 권별 인명 수록 순서는 1778년과 1801년의 경우, 부친 박제가의 메모에 바탕을 두었던 듯 나름의 근거를 갖추었으나, 1790년과 1791년의 경우는 선후가 모호하여 어림짐작으로 차례를 매겼다고 썼다. 각 인물별 사적은 전기(傳記)의 예에 따라 사제 관계와 교우 관계를 밝히고, 출처의 자취를 자세히 풀이하여, 지파와 연원에 이르기까지 가능한 상세한 내용을 담으려 노력했다. 여기에 박제가가 이들에게 준 증별시와 회인시, 제첩시 등의 자료를 추가했다. 필담의 담초가 남아 있을 경우 앞쪽 찬집에 모두 포함시켜 기초 자료로 제공했다.

박제가는 중국 문인과의 교유를 인물별로 정리한 「회인시」 연작을 무려 128수나 남겼다. 이 가운데 77수를 『호저집』에 수록하였고, 「연경잡절」(燕京雜絶) 140수 연작 중에서도 중국 문인에 관한 시구는 모두 실었다. 이조원, 반정균 등 11명과 주고받은 필담 자료도 찬집에 수록, 소개했다. 수록한 인명은 대부분 박제가가 연행 당시 직접 만난 사람이다. 이밖에 건너서 듣기만 했거나, 편지와 시문만 오가고 직접 만나지는 못한 사람 8명도 그 내용을 수록했다.

제2책 '편집'의 경우 시와 문을 구분한 구성을 생각했으나, 체재가 혼란스러워지자 시문과 서찰, 제평의 차례로 수록했다. 구작(舊作)을 주고받은 경우는 본문보다 한 글자 내려썼다. 편지와 답장, 원운시와 차운시는 주고받은 모든 내용을 수록해 전후 맥락을 가늠할 수 있도록 배치했다.

찬집과 편집을 구분하는 기준은 무엇이었을까? 범례의 끝에 박장암은 유종원(柳宗元)의 「선우기」(先友記)의 뜻에 견주어 『호저집』을 엮었다고 적었다. 「선우기」는 유종원이 지은 「선군묘표비음선우기」(先君墓表碑陰先友記)를 줄인 말로, 세상을 뜬 부친의 벗 67명의 명단을 기록한 글을 말한다. 선인의 교유를 자식이 정리해서 기록으로 남긴다는 의미로 썼다.

제1책 '찬집'은 과거 급제 등수와 이름 및 호, 관직과 출신 등 개별 인물의 생애 정보를 모은 인명록에 해당한다. 그들의 인적 사항에 관한 정보가 들어 있을 경우, 박제가의 「회인시」 연작과 「연경잡절」 연작에서 끌어와 인용했고, 박제가가 그들과 나눈 필담의 담초도 찬집 속에 포함하였다. 『호저집』에는 모두 11명과 나눈 필담을 수록했다. 이렇듯 찬집은 철저히 교유 인물 소개에 초점을 두고, 객관적 생애 정보와 박제가의 시선에 포착된 판단 정보를 엮어 각 인물 관련 사실을 입체적으로 구성했다.

특별히 찬집 맨 앞에는 앞서 언급했듯 권수를 따로 두어, 곽집환(郭執桓), 육비(陸飛), 오영방(吳穎芳), 심초(沈初), 원매(袁枚) 등 5인을 소개했다. 이들은 범례에서 밝힌 대로 직접 만나지 못했으나 건너서 듣고 흠모했던 4명과, 편지만 오가고 실제 만나지는 못한 1명을 구분한 것이다. 또 찬집 권2 끝에 왕학호(王學浩)와 유석오(劉錫五), 그리고 찬집 권3 끝 엄익(嚴翼) 등 세 사람을 부록으로 추가했다. 이 세 사람 또한 직접 만나지 못했으나 서로를 그리워하고 시문만 왕래한 사람들이다.

제2책 '편집'은 박제가와 각 인물이 교유한 자취를 한눈에 알아볼 수 있도록 했다. 그들이 박제가에게 보낸 시문과 편지, 제평(題評)을 차례로 싣고, 박제가의 답장이 있을 경우에는 나란히 수록했다. 해당 인물의 작품 세계의 이해를 돕기 위해 특정 시기의 작품을 나열해 소개하기도 했다. 그 결과, 편집에는 박제가와 172명 중국 문인들이 교류한 시문이 빠짐없이 실렸고, 이 중에는 27명과 주고받은 40통의 편지도 포함된다.

또 박장암은 『호저집』을 편집하면서, 『한객건연집』과 『정유고략』에 나오는 중국 문인과의 교유를 모두 추려 시화의 구실과 제금집(題襟集)의 역할을 겸하게 하였다고 썼다. 제금집이란 몹시 가까운 벗들끼리 창화한 시문을 차례 지어 엮어 만든 문집을 가리킨다. 당나라 때 온정균(溫庭筠)과 단성식(段成式), 여지고(余知古) 등이 서로 간에 주고받은 창화 시를 한데 모아 『한상제금집』(漢上題襟集)이란 책을 펴낸 데서 연유한다. 중국인 엄성(嚴誠)이 홍대용(洪大容)과 주고받은 시문과 편지를 모아 엮은 『일하제금집』(日下題襟集)의 선례도 있다. 박장암이 이 같은 예에 따라 제2책을 엮고자 한 뜻을 알 수 있다.

정리하면 이렇다. '찬집'은 박장암이 부친의 메모와 관련 기록을 조사해 인적 사항과 판단 정보를 인명별로 정리한 것이고, '편집'은 집에 있던 자료를 찬집의 인명 순서대로 배열하여 당사자와 박제가 사이에 오간 수창 시문과 편지를 옮겨 적은 것이다. 찬집으로 인물을 파악한 뒤, 편집에서 교유의 구체적 내용을 확인하는 방식이다. 이 같은 구성은 복잡하게 얽히고설킨 자료를 일목요연하게 파악할 수 있게 해 준다.

5

『호저집』의 주요 내용을 일별하겠다. 박장암은 범례에서 자신이 『호저집』을 엮은 이유에 대해 "선군께서 여러 사람을 사모한 것과 여러 사람들이 선군을 사모한 것을 모두 그저 사라지게 할 수는 없었다"(先君之慕諸人, 與諸人之慕先君, 幷不可得以終泯.)고 적었다. 박제가 생전에 산더미같이 쌓인 중국 사인들과의 교유의 자취를 정리해 둔 것이 있었으나, 박제가는 1801년 4차 사행에서 돌아온 직후 사돈인 윤가기의 흉서(凶書) 사건에 연루되었다는 혐의로 종성(鍾城)에 유배되었고, 4년 뒤인 1805년에 해배가 되었지만 이내 병으로 세상을 뜨고 만다.

20세의 막내아들 박장암이 1809년 『호저집』 편집을 서두른 것은 박제가가 세상을 뜨기 전 이 자료의 정리에 대한 당부가 있었기 때문으로 보인다. 또 서둘러 정리하지 않으면 한중 문화 교류의 산 증거인 이 자료들이 맥락 없이 흩어져 찾아볼 수 없게 될 것을 근심했던 듯하다.

내용 소개에 앞서 간략히 4차에 걸친 박제가의 사행 시기와 교유 양상을 정리해 보자. 『호저집』의 권별 인물 목록 중, 일부 명단의 착오를 반영하여 시점별로 실제 교유한 인물의 수를 함께 제시하겠다. 1차 연행에서 박제가는 1778년 3월 사은겸진주사행(謝恩兼陳奏使行)에 정사 채제공의 종사관 자격으로 참여했다. 당시 이덕무도 서장관 심염조(沈念祖, 1734~1783)의 종사관이 되어 함께했다. 전년도 동지사 편에 보낸 주문(奏文)에 불손한 구절이 있다는 질책을 받고 해명차 떠난 사절이었다.

두 사람은 첫 연행에서 이조원, 이정원, 반정균, 축덕린(祝德麟), 당낙우(唐樂宇) 등과 활발히 교유하며 벅찬 시간을 보냈다. 『호저집』 권1에는 24명의 교유자 명단이 들어 있다. 북경에서 이덕무와 박제가는 그림자처럼 동행하며 많은 경험을 한다. 당시의 일을 이덕무는 「입연기」(入燕記)로 남겼다. 특히 박제가는 이 경험을 토대로 이듬해 『북학의』를 저술했다. 첫 번째 사행과 청조 문인과의 접촉은 박제가에게 큰 충격을 안겨 주었고 새로운 세계에 눈을 뜨게 해 주었다.

2차 연행은 41세 때인 1790년에 이루어졌다. 건륭제의 만수절을 맞은 진하사절단의 일원으로 5월에 출발해 10월에 돌아왔다. 당시 정사는 황인점(黃仁點), 부사는 서호수(徐浩修)였고 박제가와 유득공은 종사관으로 수행했다. 이때 그는 박지원을 이어 열하(熱河)까지 가서 닷새 동안 머물렀고 철보(鐵保), 장문도(張問陶), 웅방수(熊方受), 석온옥(石韞玉), 장상지(蔣祥墀), 나빙(羅聘), 오조(吳照) 등과 교유했다. 이들 외에도 『호저집』 권2에는 곧바로 이어진 3차 연행을 포함하여 무려 93명의 교유자 명단이 나온다. 다들 당시의 쟁쟁한 문인들이었다. 유득공은 별도로 『난양록』(灤陽錄)으로 알려진 『열하기행시주』(熱河紀行詩註)를 남겼다. 3차 연행은 1790년 2차 연행에 잇달아 성사되었다.

2차 연행에서 건륭제는 정조가 6월 18일에 원자를 본 것을 축하해 직접 지은 시를 새긴 옥여의(玉如意)와 벼루 등을 선물했다. 정조는 이에 대한 사례로 박제가를 임시로 정3품 당상관직인 군기시정(軍器寺正)에 임명해 동지사의 뒤를 따르게 함으로써 박제가의 3차 연행이 성사되었다. 뜻밖에 막 헤어지자마자 북경으로 되돌아오게 된 박제가는 이 기간 동안 앞서 만난 사람 외에 팽원서(彭元瑞), 기윤(紀昀), 옹방강 등 고위 관료이자 명망 높은 학자들과 새롭게 교유하며, 이들에게 크게 인정받았다. 이때의 교유는 더욱 폭넓고 알찼다. 박제가는 귀국 후 청조 사인들과의 만남을 회억하며 「회인시」(懷人詩) 50수 연작과 「속회인시」(續懷人詩) 18수를 지었다.

4차 연행은 52세 때인 1801년 2월에 이루어졌다. 유득공과 함께 정사 조상진(趙尙鎭), 부사 신헌(申憲), 서장관 신현(申絢)을 수행했고 북경에 32일간 머물다가 6월에 귀국했다. 주자서(朱子書)를 구입해 오라는 명을 받고 사은사를 따라 나선 연행이었다. 1791년의 3차 연행 이후 10년 만에 북경에 다시 등장한 박제가는 큰 환영을 받았다.

이때 78세의 기윤과 재회하고 그를 기다리던 옛 벗들과 재회한 한편, 전대흔(錢大昕), 전동원(錢東垣), 완원(阮元), 진전, 황성(黃成), 황비열(黃丕烈), 조강(曹江) 등과 새로 만났다. 특히 3살 연하였던 진전과의 만남이 가장 뜻깊었다. 『호저집』 권3에는 45명의 교유자 명단이 보인다. 박제가는 진전에게 자신의 시문집인 『정유고략』(貞蕤稿略)의 서문을 청했다. 1803년 진전은 벗 오성란(吳省蘭)이 펴낸 『예해주진』에 『정유고략』을 수록케 해서 박제가의 문집이 중국에서 출판되게 했으며, 『정유고략』

만 따로 간행하기도 했다.

귀국 직후 박제가는 함경도 종성으로 유배 갔고, 1804년 풀려난 이듬해 세상을 뜨고 말았다. 격랑의 와중에 4차 연행에 관한 기록은 문집에 온전히 남지 못했다. 그나마 『호저집』과 유득공의 『연대재유록』(燕臺再遊錄)이 있어 대강의 사정을 짐작해 볼 수 있다.

박제가는 이처럼 네 차례의 연행에서 청조 인사들에게 강렬한 인상을 남겼다. 당시 청조 학계의 거물이었던 옹방강과 기윤은 해마다 시와 편지로 박제가의 안부를 물을 정도였다. 기윤은 정조에게 따로 편지를 보내 박제가를 사신으로 보내줄 것을 요청했다. 양주팔괴(揚州八怪)의 한 명으로 중국 회화사에서 뚜렷한 족적을 남긴 나빙은 박제가의 초상화를 그려 주었고, 헤어진 뒤에도 그의 생일이 되면 자리를 만들어 함께 모여 시를 짓기까지 했다.

박제가의 활약은 추사 김정희로 이어져 중국과 조선 문인들을 잇는 가교 역할을 톡톡히 해냈다. 1803년 이해응(李海應)의 『계산기정』(薊山紀程), 심지어 1828년 박사호(朴思浩)의 『심전고』(心田稿)에서도 박제가의 연행 이야기가 회자되고 있는 것을 볼 수 있다.

다시 책의 내용으로 돌아가자. 제1책 '찬집'에서 인물을 소개하는 방식은 앞서 보았듯, 기본적인 인적 사항을 간략히 적은 뒤 부친과의 인연을 기재하고, 박제가가 이들을 생각하며 쓴 회인시나 증시(贈詩)를 소개하는 순서이다. 특히 박제가가 청대 문원의 영수로 높이 평가한 원매의 경우 그의 행장과 시화 및 문집을 망라하여 그 일생을 자세히 정리하고, 중간에 관련 인물이 나올 때 간주(間註)로 해당 인물의 인적 사항까지 자세하게 기록해 놓았다.

중간 중간 해당 인물과 나눈 짧은 대화나 일화를 소개하거나, 부친이 남긴 메모를 '선군기'(先君記)란 이름으로 곳곳에 남겨 두기도 했다. 이 선군기의 존재는 박제가가 집안에 남아 있던 각종 기록들을 인명별로 묶어 두었으며, 편집을 염두에 두고 생각나는 일화를 적어 둔 기록이 상당히 많았음을 뜻한다. 뿐만 아니라 때로는 박지원 등 훗날 연행 간 사람들에게 전해 들은 전문(傳聞)도 담았다.

각 인물의 저술이 있을 경우, 거의 빠짐없이 적었다. 이밖에 집안에 남아 있던 필담의 담초를 문답 구성으로 정리, 소개했다. 교유의 현장성을 파악하고 쌍방의 관심사를 확인할 수 있도록 한 점에서 특별한 의미가 있다. 필담은 각 인물의 인적 사항 소개와 수창 시문의 수록이 끝난 뒤에 실었다. 수록된 필담은 모두 11건이다. 이정원·이기원(李驥元)·반정균·기윤·공협(龔協)·최경칭(崔景偁)·정종(程樅)·진전·황성·조강·심강(沈剛) 등과 나눈 필담이다.

필담은 서로의 시문에 대한 소감 및 평가, 관심 가는 인물의 근황에 대한 문답, 서적 구입을 위한 서책 정보 및 신간 소식, 시문 창화 및 글과 화첩 요청 등의 내용이 주를 이룬다. 불교나 미인, 남방 비적(匪賊)의 동향, 복식이나 음식, 역사 토론 등의 내용도 보인다. 상당히 길게 이어진 것도 있고, 이기원과의 필담처럼 한 차례의 문답만 오간 간결한 것도 있다.

제2책 '편집' 부분은 내용이 대단히 풍부하다. 이 부분은 말 그대로 박제가의 북경 인맥과의 교유록에 해당한다. 제1책 찬집에 수록된 순서대로 각 인물들이 박제가에게 준 시문을 배열하고 당시 상황을 함께 설명했다. 박제가가 그 시에 차운한 시나 원운시가 있을 경우 한 줄을 내려 구분한 뒤 병기하여 소개했다. 시에 대한 보충 설명이 필요하면 간주(間註) 형식으로 시의 중간이나 끝부분에 보탰다.

한 사람과 여러 차례 만나 교유한 경우는 맨 처음 만난 권차(卷次)에 넣고, 그와 주고받은 이후의 시문도 해당 권차에 그대로 병렬해서 소개했다. 박제가와 깊은 우정을 나눈 이정원의 경우, 그가 박제가의『춘운출협집』(春雲出峽集)과『열상주선집』(洌上周旋集)에 제(題)한 시부터 시작해 박제가가 귀국 후 인편에 부탁한 내용을 담은 시, 박제가의 사망 소식을 듣고 쓴「곡초정」(哭楚亭)을 싣고, 시 뒤편에 시에 얽힌 자세한 전후 사정을 적어 두었다. 박제가의 벗 유득공이나 이후 사행에서 박제가의 소식을 전달한 사람에게 보낸 시와 편지도 참고 자료로 함께 수록했다. 박제가에 대한 내용이 거기에 포함되어 있었기 때문이다. 또 박제가에게 보낸 편지 3통을 절록해 수록한 뒤, 아들 박장암에게 보낸 3통의 편지를 함께 실어 전후 경과를 알 수 있게 했다. 그밖에 박제가가 소장했던 축덕린의 소조(小照)와 동기창(董其昌)의「천마부권」(天馬賦券)에 쓴 발문도 수록했다. 이정원과 박제가 사이에 오간 시문 수창의 전모를 시기별, 양식별로 일목요연하게 파악할 수 있도록 배치해 놓았다.

이조원, 반정균 등의 경우도 같다. 그들이 박제가에게 보낸 편지를 앞에 놓고, 박제가가 먼저 보낸 편지나 나중에 한 답장을 덧붙여 두 사람 간 왕래의 합을 맞춰 볼 수 있게 했다. 이중에는 현재 전하지 않는 박제가의『명농초고』(明農草稿)나『초정시고』(楚亭詩稿),『열상주선집』등에 대한 서문이나 관련 내용도 자세하다.『열상주선집』의 경우 박제가와 이덕무 등이『한객건연집』이후 후속으로 준비했던 회심의 선집이었으나 현재 실물이 남아 있지 않다. 하지만 찬집 속에 여러 사람이 쓴『열상주선집』에 관한 서문과 발문, 평어 등이 다채롭게 수록되어 있어, 후속 논의가 요청된다. 축덕린 항목의 경우, 1790년 3월 교서관의 임무를 띠고 심양에 머물던 축덕린이 당시 왕복하는 길에 지은 시를 한 권의 책으로 묶어 박제가에게 선물한 적이 있다. 박장암은 특별히 이 시집에서 13편을 추려 전문을 수록했다.

찬집 권2에 보이는 기윤, 옹방강과의 교유도 흥미롭다. 기윤은 박제가와 유득공을 만난 며칠 뒤 조선 사신단이 머물던 옥하관(玉河館)으로 직접 찾아올 만큼 강한 호감을 보였다. 특히 박제가에 대한 애착은 각별하여, 그가 귀국한 후 조선 조정을 통해 시를 보내오기도 했다. 옹방강의 경우 1789년 12월 19일 자신의 집에서 소동파 생일잔치 모임인 수소회(壽蘇會) 또는 동파제(東坡祭)를 개최할 당시의 시를 박제가에게 선물로 준 것이 수록되었다. 박제가의 증언에 따르면 그는 매년 이 모임을 열어 죽순 포를 올려 제를 지내고, 명사들을 초청하여 시를 지었다. 이는 뒤에 김정희, 신위, 박영보(朴永輔), 조면호(趙冕鎬) 등으로 이어지는 모소(慕蘇) 열풍의 첫 출발이기도 한 점에서 한중 문화 교류사에서 특별한 의미를 지닌다.

이밖에도 40통에 달하는 수록 편지에는 당시 조선의 사행과 청조 문인 간 교유의 실상을 보여 주는 자료가 풍부하다. 서로 간에 오간 선물과 만남의 형태, 서적 교류와 시문의 왕래에 이르기까지, 그 현장이 생생히 되살아나는 느낌이다. 그들의 문예 취향과 문화 인식이 드러날 뿐 아니라, 주요 관심사는 토론의 주제로 이어지고 있다. 만남이 새로운 만남을 불러오고, 종횡으로 얽혀 동심원을 그리며 퍼져 나가던 이 모든 만남이 박제가 한 사람을 통해 이루어졌다는 사실이 믿기지 않을 정도이다.

청조 문인들이 시문을 통해 박제가에게 바친 헌사는 결코 의례적인 것이 아닌 마음에서 우러나는 존중과 경의를 깔고 있다. 당시 한중 문사들은 평등하고 우호적인 분위기 속에서 서로를 존중하며 교유를 이어 갔다. 더욱이 이들 자료의 몇몇 부분은 중국 쪽 기록에서도 이미 사라진 것들이어서, 『호저집』의 기록은 18세기 한중 지식인들이 세운 문예공화국의 눈부신 성과를 이해하기 위한 필수적인 근거가 된다. 이런 면에서도 『호저집』은 18세기 한중 문화 교류의 실상을 온전히 담아낸 귀중한 자료가 아닐 수 없다.

6

『호저집』의 가치와 간행 의의에 대해 정리하는 것으로 이 글을 마무리하겠다.

첫째, 『호저집』은 유례를 찾을 수 없을 만큼 풍부한 한중 문화 교류의 생생한 증언집이다. 무려 172명에 달하는 중국 사인의 인적 사항과 관련 시문을 수록해, 내용이 호한하고 방대하면서 교유의 실상을 세밀하게 보여 주는 자료의 보고이다. 이조원, 반정균, 기윤, 옹방강 등 쟁쟁한 문인 외에도 중국 쪽 사료에도 전혀 남아 있지 않은 많은 인물들의 인적 사항이 적혀 있어 건륭·가경 연간 청대 지식계의 전반적인 동향을 파악하는 데 있어서도 대단히 요긴하다. 이를 통해 한중 문화 교류사의 지평을 확대할 수 있다.

둘째, 『호저집』에는 박제가의 문집에도 누락된 자료가 많아, 북학파 연구의 빠진 퍼즐을 채울 수 있다. 책에 여러 번 등장하는 『열상주선집』은 실물이 남아 있지 않은데 『호저집』에 이조원, 반정균, 축덕린 등의 서문과 평이 실려 있다. 특히 편지와 필담 자료에는 생생한 분위기와 함께 당시 지식인들의 학적 관심사가 고스란히 담겨 있어 그 현장에 함께 있는 듯한 느낌을 준다. 『호저집』이 18세기 후반에서 19세기 초반 조청(朝淸) 지식인의 교유 현장을 생생하게 기록·재현하고 있는 점은 무엇보다

이 자료집의 가치를 높인다.

셋째, 당대 한중 지식인의 교유 계보와 맥락을 추적할 수 있게 해 주는 자료집이라는 사실이다. 『호저집』은 홍대용에서 비롯된 전대의 만남을 잇고 김정희, 신위로 이어지는 성대한 접속의 출발점이 된다는 점에서 한중 문화 교류상 그 가치가 대단하다. 기록 속의 만남은 당시 이들의 교유가 의례적인 것에 그치지 않고 조선 지식인이 중국의 문인들에게 높은 인정을 받아 진실한 교유를 나눈 만남이었음을 진실되게 증언하고 있다. 당시 박제가가 중국 문인들에게 보여 준 문화적 자신감과 그들을 압도하는 높은 식견은 대단히 인상적이다. 우리는 『호저집』을 통해 이들의 인적 네트워크가 어떻게 작동하고 또 연결되었는지를 살펴볼 수 있다.

넷째, 특별히 옹방강과 완원, 조강이나 황비열 같은 학자들을 매개로 다음 세대 김정희로 이어지는 가교 역할을 한 경과를 알 수 있다. 19세기 초, 김정희와 신위 등에 의해 주도된 옹방강 계열 지식인들과의 교유와 인맥은 실제로는 박제가의 인맥에서 출발한 것이 많다. 하지만 이들 중 많은 인물들의 문집이 중국에도 남아 있지 않아, 오로지 『호저집』에 남은 정보가 전부인 경우가 적지 않다. 즉 중국 건륭·가경 연간 지식계의 정황을 보정하는 자료로서의 구실이 있다.

다섯째, 이들 사이에 오간 시문과 예물, 서간 등을 통해 당시 한중 지식인의 문화 취향과 공통 관심사를 확인할 수 있다는 점이다. 서적이나 시문, 또는 자신이 거처하는 공간의 제액(題額)을 요청하는 일이 빈번하였고, 시문집에 서문 또는 발문을 써 줄 것을 요청한 내용도 많다. 도서 요청이나 금석문 탁본 등도 주요 관심 대상이었고, 그밖에 문방사우나 지역 특산품도 활발히 오갔다. 박제가는 그들에게 조선의 갓과 일본도를 선물하기도 했다. 서로 간에 초상화를 주고받으며, 서로의 생일을 기억해서 행사를 갖기도 했다.

이렇듯 『호저집』에는 18세기 조청 문인의 교류 양상과 그 세부를 입체적으로 조망 가능한 다양한 유형의 자료가 있다. 금번 『호저집』을 최초로 완역 출간함으로써 박제가를 중심으로 한 한중 문화 교류의 전반적 흐름과 윤곽을 파악할 수 있게 된 셈이다. 향후 관련 연구가 더욱 활발하게 이루어지기를 기대해 본다.

찾아보기